歯科衛生士のための

口腔機能管理マニュアル 高齢者編

第2版

監修　公益社団法人 日本歯科衛生士会

編集主幹―森戸光彦

編集委員―吉田直美

金澤紀子

須山弘子

Oral Function Care for the Elderly

医歯薬出版株式会社

●監　修
公益社団法人日本歯科衛生士会

●編集主幹
森戸　光彦　鶴見大学名誉教授

●編集委員
吉田　直美　公益社団法人日本歯科衛生士会会長
／東京医科歯科大学大学院医歯学総合研究科口腔健康教育学分野教授
金澤　紀子　公益社団法人日本歯科衛生士会顧問
須山　弘子　公益社団法人日本歯科衛生士会理事

●執筆者（執筆順）
森戸　光彦　鶴見大学名誉教授
松山　美和　徳島大学大学院医歯薬学研究部口腔機能管理学分野教授／徳島大学歯学部口腔保健学科長
山村　健介　新潟大学大学院医歯学総合研究科口腔生理学分野教授
戸原　玄　東京医科歯科大学大学院医歯学総合研究科摂食嚥下リハビリテーション学分野教授
須佐　千明　東京医科歯科大学大学院医歯学総合研究科摂食嚥下リハビリテーション学分野非常勤講師
塩澤　光一　鶴見大学歯学部非常勤講師（生理学）
田村　文誉　日本歯科大学口腔リハビリテーション多摩クリニック口腔リハビリテーション科教授・科長
菊谷　武　日本歯科大学口腔リハビリテーション多摩クリニック教授・院長
小川　智久　日本歯科大学附属病院総合診療科准教授
三宅洋一郎　徳島大学名誉教授
米山　武義　米山歯科クリニック院長
水口　俊介　東京医科歯科大学大学院医歯学総合研究科高齢者歯科学分野教授
石塚真理子　三間歯科医院
草間　里織　昭和大学歯科病院歯科衛生室
秋山利津子　医療法人天馬会デンタルクス仙台
丸岡　三紗　まんのう町国民健康保険造田歯科診療所
比嘉　良喬　医療法人香優会比嘉歯科医院院長
嵩原　典子　元医療法人香優会比嘉歯科医院
渡邊由紀子　訪問歯科衛生士グループ元気なお口研究会まほろば
松田奈緒美　医療法人芽依美会石川歯科医院
日山　邦枝　元昭和大学附属烏山病院歯科
杉山　総子　米山歯科クリニック
佐藤さと子　医療法人社団豊生会東苗穂にじいろ歯科クリニック
赤沼　正康　医療法人社団豊生会東苗穂にじいろ歯科クリニック
岩﨑　妙子　元みほ歯科医院
武井　典子　元公益財団法人ライオン歯科衛生研究所
鈴木　里保　Naoデンタルクリニック
清水けふ子　三ノ輪口腔ケアセンター
泉野　裕美　梅花女子大学看護保健学部口腔保健学科教授
小原　由紀　仙台歯科医師会訪問・障害者：休日歯科診療所
榎本亜弥子　首都医校歯科医療学部歯科衛生学科
石井　美和　神戸市立医療センター中央市民病院
山口　朱見　医療法人財団千葉健愛会あおぞら診療所
鷲見よしみ　医療法人聖仁会オーク介護支援センター
秋野　憲一　札幌市保健福祉局保健所母子保健・歯科保健担当部長
岸本　裕充　兵庫医科大学医学部歯科口腔外科学講座主任教授
角町　正勝　歯科小児矯正歯科つのまち医院
小野　高裕　新潟大学大学院医歯学総合研究科包括歯科補綴学分野教授
下山　和弘　東京医科歯科大学名誉教授

This book is originally published in Japanese
under the title of :

SHIKAEISEISHI NO TAME NO KOKŪ KINŌ KANRI MANYUARU
– KŌREISHA HEN
(— The Manual for Dental Hygienist Seminar —
Oral Functional Care for the Elderly)

General Editor : Japan Dental Hygienist's Association
Chief Editor : MORITO, Mitsuhiko
Emeritus Professor, Tsurumi University

ISHIYAKU PUBLISHERS, INC.
7-10, Honkomagome 1 chome, Bunkyo-ku,
Tokyo 113-8612, Japan

第2版に向けて

2016年に本書初版が発行されて5年が経過し，老年人口割合のさらなる増加，歯科医療を取り巻く環境の変化，医療を受ける側の健康志向の向上などがあり，第2版を企画することになりました．基本的な概念は変わりませんが，それをベースにした現場の取り組みが少しずつ変わろうとしています．具体的には，2013年の中央社会保険医療協議会による「周術期の口腔機能管理は，在院日数の削減をはじめとする治療実績の向上等がある」という報告を基本として，2018年に「周術期等口腔機能管理」が医科歯科連携の方策として医療保険に導入され，同じ年には「口腔機能低下症」という病名が歯科の健康保険医療の対象として新規導入されました．このことだけを見ても「口腔機能管理」が社会の中に大きく根付き始めていることが理解できます．どちらも発展途上であり問題点も多いのが実情で，それぞれの専門学会では，より多くのエビデンス提供や広く正しく運用するための制度設計の提案などが積極的に検討されています．本書では，「⑩口腔機能低下症」について新規収載しました．

英文タイトルにも検討を加え，四半世紀以上前から使われている「Oral Health Care」を「口腔健康管理」と位置付け，「口腔衛生管理」を「Oral Hygienic Care」，「口腔機能管理」を「Oral Functional Care」としました．その内容は，2015年に日本歯科医学会から報告されています．当時は「口腔ケア」という用語の理解について，さまざまな意見があり，歯科としてはっきりとした説明が必要であろうということで，多くの分野から構成された検討委員会が設置され作成されました．「口腔ケア」という用語がかなり広く使われていたこともあり，当初，やや混乱や誤解もあったように記憶していますが，最近はかなり定着してきたように思われます．

5年経過していることによるデータの見直しや参考文献の入れ替え，それに伴う解釈の変更などをそれぞれの執筆者にお願いしました．さらに，現場での頻度が極めて少ない項目は，他の項目と統合するなどして見直しを図りました．実践例を担当していただいた執筆者にも同様の観点からの改訂をお願いし，行政に関わる制度面についての項目では，新しい制度と現場の実情などを紹介していただくことにしました．演習編では，現場の実情により合致した項目だけに整え，研修会でも有効に使えるよう図表の差し替えなども行いました．用語については，専門学会から提示されている教育基準，教授要綱，歯科医師国家試験出題基準，歯科衛生士国家試験出題基準などを基本に調整しました．

他にも取り入れたい項目はたくさんありますが，初版の理念に基づいて，臨床現場あるいは教育現場での実践書として広く使われることを願って第2版を提供させていただきました．

2022年7月

編集委員一同

序 第1版

超高齢社会を迎え，歯科医療を取り巻く「保健・医療・介護・福祉」の環境も大きく変化しています．団塊の世代が75歳以上となる2025年を目途に，住み慣れた地域で自分らしい暮らしを人生の最後まで全うできるよう，住まい・医療・介護・予防・生活支援が一体的に提供される地域包括ケアシステムの構築が推進されつつあります．こうした変化の中，歯科医療の提供体制も従来の歯科診療所における外来患者中心の「診療所完結型」から，今後は「地域完結型」へと変化し，地域でのきめ細やかな歯科保健医療の提供が求められます．今後，医療及び介護の総合的な確保に向けた歯科医療サービスの拡充に伴い，多職種連携が加速するなか，歯科医療従事者としての役割を認識して，より一層専門性を高めることが大切です．

日本歯科衛生士会では，2008年に生涯研修制度を大きく見直し，都道府県歯科衛生士会を基盤とした専門研修に加え，さらに実践・指導力を高めるために「生活習慣病予防」「在宅療養指導」「摂食嚥下リハビリテーション」の3つの認定制度がスタートしました．しかし，今後の地域包括ケアシステムにおいて，高齢者の口腔機能管理をベースとした訪問口腔ケアなどの歯科保健医療ニーズに対応するためには，より専門性の高い人材確保が急務であり，そのためにも認定制度のさらなる拡充が重要です．

そこで今回，認定制度の「在宅療養指導・口腔機能管理」の拡充を目指して，口腔機能管理の専門家としての基礎と実践力を学ぶためのマニュアルを出版することになりました．近年，歯科医師向けに口腔機能管理を含む「口腔ケア」の概念が示されましたが，本書における口腔機能管理は，摂食・咀嚼・嚥下，咬合，発音，味覚，唾液などの基礎をベースに臨床に生かす技能をマニュアル化したものです．歯科衛生士は，口腔の専門家として，舌や頬粘膜を含む軟組織や唾液，咀嚼や発音，味覚などの口腔機能の全体の機能を維持・向上させて管理する役割をもっています．口腔機能の維持・向上は，おいしく食べ楽しく会話するうえで欠かせない機能であり，栄養や活動エネルギーの摂取，免疫力や体力の向上，精神的な活動意欲とも深くかかわっており，フレイル（虚弱）予防としても重要です．また一方で，要介護者への訪問における多職種連携が進むなかで，歯科衛生士としての口腔機能管理の専門性が問われています．この専門性を発揮するためには，口腔機能の観察と評価，評価結果に基づく対応法の提案，その効果の再評価のステップが重要であり，経験的な活動から，科学的な活動への変革が重要です．本マニュアルはこのような考え方に基づき，口腔機能管理を基礎と臨床に分けて編集しました．高齢者の口腔機能管理を体系的に学んで頂き，歯科衛生士の専門性を発揮して頂くことを願っています．対象は，すでに臨床で頑張っている歯科衛生士ですが，歯科衛生士養成校の先生方にも参考にして頂き，これからの歯科衛生士を目指す学生への教育にも活かして頂ければと願っております．

最後に，本マニュアル発刊にあたり，この分野に造詣が深い森戸光彦先生に編集委員長として多大なご尽力を頂きました．また，編集を含め本マニュアルの作成にご協力（尽力）賜りました諸先生方および医歯薬出版に心より感謝申し上げます．

2016年5月

公益社団法人 日本歯科衛生士会会長　**武井典子**

歯科衛生士のための
口腔機能管理マニュアル
高齢者編
第2版

Contents

BASIC

1～10章

1 「口腔機能管理」の基本的概念

鶴見大学名誉教授　森戸光彦

歯科医療，歯科医学はこれまで数少ない病名を対象にさまざまな治療法や薬剤，材料，器材の開発に力を注いできた．その目的は，疾病の除去と再発防止であることはもちろんであるが，口腔領域がもっているさまざまな機能の維持と回復を目指してきたことも間違いない．一方で健康保険の主旨から，「病気に対する治療行為」のみが前面に掲げられ，歯科医療がもつ多くの部分である「機能の維持・向上」については，「予防処置」という概念や「リハビリテーション」という概念と重複するため，やや遠ざけられてきた感がある．

近年，摂食嚥下障害に歯科的関与が求められる状況が生じ，また，在宅高齢者や入院療養中の患者の口腔の健康管理が歯科抜きでは考えられない状況が生じたことで，「口腔機能の維持・向上」が重要課題となっている．さらに「周術期等口腔機能管理」として，医科と連携して，口腔環境の整備が積極的に行われるようになってきた．

小児歯科対象年齢においては，発達期における機能維持や管理，さらには向上といったものがしっかりと治療の中に取り入れられてきた．青年期から中高年期では「齲蝕予防」や「歯周管理」が一般的に理解される時代となった．しかしながら，老年期においては，口腔機能の状態と維持・向上を目的とした施術が確立され始めたところである．口腔機能は，他の臓器と同じように加齢とともに衰えるといわれている．「発達期において口腔機能の発育が十分でない」ことが，診察の対象となっていることを考えると，「衰退期における口腔機能」に対しては，やや遅れているといえる．

口腔健康管理が十分でない高齢者に対して，歯科が介入することにより，単に「口の中が綺麗になった」だけではなく，口腔がもっている本来の機能がかなり蘇ってくることを体験することは日常となってきた．しかもその結果として，全身疾患に対する治療効果が向上したり，患者本人のQOLが向上したり，また，家族の負担が軽減したりと，その効果は絶大といえる．それらの趣旨から「介護予防」の項目に「口腔機能の向上」が謳われている．

「口腔の専門家」としての歯科医師・歯科衛生士は，幼児期から青年期，中高年期，老年期に至るまで，歯そのものはもとより，舌や頬粘膜を含む軟組織や唾液，咀嚼や発音，味覚などの口腔機能全般を正しく維持・向上させ，管理する役割をもっている．そこに「口腔機能管理」という概念が生まれた．

1 口腔機能訓練による機能の維持・回復など

口腔機能は，①摂食・咀嚼・嚥下，②発音（構音），③姿勢の保持，④歯列の保持，⑤審美性，⑥コミュニケーション，その他多くの重要な役割を果たしている．口腔機能が低下することにより，栄養や活動エネルギーの摂取が低下し，免疫力の低下，病気にかかりやすくなったり回復が遅くなることが考えられる．また，精神的にも活動意欲が低下する．その結果，高齢者では寝たきりや認知症の引き金になるともいわれている．

リハビリテーション領域では，言語聴覚士などの職種とともに，歯科医師や歯科衛生士が介入することによりかなりの効果を上げている．咀嚼訓練による嚥下機能の回復[1)]，口腔機能訓練による栄養改善[2)]，舌などの運動機能訓練による咀嚼能力や嚥下機能の改善[3-6)]が報告されている．

2 咬合・咀嚼の回復と介護予防

「咀嚼すること」の意義について，心身の発育，脳の活性化とリラックス，発がん性の減弱，活性酸素の消去，肥満の抑制，血糖値のコントロール，運動機能の向上，老化の抑制など多くの生命予後にかかわるとしている[7-11)]．咬合力アップによる健康づくり[12)]，口腔機能向上プログラムによる運動機能などに有効[13)]，舌の機能訓練[14)]向上など治療的介入を行うことによる効果についても報告されている．

3 虚弱高齢者に対する口腔機能の維持・回復

口腔乾燥などにより口腔機能が低下した症例に対しては，保湿剤や唾液腺マッサージなどで改善した例が多く報告[15-18)]されている．さらに湿潤剤による効果を期待した治療も行われ，改善効果が報告[19-23)]されている．在宅療養管理中の患者や入院患者の口腔機能管理を行うのは，歯科医師だけではなく歯科衛生士が中心になって行うことが多い．また，看護師がその役割を担うことも決して少なくない．口腔の専門的なケアを行った成果も多く報告[24-28)]されている．

4 口腔機能低下症の概念

日本老年歯科医学会は，2016年に「高齢期における口腔機能低下」を発表しており[29)]，その中で，診断に必要な項目を7つと定め，それぞれの診断基準を示している．①口腔不潔：細菌カウンタによる総微生物数が$6.5\mathrm{Log}_{10}$（CFU/mL）以上，②口腔乾燥：ムーカスによる測定値が27.0未満，③咬合力低下：デンタルプレスケールによる咬合力が200N未満，④舌口唇運動機能低下：ディアドコキネシス（/pa//ta//ka/）の連続発音のいずれかが6回/秒未満，⑤低舌圧：JMS舌圧測定器による最大舌圧が30kPa未満，⑥咀嚼機能低下：グミゼリーによる咀嚼でグルコースの濃度が100mg/dL未満，⑦嚥下機能低下EAT10で合計点数が3点以上，としている．これらのうち，3項目が該当する場合に「口腔機能低下症」と診断される．現段階ではこれらのカットオフ値について，いくつかの意見が寄せられており，今後の介入研究の結果を待たなければならない．

5 口腔機能向上により期待できること

歯を失うと咀嚼が困難となる．歯の欠損した部分には，義歯を入れることにより咬合を回復することができる．咬合が回復すると，咀嚼機能が蘇ることになる．咀嚼機能が回復すると，口からの栄養摂取の条件の1つが整うことになる．しかし，咀嚼の効果はそれだけにはとどまらない．咀嚼機能の回復が全身的な運動機能の回復や精神的状況の改善，全身的疾患の回復促進に働くこともわかってきた．すなわち，歯科医療は生活の医療だけではなく，健康維持・改善の医療としての役割が大きいといえる[8-10]．

筋肉量の減少による「サルコペニア」は，結果として機能低下を伴う．また「オーラルディアドコキネシス」のように口唇や舌さらには口腔周囲筋の機能低下による運動速度や巧緻性をとりあげる用語も盛んに使われるようになった．同じく「うがいなどがうまくできない」，「嚥下機能が低下している」なども高齢者に多くみられる現象として問題提起されるようになった．このような機能低下は，すべて「口腔機能低下」と考えられる．

口腔機能がさらに低下し，咀嚼以前の状態になった高齢者においては，まずは口腔の衛生管理[15-28, 30]からはじめなくてはならない．その段階では，口腔乾燥や口腔内あるいは口腔周囲筋の萎縮や機能低下を伴うため，リハビリテーションを念頭においた口腔機能の改善がはかられることになる[1-7, 11-14, 25-28, 30]．その段階での診療の場は，介護の現場と重複することになり，医療・看護・介護・リハビリテーション各療法士のメンバーと意思疎通をはかる必要性が生じる．歯科診療所の中だけで発展してきた歯科界としては，診療の場の広がりに戸惑うことがあるかもしれないが，「口腔の専門家は歯科」なので，その責任は大きい．

（森戸光彦）

参考文献

1） 大塚恒子：咀嚼による嚥下障害の改善と日常生活行動の変化．日本精神科病院協会雑誌，25：505-509，2006．
2） 菊谷　武ほか：要介護高齢者の栄養状態と口腔機能，身体・精神機能との関連について．老年歯科医学，18：10-16，2003．
3） Kikutani T., et al.：Oral motor function and masticatory performance in the community-dwelling elderly. Odontology, 97：38-42, 2009.

4） 出江伸一：摂食･嚥下リハビリテーション．アンチエイジング医学，7：213-218，2011.
5） 向井美恵：口腔と食育．アンチエイジング医学，7：176-179，2011.
6） 金中章江ほか：要介護高齢者に対してのチームアプローチ　口腔機能の向上から栄養状態の改善を目指して．感染予防，20：14-22，2010.
7） 寺岡加代ほか：施設在住要介護高齢者の意欲（Vitality Index）と口腔機能との関連性について．老年歯科医学，24：28-36，2009.
8） 赤川安正：咬合咀嚼は健康長寿にどのように貢献しているのか　健康長寿に与える補綴歯科のインパクト．日本補綴歯科学会誌，4：397-492，2012.
9） 池邉一典：咬合咀嚼は健康長寿にどのように貢献しているのか．日本補綴歯科学会誌，4：388-396，2012.
10） 小林義典：咬合・咀嚼が創る健康長寿．日本補綴歯科学会誌，3：189-219，2011.
11） 椎名美和子ほか：新義歯治療過程における術者評価と患者評価の経時変化．補綴誌，52：301-310，2008.
12） 中村早緒里ほか：地域独居高齢者における介護予防に関する介入効果　全身運動を組み合わせた咬合力アップ運動の効果と有用性について．老年歯科医学，27：311-322，2012.
13） 渡邊　裕ほか：介護予防の複合プログラムの効果を特徴づける評価項目の検討　口腔機能向上プログラムの評価項目について．老年歯科医学，26：327-338，2011.
14） Kikutani T., et al.：The degree of tongue-coating reflects lingual motor function in the elderly. Gerontology, 26：291-196, 2009.
15） Ooka T., et al.：Changes in oral dryness of the elderly in need of care. The effect of dentifrice with oral moisturizing agents. Dental Medicine Research, 32：174-180, 2012.
16） 野澤和子：長期間経管栄養高齢者の常時開口状態改善の取り組み，口輪筋・頬筋のマッサージを試みて．看護実践学会誌，25：73-82，2013.
17） 柿木保明ほか：障害者・要介護者における口腔乾燥症の診断評価ガイドライン，日本歯科医学会誌，27：30-34，2008.
18） 徳永恵子ほか：高齢者の唾液腺マッサージによる分泌効果．国立療養所看護研究学会誌，4：278-280．2008.
19） 吉山友二ほか：高齢者の口腔乾燥ケアにおけるヒアルロン酸配合洗口液スプレーの有用性，耳鼻咽喉科展望，55：56-59，2012.
20） 望月優一郎：口腔咽頭異常感に対するピロカルピン塩酸塩の効果の検討：新薬と臨牀，61：1112-1118，2012.
21） 栂安秀樹ほか：要介護高齢者への口腔ケア用ジェルを使用した口腔ケアの報告，老年歯科医学，25：375-381，2011.
22） 林　寿美ほか：オイルの種類による口腔内乾燥予防効果の比較，オイルスプレーによる口腔内乾燥の改善を目指して．日本看護学会論文集，看護総合40：102-104，2010.
23） 横林康子ほか：口腔内乾燥のある高齢患者に保湿ジェルを使用した口腔ケアの効果，日本看護学会論文集：成人看護Ⅱ，39：98-100，2009.
24） 黒川秀雄ほか：NSTにおける摂食･嚥下障害チームの専門的口腔ケア介入の効果．日本歯科衛生学会誌，6：62-69，2012.
25） 森　啓ほか：口腔衛生指導と補綴治療による唾液流量および口腔症状の改善に関する検討，日本口腔診断学会雑誌，24：283-290，2011.
26） 大岡貴史ほか：急性期病院における口腔ケア活動と口腔内状況の変化について，障害者歯科学会誌，31：749-757，2010.
27） 鈴木絵理ほか：非経口摂取患者に対する保湿に重点をおいた口腔ケア─オキシドール希釈水とヒアルロン酸を含む含嗽水を組み合わせたケアの効果．日本看護学会論文集，看護総合，39：298-300，2008.
28） 武井典子ほか：老人ホーム入所者の口腔状態の検査─唾液湿潤度，カンジダ，口臭について，日本歯科人間ドック学会誌，4：55-56，2004.
29） 水口俊介ほか：高齢期における口腔機能低下─学会見解論文　2016年度版─．老年歯科医学，31：81-99，2016
30） 森戸光彦ほか編著：老年歯科医学．医歯薬出版，東京，2015.
31） 日本歯科医師会EBM編集委員会編：健康長寿社会に寄与する歯科医療・口腔保健のエビデンス．日本歯科医師会，東京，2015.
32） 森戸光彦ほか編著：歯科衛生士のための高齢者歯科．永末書店，京都，2012.

2 咬合と下顎位・下顎運動の基本

徳島大学大学院医歯薬学研究部口腔機能管理学分野　松山美和

1 口腔機能管理における咬合と下顎位・下顎運動の意味

口腔は呼吸器官，消化器官，発声器官および感覚器官であり，細分すると約30の機能をもつ[1]．これらは生理学的に運動性機能，感覚性機能と分泌性の機能に分類でき，口腔の主な運動機能には咀嚼，嚥下，発話がある．これら口腔の運動機能は，多数の筋の協調活動による巧緻な運動として下顎の限界運動の範囲内で行われるため，運動起点としての咬合や下顎位，さらに下顎運動を理解したうえで口腔機能管理を行う必要がある．

口腔の運動機能を健常かつ効率的に遂行するためには，関連する形態や運動機能，つまり歯や歯列，咬合が良好で，下顎位や下顎運動が安定していることが望ましい．そのため，口腔機能管理ではこれらを評価できる視点が必要であり，形態面の維持・改善を含めた管理計画の立案と実施を検討すべきである．

本章では口腔の運動機能を支える咬合と下顎位，そして運動の原動力となる下顎運動について解説する．

2 咬合，下顎位と下顎運動の基礎

1．咬合（occlusion）

咬合とはいわゆる「かみ合わせ」のことであり，上下顎の歯の接触や接触状態，接触関係を指すことが多い．公益社団法人日本補綴歯科学会は，「咬合」を以下のように定義している[2]．

・下顎が閉じる行為あるいは過程，または閉じている状態．

・上顎あるいは下顎の天然歯や補綴装置の切縁あるいは咬合面間における接触関係．

1）1歯対2歯咬合（図2-1）

ヒトの歯は基本的に1歯対2歯の対向関係である．乳歯列においても同様である．

2）咬合接触（図2-2）

前頭面内における上下顎臼歯部は3点で接触する．つまり，上顎歯の非機能咬頭である頬側咬頭の内斜面および機能咬頭である舌側咬頭内斜面と外斜面が，下顎歯の機能咬頭である頬側咬頭の外斜面と内斜面および非機能咬頭である舌側咬頭の内斜面に接触する．各接触点は，頬側からABCコンタクトとよばれている[3]．

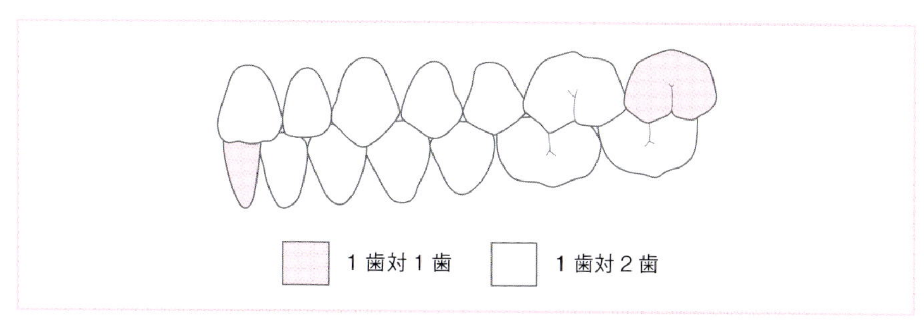

図2-1　1歯対2歯咬合（松井ら，2016[4]より）

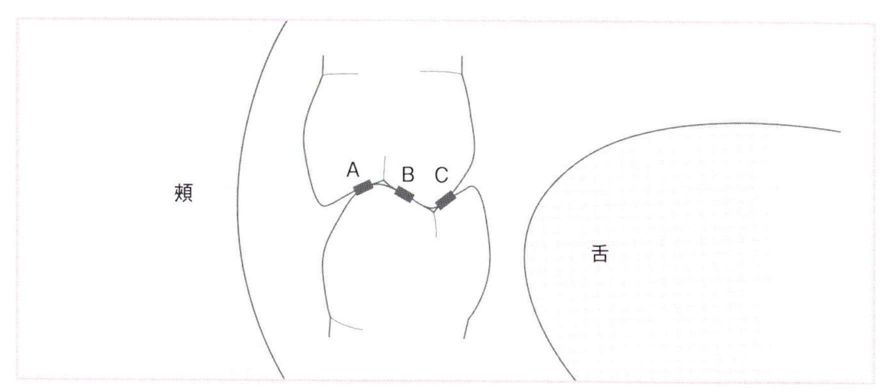

図2-2　臼歯部の咬合接触（ABCコンタクト）

表2-1　咬合異常

低位咬合	歯が対合歯と咬合していない垂直的な位置異常 1）歯が正常な咬合平面まで達しないような咬合 2）咬頭嵌合位が適正な咬合平面よりも低い位置にある咬合状態
過蓋咬合	前歯部の垂直被蓋が過剰に深い咬合
反対咬合	上下顎の水平被蓋が逆になっている咬合
切端咬合	前歯部が切端で接触する咬合
開　咬	上顎の数歯が連続して咬合せず空隙ができる状態
交叉咬合	上下顎歯列弓で交叉する部位が存在する咬合
鋏状咬合	上下顎臼歯の舌側咬頭が下顎臼歯の頬側咬頭外斜面に接触する咬合

3）咬合異常

上下顎の歯の静的・動的な位置関係が正常でなくなった状態を咬合異常という．対向関係の異常，咬合位の異常，下顎運動の異常，咬合を構成する要素の異常などを含む．**表2-1**と**図2-3**に主な咬合異常を示す．

2．下顎位（mandibular position）

上顎を基準とした三次元的な下顎の位置を下顎位という．下顎位には咬頭嵌合位や下顎安静位，さらに機能的な位置として嚥下位[3]などがある．

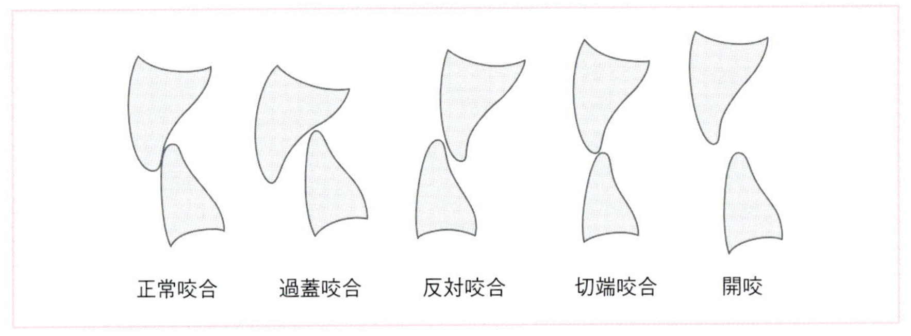

図2-3　前歯部の咬合

1) 咬頭嵌合位 (intercuspal position)

咬頭嵌合位は上下顎の歯列が最も多くの部位で接触し，安定した状態の下顎位である[2]．ほとんどの下顎運動の起点あるいは終点であるため，口腔機能管理の視点からもこの咬頭嵌合位が安定していることが望ましい．

下顎頭が中心位*にあって，しかも上下顎の歯が咬合するときの下顎位を中心咬合位 (centric occlusion) といい，咬頭嵌合位と一致することが多く，咬頭嵌合位の同義語として扱われる場合がある．

*中心位：歯の接触位置とは無関係で，下顎窩内の下顎頭の位置で決まる下顎位．ひとつには，関節円板の最も薄く血管のない部分に対合し，関節結節の斜面と向き合う前上方の位置と定義されている．

2) 下顎安静位 (physiologic rest position) と安静空隙 (free way space)

下顎安静位とは上体を起こして安静にしているときの下顎位[2]で，安静時に口唇を閉じて顔を垂直にして，咀嚼筋に意識的な緊張のない状態を保つと，上下顎の歯は接触せずに一定の隙間がある状態にとどまる．通常，咬頭嵌合位よりも下顎が2～3mm下方に開いた位置とされる．また，上下顎切歯間にみられる隙間を安静空隙という．

3) 嚥下位 (swallowing position)

嚥下の第1相における下顎位を嚥下位という[2]．嚥下時，下顎は閉口筋の活動により固定され，舌骨上筋群などのアンカー (固定源) となる．正常有歯顎者では通常，咬頭嵌合位付近で咬合接触する．無歯顎者や咬合支持のない部分無歯顎者が義歯未装着の場合，舌を上下顎の間に挟み込んで下顎を固定し，嚥下することが多い．

3. 下顎運動 (mandibular movement)

上顎を基準とした下顎の運動を下顎運動という．口腔の運動機能のほとんどは下顎運動によって生じる[3]．下顎は両側に関節をもち下顎骨で1つに連結されており，一側の関節の動きは反対側の関節の動きに影響を及ぼし，同時に反対側の関節の動きから制約を受けるため，特異な運動をする．

下顎運動は主に開閉口運動，前方・後方運動，側方運動の3つに分類できる[3]．下顎を咬頭嵌合位から最大開口位まで開口させる開口運動，その逆の閉口運動，下顎の咬頭嵌合位から前方への運動を前方運動，同じく後方への運動を後方運動，左

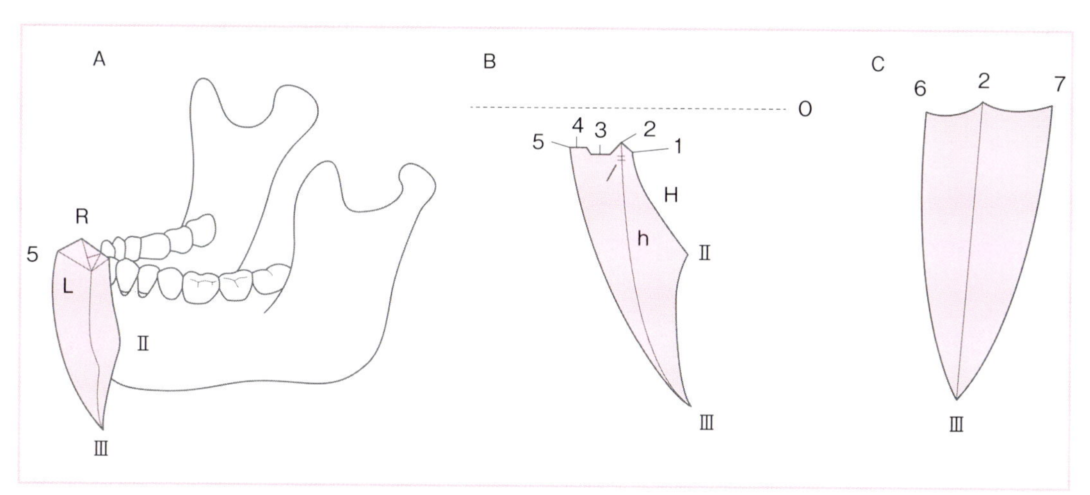

図2-4　下顎の限界運動（ポッセルトの図形）
1：後方接触位，2：咬頭嵌合位，3・4：前方滑走運動路，5：最前方位，h：習慣性開閉口路，Ⅲ：最大開口位

右側方への運動を側方運動という．安定した下顎運動は安定した口腔機能のために重要である．

下顎限界運動とは下顎の三次元的な限界の運動のことで，切歯点の限界運動を表示した菱形柱状の立体をポッセルトの図形という（**図2-4**）．前述の通り，咀嚼，嚥下，発語などの口腔の機能運動はすべてこの範囲内で行われる[1]．この図形の最上方部の運動範囲は上下顎の歯が接触する領域であるため，歯や補綴装置の咬合面，切縁部の形態，つまり静的咬合が大きく関与する．また，水辺面内の限界運動はその形状からゴシックアーチとよばれる．

3　咬合の観察と評価

咬合によって咀嚼力は発揮され，咬合支持は下顎のアンカーとして嚥下機能に関わるため，咬合の観察と評価は口腔機能管理にとって重要である．

1．咬合支持の観察と評価（図2-5，6）

臼歯部の咬合支持の評価として，アイヒナーの分類がある[3]（**図2-6**）．これは歯列の欠損形態の分類法の1つで，咬合支持域を左右の小臼歯部および大臼歯部の4ブロックに分け（**図2-5**），各ブロックの安定した咬合関係の有無により，大きく3型に分類したものである（**図2-6**）．効率的な口腔機能の遂行のためには，左右両側に咬合支持があることが望ましい．

2．咬合検査

咬合紙やワックス，シリコーン検査材，引き抜き試験用箔，咬合検査機器などを用いて，咬頭嵌合位や偏心位の咬合接触を判定する検査である[2]．咬頭嵌合位で

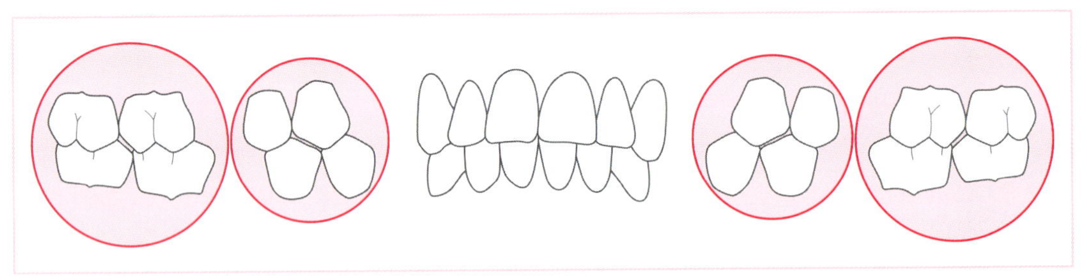

図2-5　4ブロックの咬合支持域（両側の小臼歯部・大臼歯部）（古谷野ら編，2002[3]より）

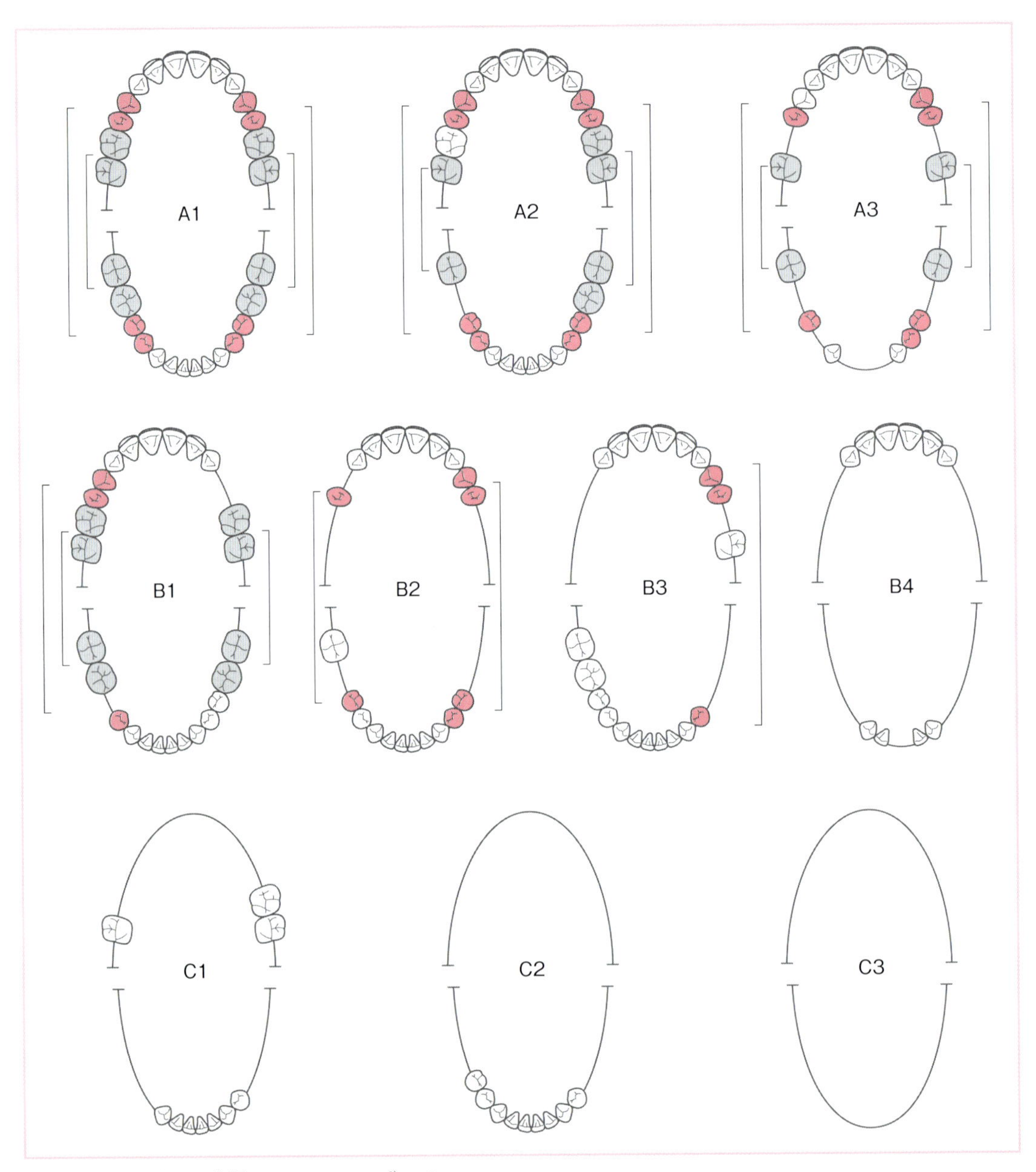

図2-6　アイヒナーの分類（古谷野ら編，2002[3]より）

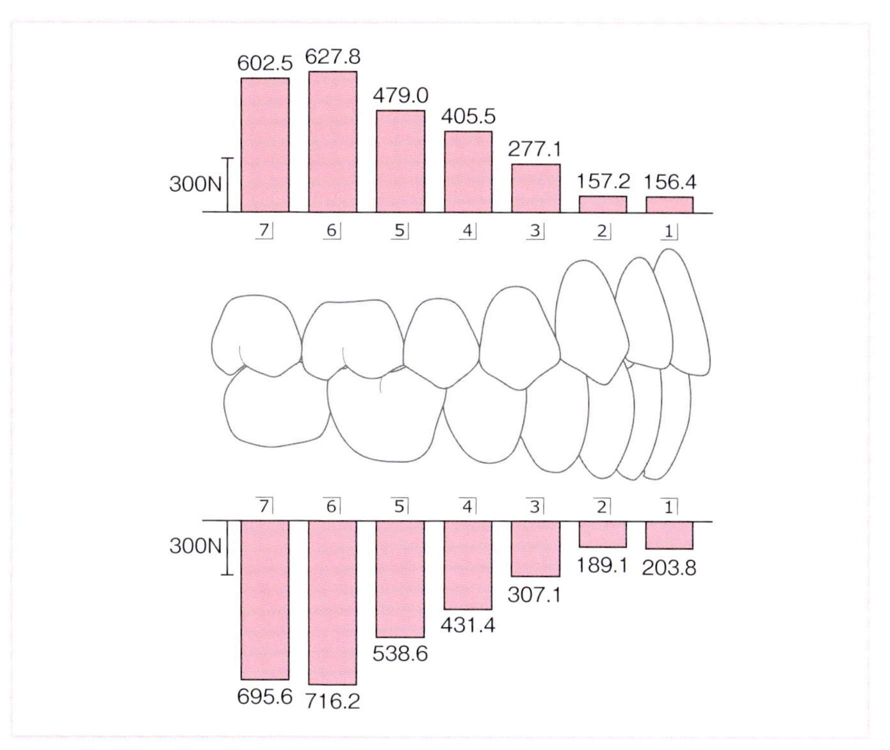

図2-7　各歯の咬合力（古谷野ほか編，2002[3]より）

は咬合接触状態だけでなく安定性も評価する．また，動的咬合として，正常な下顎運動を妨げるような咬合接触である咬合干渉，つまり早期接触や咬頭干渉がないか評価する．このような咬合干渉がある場合，スムーズな下顎運動を妨げて，安定した口腔の運動機能を妨げる．

3．咬合力検査（occlusal force test）（図2-7）

専用機器を用いて各歯や歯列全体の咬合面部に加わる荷重を計測する機能検査である[2]．**図2-7**に各歯の咬合力を示す．咬合力は咬合接触状態だけでなく閉口筋の筋力にも影響を受けるため，咬合力検査は口腔機能低下症の検査の1つとして用いられている．高齢者の場合，筋力低下が問題となることが多い．

 咬合に起因する病態と治療

平成28年度歯科疾患実態調査の結果によれば，80歳で20本以上の歯を有する人の割合は51.2％である．8020運動が功を奏し，この割合は調査回毎に上昇しているが，依然，歯の欠損は高齢者に多くみられる口腔の病態の1つである．歯の欠損は歯列不正や咬合干渉などを招き，とくに多数歯の欠損は咬合接触の減少や咬合支持の欠如を引き起こす．

咬合接触は咀嚼の場であり，食物を口腔前庭へこぼさないダムとしての役割も

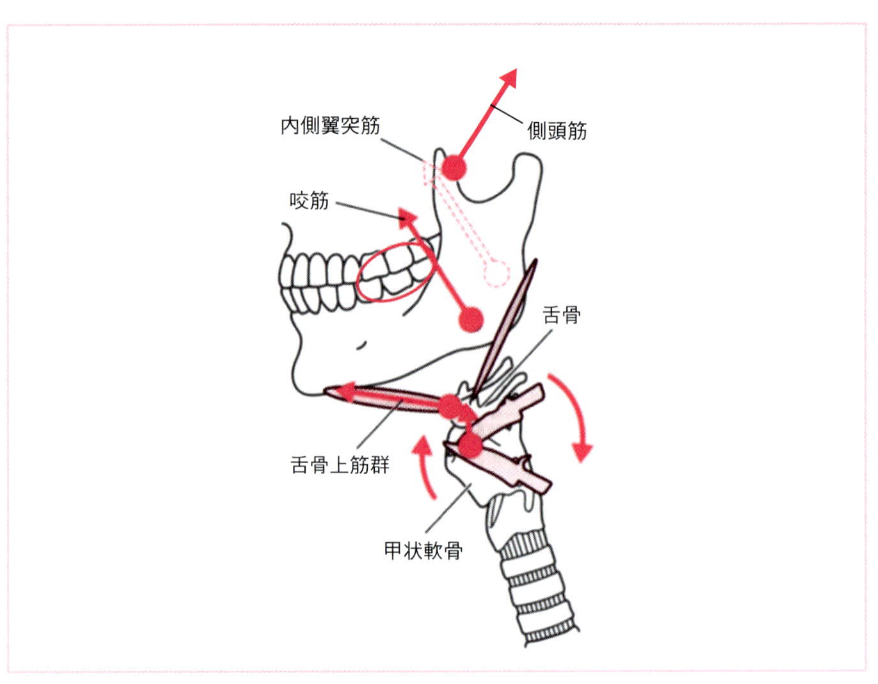

図2-8　嚥下時の臼歯部咬合支持と主な筋の働き

（金子ほか編，2016[5] より）

ある．そのため，咬合接触が減少・欠如するとリズミカルな咀嚼運動やスムーズな舌運動を妨げ，効率的な咀嚼が行えず，咀嚼能力の低下に直結する．臼歯部の咬合支持は，閉口筋の働きで下顎を固定するアンカーとなって，舌骨上筋群の働きにより喉頭を挙上して嚥下が進行するため，良好な嚥下機能にとってのキーである（**図2-8**）．そのため，臼歯部咬合支持の欠如は嚥下機能の低下につながる．前歯部欠損の場合は，口唇が内転して口唇閉鎖力が低下したり，直接的に発話が不明瞭になったりする．

COLUMN

オーラルジスキネジア

口腔や顔面領域にみられる不随意運動をオーラルジスキネジアという．舌や口唇，下顎などを絶えず動かしている状態で，パーキンソン病治療薬のL-ドーパなどの副作用（錐体外路症状）の場合が多い．しかし，高齢者には薬とは無関係に発症する場合があり，歯や義歯が原因の1つとして考えられている．オーラルジスキネジアの主たる治療法は薬物療法で，ほかは補助療法である．**表2-2**に歯科的治療法を示す．

表2-2　オーラルジスキネジアの歯科治療

義歯の維持，安定の改善
義歯の低位咬合の改善
義歯の人工歯排列，特に下顎の舌側傾斜の調整
新義歯製作
歯科補綴処置後の経過観察と定期的調整の実施　など

このように咬合が崩壊すると咀嚼や嚥下，発語などの口腔機能は著しく障害される．そして，咬合の崩壊を放置すると口腔機能低下がさらに進行するため，口腔機能管理上，すみやかに歯科治療，特に義歯による補綴治療を行って口腔機能の改善や維持をはかる必要がある．

参考文献

1）坂田三弥ほか編：基礎歯科生理学　第2版．医歯薬出版，東京，1994，272-273.
2）公益社団法人日本補綴歯科学会編集：歯科補綴学専門用語集　第4版．医歯薬出版，東京，2015.
3）古谷野潔ほか編：月刊歯科技工別冊　目で見る咬合の基礎知識．医歯薬出版，東京，2002.V，2-3，20-23，32-37.
4）松井恭平ら編，全国歯科衛生士教育協議会監修：最新歯科衛生士教本　歯・口腔の構造と機能―口腔解剖学・口腔組織発生学・口腔生理学．医歯薬出版，東京，2011.
5）金子芳洋ほか編，日本歯科衛生士会監修：歯科衛生士のための摂食嚥下リハビリテーション．医歯薬出版，東京，2016，39.

3 咀嚼機能

新潟大学大学院医歯学総合研究科摂食環境制御学講座口腔生理学分野　山村健介

1 咀嚼の基礎

咀嚼は取り込んだ食物を上下歯間で細分しつつ唾液と混和しながら食塊を形成し，嚥下するために口腔後方に移送する運動をいう．嚥下された食塊は消化されながら消化管を進み，身体が生きていくうえで必要な栄養素が主に小腸で吸収される．

1．全身機能における咀嚼の役割

咀嚼，嚥下を中心とした摂食機能は生きていくために必要な消化・吸収の第一段階としての役目をもつ．「のど元過ぎれば熱さを忘れる」の諺（ことわざ）にもあるように，嚥下後の消化・吸収は，自律神経系と液性調節系（内分泌系）で制御される植物機能で，意志で制御できないが，摂食機能は体性神経系で制御される動物機能で，摂食行動に伴って生じる感覚を認知したり，運動を随意的に（自分の意志で）制御することもできる．

植物機能の第一段階に動物機能が位置していることは，歩行などの四肢の運動と異なる摂食の大きな特徴であり，摂食時に生じた感覚を認知することはその後の植物機能に影響を及ぼす．たとえば，胃液や膵液などの消化液は食物を口腔から摂取し，咀嚼を行うことで促されることが知られている（脳相での消化液分泌といわれる）．

摂食嚥下機能を営むうえで顎・口腔・顔面領域は大きく3つの役割を果たす．1つ目は，咀嚼や嚥下を行うための運動器としての役割であり，2つ目は，取り込んだ食物が出会う最初の消化液としての唾液を分泌する分泌器としての役割（p.24 4. 唾液の生理と役割を参照），そして食物や食塊，顎・口腔・顔面の動きから生じる感覚を受容するための感覚器としての役割である．

2．感覚としての咀嚼

口腔内には多種類の感覚受容器が存在し，食物の風味に加え，量や物性，口腔内での位置などを検知し，これらの情報を脳に送っている．これらの感覚情報は咀嚼運動を調節するだけでなく，大脳皮質に伝えられ，脳を活性化したり，自律神経系と液性調節系（内分泌系）で制御される植物機能に影響を及ぼしている（日本咀嚼学会，2017[15]参照）．

1）先行期（認知期）と脳の働き

食物を摂取する前の時期を先行期（認知期）という．食物を前にした際には，そ

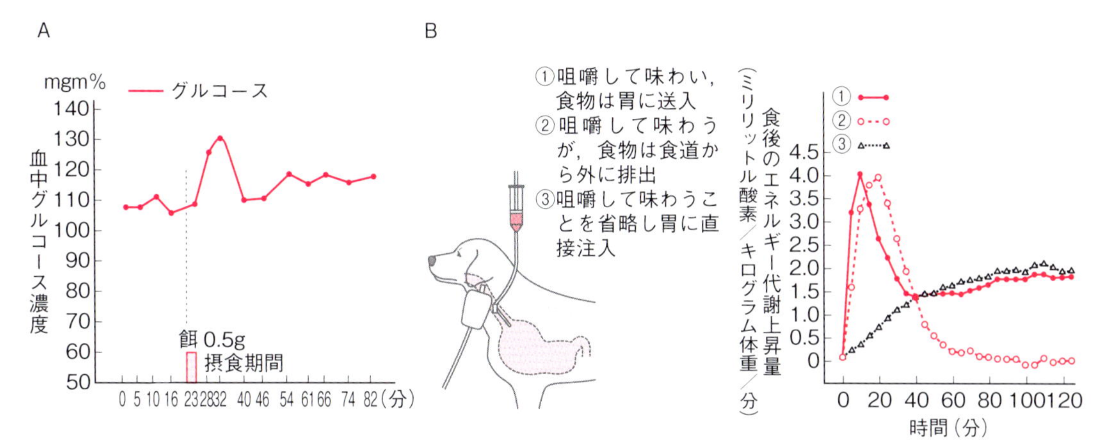

図3-1　口から食べ認知することの重要性

食物を口腔から摂取することにより，さまざまな植物機能が影響を受ける．

A：口腔から食物を摂取することにより，小腸から栄養素が吸収されるより早く，身体に蓄えられていたグリコーゲンなどが分解され，血糖が上昇し，満腹中枢に作用して満腹感（至福感）をもたらす）

（小澤ら，2009[7] を改変（原典は Steffens 1969））

B：食物の摂取方法と食餌誘発性体熱生産反応．口腔から食物を摂取すると，たとえ食物が食道から排出され胃に入らなくてもAと同様の時間経過で代謝が活発になり，体熱が産生される．咀嚼時の認知がないまま胃に直接栄養を与える経管栄養ではすみやかな体熱産生はみられない．

（Diamond P, et al, 1985[8] より改変）

れをまず視覚情報や嗅覚情報としてとらえ，手にとったり，箸などの食器でつかむことで，温度や硬さなどの食物の物理的な性質を体性感覚情報としてとらえる．これらの感覚情報は脳内で統合・処理されたうえで，過去の記憶と照合され，その食物が何であるか，食べるのにふさわしいかが決定される．この過程が“食物の認知”であり，先行期が認知期ともよばれる理由である．食物の認知過程において感覚情報を統合・処理するのは発生学的に新しい脳である大脳であるが，記憶との照合や食べるにふさわしいか否かという価値判断には海馬や扁桃体などの古い脳もかかわっている．このようにさまざまな脳領域の活動を必要とする食物の認知は，一瞬の出来事ではあるが，「美味しい」「まずい」などの価値判断の元となるとともに咀嚼運動や唾液分泌を行うための準備を行う重要な期間である．脳の機能が低下した患者でも，食物に関する記憶は残っているので，患者が健康だったころの食事の好みを知ることは摂食嚥下機能のリハビリテーションに重要な糸口を与えてくれる．食事介助を行う際には，患者の意識レベルに注意を払うとともに，いきなり食物を口腔内に入れるのではなく，患者が食物認知を行えるよう工夫することが重要である．

2) 口腔からの食物摂取の効果

口腔から食物摂取を行い，咀嚼を行うことは，前述の消化液の「脳相」での分泌に加え，さまざまな効果を植物機能にもたらす．たとえば，咀嚼を行い，そのときに生じる感覚を認知することで，摂取した食物が吸収されるより速く血糖値はすみやかに上昇し，満腹感の形成に寄与したり，代謝を盛んにし，身体を温める（**図3-1**）．

食物の風味や物性を十分に味わい，美味しさを感じることで，はじめてこのような効果がもたらされる．

3．運動としての咀嚼

1）半自動性運動としての咀嚼

咀嚼運動は歩行運動と同様にリズム性をもち，テレビを見ながら食事をしたり，音楽を聴きながら歩けるように，意識しなくても運動遂行が可能である．また，リズムや運動パターンを意識的に制御することも可能なことから，半自動性運動とよばれる．半自動性運動は運動にかかわる多くの筋が収縮するタイミングを制御するパターンジェネレーターという神経回路が下位脳（脳幹の咀嚼中枢や脊髄の歩行中枢）にあり，大脳皮質などの高位脳がパターンジェネレーターを駆動するだけで基本的な運動は実行できる．さらに，咀嚼中枢は下顎の運動と協調するように舌や頬，口唇の筋も制御する．たとえば，食物を粉砕するために閉口する際には，食物が歯列からこぼれないように舌と頬が協働し，食物を歯列上に保持する．舌や頬の機能が低下したり，歯肉部分の形状が不適切な義歯を装着していると食物が歯列から落ちて，食べにくいという訴えが増える．このような患者さんでは義歯と舌，あるいは義歯と頬粘膜の間に食物がたまり，不潔になる．

高位脳は咀嚼中枢を駆動することに加え，咀嚼中枢によって形成された運動を統合し，意味のあるものにする働きをもっている．このため意識レベルが低下すると咀嚼ができなかったり，咀嚼から嚥下への切り替えができなかったりする．また，一連の咀嚼で，取り込んだ食物の物性を認知し，軟らかければ舌と口蓋の間で圧縮し，硬ければ咀嚼するために臼歯部に移送する過程（第1期移送）は大脳皮質によって随意的に制御される要素をもっており，大脳皮質の特定の領域が障害されるとうまくできなくなる可能性がある．食事介助を行う際には，食物を口腔内のどの部位に与えるのが適当なのかを患者ごとに確認する必要がある．

2）咀嚼時の下顎の動き

咀嚼時には，まず下顎の開閉を主とする運動を数回繰り返すことで，食物の取り込みと臼歯部への移送（第1期移送）が行われ，その後に臼歯部での食物の噛み砕き（粉砕）とすりつぶし（臼磨）が行われる．粉砕と臼磨を行う際には，咬頭嵌合位（上下の歯が最も緊密に噛み合う状態）に始まり，咬頭嵌合位に終わる開閉と側方への動きが組み合わされた下顎の運動が一定のリズム（訳2回/秒）で繰り返される．このとき下顎はまっすぐ開口しないで少し咀嚼側（ヒトは食物を粉砕するとき左右のどちらかの歯で噛んでいる．このとき食物を咀嚼する側を咀嚼側とよぶ）に偏って開口する．続いて下顎は咀嚼側に向かって閉口しはじめ，咀嚼側に膨らんだ軌跡を描きながら閉口し，上下歯が近づくと下顎は食物を粉砕しながら咬頭嵌合位に向け閉口する．いったん下顎が咀嚼側に膨らんだ後に咬頭嵌合位に向けて閉口するため，正常歯列では食物を粉砕する直前の上下臼歯間に舌側に開いた隙間ができるため，粉砕された食物は舌側に振り分けられ，まだ咀嚼されてない食塊は頬側に

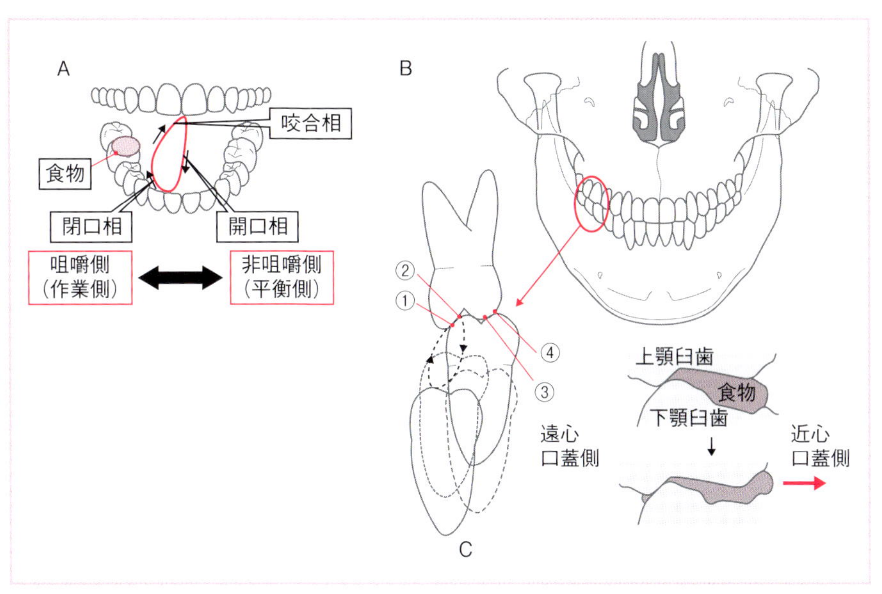

図3-2　咀嚼時の下顎運動
A：下顎が閉じた状態から：咀嚼がスタートし，咀嚼側に偏って開口する．続いて下顎は咀嚼側に向かって閉口しはじめ，咀嚼側に膨らんだ軌跡を描き，食物を粉砕しながら咬頭嵌合位に向け閉口する．
B：咀嚼側では下顎の臼歯では舌側の咬頭が先に当たり，咬合が保たれたまま下顎が舌側方向に移動するので，上顎の臼歯との間の隙間（圧搾空間）で粉砕される．圧搾空間で粉砕された部分は舌側に流れていく（①〜④は上下顎臼歯の接触する順序を示す）．

残る（**図3-2**）．また，通常食物が少し歯の間に残るため，咀嚼中に上下歯が接触することはほとんどない．

3）咀嚼時の食塊形成（舌や頬の運動と下顎運動との協調）

咀嚼により粉砕された食物は舌により唾液と混ぜられ，食塊となる．食塊は再び咀嚼されることで，さらにその物性が変化する．嚥下に適切な物性となった食塊は，咀嚼中であっても口腔から中咽頭へと口峡を超えて移送される（第2期移送）．この際に口唇が閉鎖し，口腔の前方部が閉鎖していることが重要で，脳卒中の後遺症をもつ患者さんで口唇閉鎖が上手に行えない場合には介助者が手で軽く口唇を押さえて口唇閉鎖を補助することで咀嚼が容易になる．

咀嚼に伴う種々の刺激により分泌される唾液は刺激唾液とよばれ，安静時よりもはるかに多い．刺激唾液に含まれる水分とムチンなどの糖タンパク質は食塊を形成するうえで重要で，加齢や薬の副作用で唾液の分泌が低下した場合には，特に乾いた食物を食べる際に食塊の形成が困難となる．

4）咀嚼と歩行の違い

咀嚼と歩行はリズム性をもった半自動性運動としてよく比較される（**表3-1**）．神経制御様式には類似点が多いが，骨格筋を使った運動には必ず付随する運動負荷の点で両者は異なる．運動負荷は適度な範囲であれば，骨や筋などの運動器官の成長・発達や維持に重要であるが，過負荷になると運動器官に対して破壊的な影響をもたらす．

表3-1　咀嚼運動と歩行運動の比較

	咀嚼運動	歩行運動
生理学的な位置づけ	消化・吸収（ほとんどが植物機能）の第一段階で動物機能	動物機能
獲得期	生後獲得（離乳）	生後獲得（四足→二足）
運動様式	半自動的　中枢は延髄（咀嚼中枢）	半自動的　中枢は脊髄（歩行中枢）
調節中枢への入力	大脳皮質，大脳基底核，小脳および末梢性感覚情報	←
調節中枢からの出力	閉口筋では片側（咀嚼側）優位（食物の粉砕が目的）	左右交互（重心移動の制御が目的）
感覚の種類	視覚（摂食前），嗅覚（特に口中香*が重要），聴覚，味覚，口腔からの体性感覚（口腔粘膜，歯根膜，咀嚼筋の筋紡錘，関節受容器）	視覚，平衡感覚，運動器官からの体性感覚（四肢の機械受容器，歩行筋の筋紡錘，関節受容器）
負　荷	伸筋（閉口筋）にかかる 下顎の重み（不変），食品物性（調理で可変…機能成長に伴う変化は不明確）	伸筋にかかる 体重（成長発育期には機能成長と共に増加）
動　機	「大脳皮質での認知情報」と「大脳辺縁系・視床下部による情動情報」	←

*口中香：口腔から後鼻孔を通って鼻に抜ける香り

歩行において主に運動負荷となるのは自らの体重である．体重は成長とともに増加するので成長期には運動器官である下肢に対する負荷が適度に増加し，下肢の成長・発達が促される．たとえば，生まれたばかりの乳児では，手足の太さはたいして変わらないが，二足歩行をすることで自分の体重が足に負荷としてかかると，急速に足が太くなる（**図3-3**）．逆に車いすでの生活や寝たきりになるなど，足に負荷がかからなくなると足は衰え，細くなる（廃用性萎縮という）．

一方咀嚼において主に負荷となるのは咀嚼の対象となる食品である．**図3-4**は，弥生時代から現代までの食事を再現し，それを現代人が食べると，完食するまでに何分かかり，何回噛むのかを示している．現代人が食べた場合，弥生時代の食事は完食するまでに1時間近くを要し，4000回咀嚼しなければならないのに対し，現代の食事は完食するまでに10分程度で，620回咀嚼すればよいというのがわかる．このグラフは現代食がいかに軟らかいか，すなわち運動負荷が時代と共に小さくなってきたかを示している．歩行における運動負荷となる体重では弥生人の体重と現代人の体重がさほど変わらないことを考えると，運動負荷の小ささは咀嚼の大きな特徴である．そのため成長・発達期に咀嚼器官に十分な負荷がかからぬまま育ってしまうという問題がある．逆に高齢者で問題となるのはむしろ過負荷である．歩行の場合には，自分の体重を支えるのが困難になった場合には自覚できるし，体重を支えきれなくなって杖を使うようになれば，歩行機能の低下が他覚的にも認識できる．そのような人がマラソンのような過負荷な運動を行う事態は通常あり得ない．一方咀嚼では，歯の欠損や歯周病など運動器官である咀嚼器官に問題を抱えている

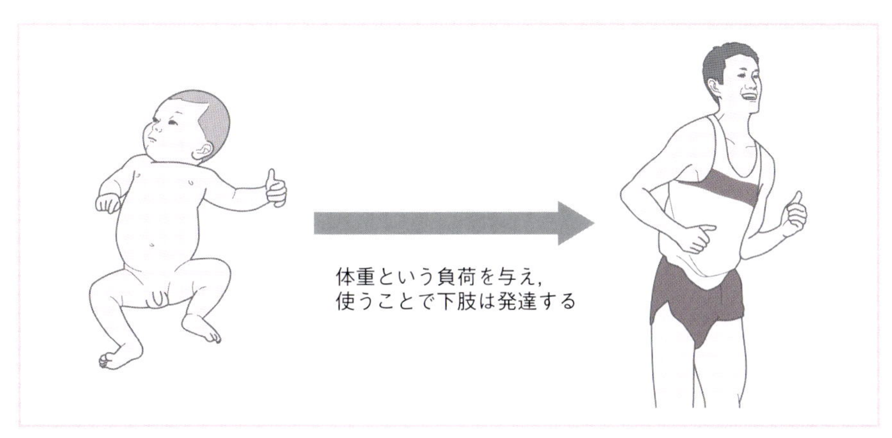

図3-3　身体諸器官を使う重要性
廃用性筋萎縮・骨萎縮の最大の原因は筋や骨に荷重がかからないこと．適度な負荷を与え，使うことでその器官の機能は発達し，維持される．逆に，体中のほとんどの器官が“使わなければ，使えなくなってしまう”

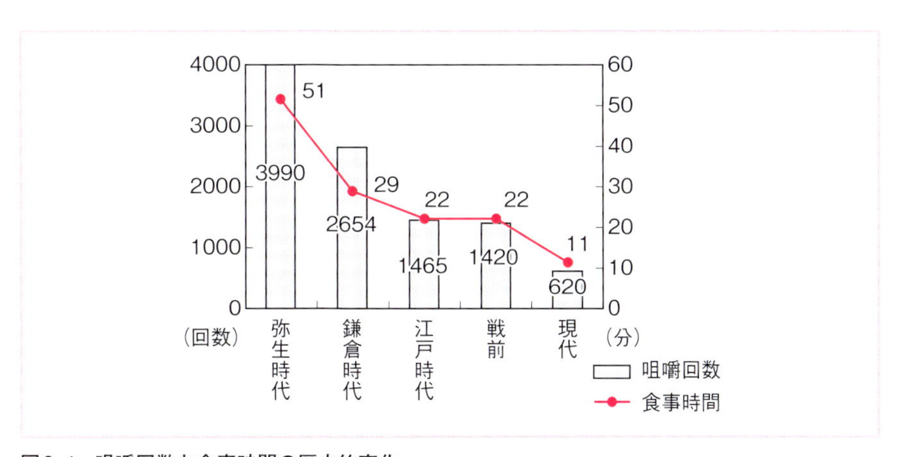

図3-4　咀嚼回数と食事時間の歴史的変化

（齋藤ら，1991[12]を改変）

高齢者も多いが，普段咀嚼している食物が軟らかい場合にはそのことに気付かず「よく噛め」と指示した場合，ときに過負荷となるような硬い食品を多数回咀嚼して咀嚼器官を傷害してしまう場合がある．通常の食品の負荷が小さい現代において咀嚼能力の低下を自覚できるのは相当咀嚼能力が低下してからといえる．咀嚼と歩行の運動負荷の違いは，機能低下が起こった場合の本人の病識に差を生む．そのため個々人の咀嚼能力を客観的に評価することが重要になってくる．

5) 咀嚼筋のサルコペニアとオーラルフレイル

全身の進行性の骨格筋量と筋力の低下を特徴とする症候群をサルコペニア（sarcopenia）という．結果として身体能力が低下し，たとえば転倒によるけがの危険性が増加し，場合によっては身体的自立が妨げられる．これに対し，高齢者で筋力や活動が低下している状態をフレイル（frailty：虚弱）という．高齢者のフレイルとサルコペニアはしばしば混同して用いられるが，サルコペニアは骨格筋量・筋力，

表3-2　下顎第一大臼歯の咬合力(kg)の増齢的変化

年齢	咬合力*		20歳代のときの咬合力を1.00としたときの比		
	男	女	男	女	平均
10歳未満	—	—	0.41	0.46	0.44
10歳代	—	—	0.72	0.73	0.72
20歳代	65.4	46.8	1.00	1.00	1.00
30歳代	62.0	42.7	0.95	0.91	0.93
40歳代	58.5	38.4	0.89	0.82	0.86
50歳代	47.0	34.7	0.72	0.74	0.73
60歳代	38.7	32.0	0.59	0.68	0.64

*発条式咬合測定装置を用いて測定した.

(覚道ほか, 2003[13]より)

身体機能の低下をいうのに対し，フレイルでは骨格筋量・筋力，身体機能に加え，バランス，認知機能，栄養状態，持久力，日常生活の活動性，疲労感など広範な要素を含む.

歩行の場合は下肢の筋力低下をもたらすサルコペニアが機能低下に直結するし，前述のようにそのことを自覚的，他覚的に認知できる．咀嚼にかかわる顔面や顎，舌の筋は脳幹に運動ニューロンをもち，脊髄に運動ニューロンをもつ四肢の筋より加齢に伴うサルコペニアの進行は遅いとの意見もあるが詳細はまだ不明である．また，食品を粉砕，臼磨する閉口筋で，加齢に伴う筋力低下が，最大咬合力の低下として示されている(**表3-2**)．ただ，この場合も，歯数や歯周組織の状態が最大咬合力に大きな影響を与える可能性があり，このデータが閉口筋のサルコペニアと直結しているとは考えづらい．さらに咀嚼の場合，そもそも負荷である食品が十分に軟らかいうえに，咀嚼や嚥下障害の患者用に調整された食品はさらに軟らかい．すなわち咀嚼ではサルコペニアが機能低下に直結しない．むしろ歯の喪失や顎骨の変化などの咀嚼器官の加齢変化や唾液分泌の減少などが口腔のフレイル(オーラルフレイル)の重要な要因となろう．加えて高齢者のオーラルフレイルと人との繋がりや生活の広がり，誰かと食事するなどといった「社会性」との間に高い関連性が認められることを報告した研究もあり，日本歯科医師会では，「社会性」が欠如していくと，低筋力や低身体機能などのサルコペニアや低栄養などによる生活機能の低下を招き，ひいては要介護状態に陥るとしている[9]．

2 咀嚼の評価

サルコペニアによる筋力低下が機能低下に直結しない咀嚼では，個々人の咀嚼能力を客観的に評価することが患者自身に病識をもたせるだけでなく，治療または介護する側にも有用な情報をもたらす．咀嚼能力を評価する方法には，大きく直接的検査法と間接的検査法がある．一般に，天然歯が多いほど，義歯などで補綴された歯列では機能歯数が多いほど咀嚼能力は高い．咀嚼能力には嚙み砕く能力に加え，食塊を形成する能力，唾液を分泌する能力などさまざまな要素が影響するので複数の評価法で検討することが望ましい．

1．直接的検査法

直接的検査法には，咀嚼された咀嚼試料の状態を数値として表す方法と，咀嚼能率判定表により摂食能力を評価する方法がある．

1）咀嚼試料の粉砕粒子の分布状態から判定する方法

粉砕性のある咀嚼試料を一定時間咀嚼させ，粉砕粒子の大きさの分布を重量や表面積を測定することで，咀嚼能率を評価，判定する方法である．代表的な方法は篩分法で，一定量の咀嚼試料を一定回数咀嚼させた後に吐き出させ，目の細かさの異なる篩で篩分けをすることで粒子の大きさの分布を調べ，咀嚼能力を調べる方法であるが，咀嚼させる咀嚼試料や咀嚼回数，使用する篩の大きさなどが異なると得られる値も異なるうえに，吐き出した試料の乾燥なども必要で簡便な方法ではない．

2）咀嚼試料の内容物の溶出量から判定する方法

咀嚼によって起こる咀嚼試料から溶出する成分を測定することで，咀嚼能力を評価，判定する方法で，粉砕，咬断，混合（食塊形成）などの咀嚼機能を複合的に評価しているといわれている．咀嚼試料として色変わりチューインガム（ガム中のクエン酸の溶出により色が変化する），グミゼリー（ゼリー中のブドウ糖の溶出を簡易型血糖測定器で測定する方法やゼリー中の色素の溶出を比色法で測定する方法）などがある．

3）咀嚼能率判定表から判定する方法

摂取可能な食品によって，咀嚼能力を総合的に評価，判定する方法で，特別な設備装置を必要とせず，臨床の場において簡便に行うことができる．食品の選択によっては咀嚼能力が高い人では差が出にくいが，高齢者や義歯装着者など咀嚼能力が低い人では有効な方法である．

食品アンケートによる判定法として，古くは「山本式総義歯咀嚼能率判定表（咬度表，**図3-5**）」として紹介され，その後，種々のアンケート調査により，独自の咀嚼機能判定表が考案されている（**図3-6**）．この方法は簡便で，咀嚼機能のすべてを評価しているともいえるが，患者の主観的な判断に頼っているため，個人間の比較は困難なうえに，判定表が異なると結果が異なる場合もある．しかし，数値で表現することができるので，現場での有用性に富んでいる．

2．間接的検査法

咀嚼能力の間接的検査法は顎運動，咀嚼筋活動，咬合接触状態，咬合力などから咀嚼能力を評価する方法である．間接的検査法は咀嚼能力を直接測定していないため，種々の方法を併用して咀嚼能力を総合的に評価するのが望ましい．

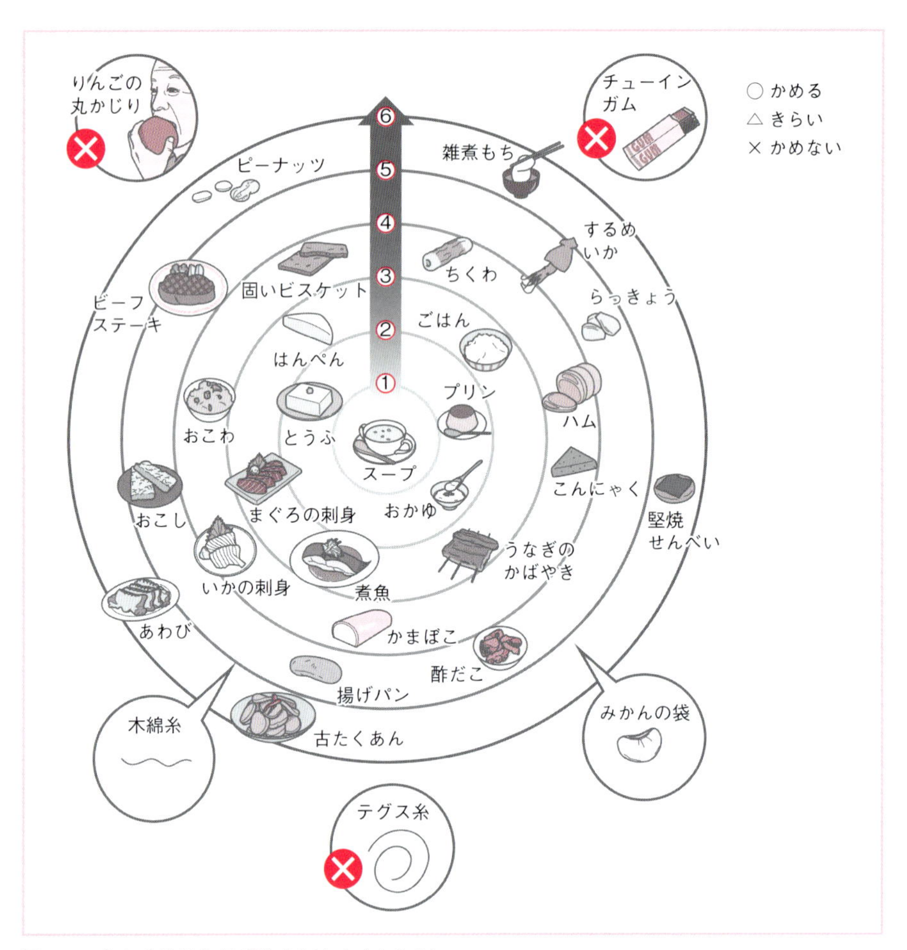

図3-5　山本式総義歯咀嚼能率判定表（咬度表）
本来は全部床義歯装着者の咀嚼能力を評価する試みとして発表された．
歯がなくても摂取できるスープから，有歯でも歯が悪くなると摂取できない食品まで6段階とそれ以外の機能が含まれている．
義歯装着前の段階と装着後の段階を比較するなどの使用法がある．
（伊藤ほか編，1998[14]より）

1）咀嚼時の下顎運動より判定する方法

咀嚼試料を咀嚼し，そのときの切歯点運動から運動経路や運動のリズム，運動速度などを分析することで，咀嚼能力を評価，判定する方法である．

運動経路については，垂直，前後，側方運動の安定性を，運動リズムについては，開口相時間，閉口相時間，咬合相時間，周期時間を測定・分析する．このうち運動経路および運動のリズムの安定性が咀嚼能力と関係が深いといわれている．

2）咀嚼筋活動より判定する方法

咀嚼試料を咀嚼した際の咀嚼筋筋電図の筋活動持続時間，間隔，周期の変動係数などから咀嚼リズムの安定性を評価し，咀嚼能力の判定を行う．咀嚼初期の筋活動持続時間と咀嚼中期における咀嚼リズムの安定性が咀嚼能力と関係が深いといわれている．

次にあげた25個の食品について，下記の採点方法から現在の状況に近いものを選んで【　】の中に記入してください

採点方法：点数［2, 1, 0］または，△，×を記入して下さい．
【2】容易に食べられる　【1】困難だが食べられる　【0】食べられない
【×】嫌いなので食べない　【△】義歯になってから食べたことがない

【　】あられ（せんべい）	【　】生あわび	【　】イカ刺身
【　】イチゴ	【　】カマボコ	【　】生キャベツ
【　】ゆでキャベツ	【　】こんにゃく	【　】さといも煮
【　】スルメ	【　】酢だこ	【　】大根浅漬け
【　】煮たまねぎ	【　】古漬けたくあん	【　】佃煮こんぶ
【　】鶏肉からあげ	【　】鶏肉焼き物	【　】ナス漬物
【　】生ニンジン	【　】煮ニンジン	【　】バナナ
【　】ハム	【　】ピーナッツ	【　】豚肉焼き
【　】リンゴ		

図3-6　咀嚼機能判定表の例
25品目の食品を硬さをもとに5つに分類し，咀嚼難易度によって係数を設定した．
（平井ら，1999[10]，越野ほか，2007[11]より）

3）咬合接触状態より判定する方法

上下の歯が緊密に咬み合った咬頭嵌合位の咬合接触状態（咬合接触面積，咬合接触点の数など）を測定する．咬合接触状態と咀嚼能力との間に高い相関性が存在するという報告もあるが，まだその評価は一定していない．また，咬合接触状態の測定だけで咀嚼能力を評価，判定することは困難であるとの指摘もある．

4）咬合力より判定する方法

最大咬合力が高いほど，食べられる食品が多いという報告があるが，まだその評価は一定していない．

参考文献

1）特定非営利活動法人　日本咀嚼学会編：咀嚼の本．口腔保健協会，東京，2006．
2）大橋靖ほか編：かむこと，のむこと，たべること―咀嚼の科学．医歯薬出版，東京，1996．
3）森本俊文，ほか編：歯科基礎生理学第6版．医歯薬出版，東京，2014．
4）井出吉信編：咀嚼の事典．朝倉書店，2007，41-75．
5）野首孝祠編著：咬合・咀嚼が創る健康長寿．大阪大学出版会，2007，2-47．
6）内田達郎，鈴木哲也，織田展輔：摂取可能食品の調査による咀嚼能力の評価．岩手医科大学歯学雑誌 32（2）：105-111，2007．
7）小澤瀞司，福田康一郎総編集：標準生理学第7版．医学書院，東京，2009，432．
8）Diamond P, et al. Palatability and postprandial thermogenesis in dogs., Am J Physiol. 1985 Jan；248（1 Pt 1）：E75-9.
9）日本歯科医師会HP：啓発活動／オーラルフレイル．http://www.jda.or.jp/enlightenment/qa/index.html（アクセス2016/02/01）
10）平井敏博，石島勉，越野寿：歯の喪失への対応ー機能回復の評価法（咀嚼，嚥下，発語）．日誌医学会誌18：19-24，1999
11）越野寿ほか：無歯顎補綴治療効果に関する研究―全部床義歯装着者の咀嚼機能評価法について―．北海道医療大学歯学雑誌，26（1）：30-31，2007．
12）齋藤滋，柳沢幸江：料理別咀嚼回数ガイド．風人社，東京，1991．
13）覚道幸男ほか：図説歯学生理学第2版．学建書院，東京，2003．
14）伊藤公一ほか編：歯と口の健康百科．医歯薬出版，東京，1998，340．
15）特定非営利活動法人　日本咀嚼学会編：咀嚼の本2．口腔保健協会，東京，2017．

4 唾液の生理と役割

東京医科歯科大学大学院医歯学総合研究科医歯学系専攻老化制御学講座
摂食嚥下リハビリテーション学分野　須佐千明・戸原　玄

1 唾液腺，唾液分泌の基礎

1．唾液腺

唾液は耳下腺・顎下腺・舌下線の大唾液腺と小唾液腺でつくられている．

1）大唾液腺（図4-1）[1)]

大唾液腺には左右1対ずつ耳下腺，顎下腺，舌下腺がある．

耳下腺は最も大きい唾液腺で，下顎枝後方から耳の前方部にかけて存在する．外形はくさび形で，唾液腺の中で最も大きい．耳下腺管（Stensen's duct）は耳下腺の前縁部から出て咬筋の外側を前進し，咬筋前縁から頬筋を貫通して上顎第二大臼歯の高さにある頬粘膜（耳下腺乳頭）で口腔に開口している．強く噛みしめた状態で咬筋上を触知すると耳下腺管を触診できる．分泌液は漿液性である．安静時全唾液量の25％程度を分泌しているが，刺激時の唾液は耳下腺からの分泌が優位で全唾液量の50％を占めると考えられている[2)]．

顎下腺は2番目に大きい唾液腺であり，大きさは耳下腺のほぼ半分である．浅部と深部があり，浅部は下顎骨体と口腔底をつくる顎舌骨筋との間に存在している．顎舌骨筋の後縁で彎曲し，顎舌骨筋上方部に走行し深部に移行している．浅部は深部より大きい．顎下腺管（Wharton's duct）は舌側面と顎舌骨筋の間を斜め前方へ

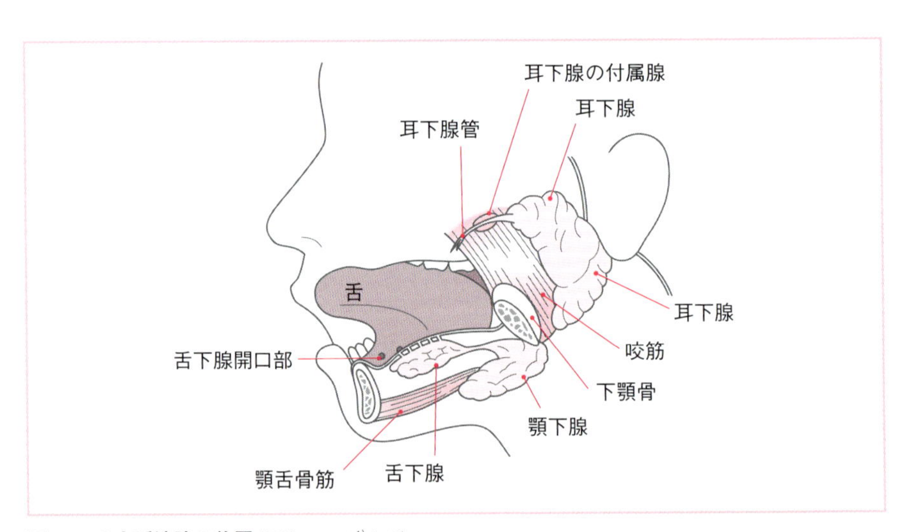

図4-1　3大唾液腺の位置（河村，1979[1)]より）
＊片側のみ記載してある．

走行し，舌下小丘の乳頭部に開口している．分泌液は粘液性と漿液性の混成である．顎下腺から安静時唾液の約60%，刺激時唾液の35%を分泌している[2]．

舌下腺は大唾液腺の中で最も小さく，顎下腺の1/5の大きさである．舌下粘膜の下に存在し，多数(8～20個)の導管が舌下ヒダ上に開口している．分泌液は粘液成分が主で，安静時・刺激時ともに全唾液量の7～8%を分泌している[2]．

2) 小唾液腺

口唇腺，臼歯腺，舌腺，頬腺，口蓋腺，舌口蓋腺があり，主として粘液成分を分泌している．舌腺は部位により漿液成分が多い．小唾液腺からの総分泌量は全唾液中の7～8%であると考えられている[2]．

2. 神経支配

唾液腺は交感神経と副交感神経の支配を受けているが，拮抗支配ではなく協調的に唾液分泌を支配している．どちらの神経系が活動を盛んにしても唾液は分泌されるが，副交感神経の活動が盛んなほうがより多くの唾液が分泌される．食事のときは，反射性に主に副交感神経が刺激されさらさらとした唾液が多く分泌される[3]．耳下腺を支配する副交感神経は舌咽神経，顎下腺および舌下腺は顔面神経である．

3. 唾液の流量

一般に成人では1日に1,000～1,500 mLが分泌されるといわれる．しかし，安静時唾液の分泌速度が0.3 mL/min程度[4]，睡眠時の分泌は不活性[5]，クエン酸による刺激時の分泌量でも4～8 mL/min[6,7]であることなどを考えると，1日あたりの分泌量はそれより少なく700 mL前後との考えもある．

日内変動では正午から午後に分泌流量がピークにあり[8]，また年間変動では夏に分泌が少なく冬に分泌が多いとされている[9]．また，女性より男性の流量が多いことについては見解が一致している[10,11]．加齢が唾液分泌に及ぼす影響については唾液分泌量が減少するという報告と[12-14]，変化しないという報告があり[15,16]一定の見解が得られていない．これらの結果の相違には唾液分泌のための刺激方法が統一されていないことや，高齢被検者の条件(疾病や服薬など)を合わせることが困難であることなどが考えられる．これらの報告をまとめると，刺激時唾液の流量に加齢の影響は少ないものの，安静時唾液の流量は加齢により減少するといえるだろう．

2 唾液の成分とはたらき

1. 唾液の成分

唾液の99%以上は水分である．粘度はムチン含有量に比例する．

唾液中の主な無機成分はNa^{+}，K^{+}，Cl^{-}，Ca^{2+}，P(リン酸塩)，HCO_3^{-}である．唾液中の無機イオン濃度は唾液腺の種類や刺激条件，あるいは唾液分泌速度により著しく変動する．唾液中の有機成分は，タンパク質(アミラーゼ，ペルオキシター

表4-1 唾液の機能

流動体/潤滑作用	粘膜を被覆し，機械的・温度的・化学的刺激から保護する． 空気の流れを滑らかにし，発音，嚥下を補助する．
イオン貯蔵	歯のミネラルで過飽和になった溶液により歯の再石灰化を促進する．
緩衝能	食後のプラークpHを中和するので，歯が脱灰される時間が短縮する．
浄化作用	食物の洗浄と，嚥下の補助を行う．
抗菌作用	特異的（sIgA）・非特異的抗菌作用（リゾチーム，ラクトフェリン，ペルオキシターゼ）は，口腔細菌叢をコントロールする役割がある．
凝集作用	バクテリアを凝集することによりその浄化を促進する．
ペリクル形成	唾液タンパクによりエナメル質表層で薄い皮膜が形成され，齲蝕を防ぐ．
消化作用	唾液に含まれる消化酵素であるアミラーゼは，デンプンを分解する．舌のエブネル腺はリパーゼを分泌して脂肪の消化に関与している．
味覚発現	唾液は食品を溶解し，味蕾と作用して味覚を感じるようにさせる．
排泄作用	口腔は医学的には体外に位置し，唾液中に分泌されている物質は口腔で吸収されず，排泄されるだけである．
水分平衡調節作用	全身が脱水状態にあると，唾液の分泌速度は減少する． 口腔乾燥や浸透圧受容器からの情報により，飲水が促進される．

（森本ほか，2014[17]，渡部，2008[20]より一部改変）

ゼなど），糖タンパク質（ムチン，分泌型免疫抗体など），糖質，脂質などである．唾液中のタンパク質濃度は変動しやすく一定しないが分泌速度に比例して上昇する．消化酵素であるアミラーゼは耳下腺で最も多く，顎下腺の4倍である．しかし舌下腺唾液にはほとんど含まれていない[17]．

粘液性の唾液はムチンが多くアミラーゼが少ないため，主に食物を湿潤化や粘膜の保護に働き，漿液性の唾液はアミラーゼが多いためデンプンの分解に働く．

抗菌作用をもつ分泌型免疫抗体（sIgA）は，免疫グロブリンの一種であるIgAが二量体として唾液中に分泌されたものである[18]．免疫グロブリンはIgG，IgA，IgM，IgD，IgEの5種類に分類される．IgAは粘膜上皮から外分泌されるため，血中より分泌液中に存在する量が多いのが特徴であり，唾液，涙，鼻汁などの外分泌液に含まれ局所保護を行う．IgGは血中で最大量を占め，細菌やウイルスに結合する抗体である．胎盤を通過することができる．IgMはB細胞の表面にあり免疫反応の初期に産生される．IgEは抗原と結合してヒスタミンを放出させる．ヒスタミンはアレルギー反応の原因となる[19]．

2．唾液の役割

唾液は消化にとどまらず，さまざまな機能をもつ（**表4-1**）[20]．唾液の主な作用を可能にしているのは，唾液中の構成成分によるものである．各主成分は単独，あるいは相互作用によってそれぞれの機能を発揮している．著しい口腔乾燥症患者ではこれらの機能が失われるために，口渇感のみならずさまざまな合併症状や障害が生

表4-2　安静時とパラフィン刺激時の全唾液分泌速度の分類

分泌量(mL/min)	極めて少ない	少ない	正常
安静時唾液	<0.1	0.1～0.25	0.25～0.35(平均：0.30)
刺激時唾液	<0.7	0.7～1.0	1.0～3.0(平均：1.5)

(Ericsson Y., et al, 1978[4]より)

じるのである.

3　唾液分泌量の測定方法

1．唾液流量の測定法

唾液を採取する際には標準化された方法を用いるのが望ましい．また，唾液を採取する場合には，安静時唾液および刺激時唾液の採取法に大別される[21,22]．分泌量の基準値[4]は**表4-2**に示す．

1) 安静時唾液の採取法[21,22]

安静時唾液分泌量とは，ある一定の時間内に刺激のない状態で分泌される総唾液量である．一般的に行われているのが吐唾法(spitting method)やワッテ法である．その他に吐出せずに口角から容器へ垂らす排液法(draining method)，歯科用排唾チップを用いて弱圧で吸引する吸引法(suction method)がある．

(1) 吐唾法

唇を閉じた状態で口腔内に自然にたまった唾液を，すべて容器に吐き出させる．検査前に飲食や歯口清掃は行わず，検査中は嚥下しないよう前傾姿勢で安静を保つ．

15分間採取した唾液をシリンジなどで測定する．

(2) ワッテ法(綿球法)

綿球法は，先に重さを量った歯科用コットンロール1つを舌下，2つを左右耳下腺開口部に置き，採取が終わったらコットンロールの重量を測定し，1分間あたりの重量を算出する方法である．ワッテ法は吐唾法に比べて測定結果に誤差が生じやすいので注意が必要である．

柿木らの報告したワッテ法[23]は，ロールワッテ1つを舌下部に挿入し，30秒後または60秒後に取り出して重量を測定する方法である．障害者や要介護者などで唾液を吐出する能力のない場合に有用な測定法である．健常成人の平均値は約0.2gで，0.1g以下を低値とする．

2) 刺激時唾液の採取法[21,22,24]

咀嚼により刺激を与えるガムテストと，ガーゼを噛ませるサクソンテストが一般的に行われる．その他に，クエン酸溶液を舌尖に付けて刺激を与える味覚刺激法がある．

(1) ガムテスト

1～2gに企画化したパラフィン(融点42～44℃)，またはガムベースを与え10分

表4-3　口腔および咽頭に対する唾液腺機能低下の影響

齲蝕	咀嚼困難
口唇の乾燥	粘膜炎
口腔乾燥	口腔咽頭カンジダ症
味覚異常	不適合補綴物
嚥下障害	睡眠困難
歯肉炎	会話困難
口臭	外傷性の口腔病変

（渡部，2008[27]より）

間咀嚼させる．咀嚼中に分泌される唾液を採取する．

(2) サクソンテスト

口腔内にガーゼを含ませて一定の速度で噛んでもらい（120回/2分），ガーゼが吸収した唾液量の重量増加で計測する．

日本のシェーグレン症候群の診断基準（1999年厚生省班）によれば唾液分泌低下の基準はガムテストで10mL以下，サクソンテストでは2g以下とされている．

4 唾液分泌量の減少と対応

唾液分泌量の減少は，①血漿浸透圧の上昇や体液量の減少（脱水，糖尿病，尿崩症など），②唾液腺疾患や放射線治療による唾液腺腺房細胞の細胞数の減少や機能低下，③唾液腺に入力している神経の損傷あるいは神経活動の低下，④種々の薬物による神経と腺房細胞間のシナプス伝導障害により生じる[25]．

Sneebyらは，唾液分泌量の減少によって口腔内が乾燥し，これに起因して口腔や咽頭にさまざまな症状を呈する状態を口腔乾燥症（Xerostomia）と定義している[26]．狭義の解釈では，唾液腺の分泌能低下により口腔内にほとんど唾液を認めない状態のみが口腔乾燥症となる．しかし実際には局所および外部要因をすべて排除することは事実上不可能であるため，さまざまな要因により起こりうる自他覚的な口腔乾燥症状を広義に口腔乾燥症と臨床的に呼称し，考えられるそれぞれの原因に対し姑息的に対処するのが実際的であろう．

口腔乾燥症は口腔乾燥感のみならず，口腔および咽頭にさまざまな影響を与える[27]（**表4-3**）．

これに対し口渇とは，口・喉が渇くという感覚が生理的条件，脱水や糖尿病に代表される代謝性疾患に随伴して感じられるものを指す[28]．これは口腔乾燥症とは異なり，水分の補充により多くのものは改善する．

3) 唾液分泌量減少への対応

唾液分泌量の減少による口腔乾燥症状の主な治療法は，人工唾液，保湿剤，内服薬，星状神経節ブロック，マッサージなどに大別される．

人工唾液として，法的にも保険上も認められているのはサリベート®（帝人）[29]のみである．無機電解質組成および物理的性質がほぼ唾液と同様のエアゾール製剤である．保湿剤は多くの製品が市販されており，スプレータイプ，洗口剤，ジェルタイプなどに分類され，性状が異なる．

内服薬では，シェーグレン症候群や頭頸部の放射線治療後の口腔乾燥症状に対して使用される唾液分泌促進剤に，塩酸ピロカルピン[30]や塩酸セビメリン[31]がある．その他に，去痰剤であるL-システイン[32]，利胆剤であるアネトールトリチオン[33]，漢方では小柴胡湯[34]，麦門冬湯[35]などがよく用いられる．さまざまな薬剤が単独または併用されて用いられているものの，現状では原因療法として確実な効果を呈するものがあるとはいいがたい．星状神経節ブロックも有効であるとの報告はあるものの[36,37]，作用機序については解明されていない．

その他，口腔清掃などによる口腔内の刺激により，また耳下腺や顎下腺相当部をマッサージすることで，口腔乾燥を改善する方法が報告されている[38]．口腔外から行う場合，耳下腺のマッサージは耳下腺咬筋部を指に押し当て前方に向かって円を描くように回す，顎下腺は顎下三角を後方から前方に向かって4～5箇所に分けて親指で押す，舌下腺は頸部の舌下腺相当部を親指で舌を突き上げるように押す方法が紹介されている[38]．また，口腔内から行う場合には歯ブラシを使って粘膜をゆっくりと撫でるように行うとよいとされている[38]．

多くの薬剤が，口腔乾燥症状を副作用にもつ[39]．口腔乾燥への対応は基本として対症療法となるが，口腔乾燥症状が著しく，姑息的な対応で改善が認められない場合には，服用薬剤の減量や変更が可能かを主治医と協議する必要がある．

口腔乾燥症状に対しては多様な治療法が紹介されているが，現在のところ確立されているものがあるとはいいがたい．治療に対する効果をみながら，適宜対応の内容・頻度などに変更を加えていくのが妥当であろう．

参考文献

1) 河村洋二郎：口腔生理学，第1版．永末書店，1979，279.
2) 渡部茂監訳：唾液─歯と口腔の健康，第3版．医歯薬出版，東京，2008，3-7.
3) 安細敏弘，柿木保明編：今日からはじめる！口腔乾燥症の臨床─この主訴にアプローチ─第1版．医歯薬出版，東京，2008，7-8.
4) Ericsson Y., et al：Individual diagnosis, prognosis and counselling for caries prevention, Caries Res, 12 (1)：94-102, 1978.
5) Schneyer LH., et al：Rate of flow of human parotid, sublingual, and submaxillary secretions during sleep, J Dent Res, 35 (1)：109-114, 1956.
6) Kerr AC：The physiological regulation of salivary secretions in man, A study of the response of human salivary glands to reflex stimulation, International Series of Monographs on Oral Biology, Vol. 1 1961.
7) Enfors B：The parotid and submandibular secretion in man. Quantitative recordings of the normal and pathological activity, Acta Otolaryngol Suppl, 172：1-67, 1962.
8) Dawes C：Circadian rhythms in human salivary flow rate and composition, J physiol. 220 (3), 529-545, 1972.

9) Shannon IL：Climatological effects on human parotid gland function, Arch Oral Biol, 11 (4)：451-453, 1966.
10) Heintze U., et al：Secretion rate and buffer effect of resting and stimulated whole saliva as a function of age and sex, Swed Dent J, 7 (6)：227-238, 1983.
11) Osterberg T., et al：Salivary flow, saliva, pH and buffering capacity in 70-year-old men and women. Correlation to dental health, dryness in the mouth, disease and drug treatment, J Oral Rehab, 11 (2)：157-170, 1984.
12) 今野昭義ほか：老人の唾液腺機能，老年者と耳鼻咽喉科，第1版．金原出版，東京，1989，151-160
13) Percival RS., et al：Flow rates of resting whole and stimulated parotid saliva in relation to age and gender, J Dent Res, 73 (8)：1416-1420, 1994.
14) Dodds MW., et al：Health benefits of saliva：a review, J Dent, 33 (3)：223-233, 2004.
15) Heft MW., et al：Unstimulated and stimulated parotid salivary flow rate in individuals of different ages, J Dent Res, 63 (10)：1182-1185, 1984.
16) Tylenda CA, et al：Evaluation of submandibular salivary flow rate in different age groups, J Dent Res, 67 (9)：1225-1228, 1988.
17) 森本俊文ほか編：基礎歯科生理学，第6版．医歯薬出版，東京，2014，384-386
18) 和泉博之，浅沼直和編：ビジュアル生理学・口腔生理学，第3版．学建書院，2017，291-292.
19) 大地陸男：生理学テキスト，第8版．文光堂，2017，245.
20) 渡部茂監訳：唾液—歯と口腔の健康，第3版．医歯薬出版，東京，2008，2.
21) 石川達也ほか監訳：唾液の化学，第1版．一世出版，東京，22-23，2006.
22) 安細敏弘，柿木保明編：今日からはじめる！口腔乾燥症の臨床—この主訴にアプローチ—，第1版．医歯薬出版，東京，2008，34-36.
23) 柿木保明ほか：ワッテ法による安静時唾液流出量の定量化に関する検討：厚生労働省長寿科学総合研究事業「高齢者の口腔乾燥改善と食機能支援に関する研究（主任研究者：柿木保明）」平成17年度研究報告書．2006，77-79.
24) 斎藤一郎監修：ドライマウスの臨床，第1版．医歯薬出版，東京，2007，86-89.
25) 斎藤一郎監修：ドライマウスの臨床，第1版．医歯薬出版，東京，2007，5-6.
26) Sneeby LM, Valdini A：Xerostomia. A neglected symptom, Arch Intern Med, 147 (7)：1333-1337, 1987.
27) 渡部茂監訳：唾液—歯と口腔の健康，第3版．医歯薬出版，東京，2008，41.
28) 吉武一貞ほか：〔外分泌腺〕 各種疾患と外分泌異常 口腔乾燥症．日本臨床 44 (7)：1614-1618，1986.
29) 植田栄作ほか：口腔乾燥症に対する人工唾液サリベート®の有用性について．日口外誌，38 (6)：1031-1032，1992.
30) 藤原豊博：頭頸部の放射線治療に伴う口腔乾燥症状の改善薬塩酸ピロカルピン錠（サラジェン錠5mg）の基礎と臨床．薬理と治療，34 (3)：267-296，2006.
31) 西山和秀ほか：シェーグレン症候群患者に対する塩酸セビメリンの効果に関する検討—長期投与について—．日口粘膜誌 12 (1)：5-10，2006.
32) 加藤譲治ほか：口腔乾燥症におけるチスタニンの臨床成績について（その1）．歯界展望，50 (2)：377-380，1977.
33) 鎌倉聡ほか：当科における口腔乾燥症の臨床的検討 アネトールトリチオンの治療効果について．日口腔診断会誌，15 (1)：51-55，2002.
34) 吉川佐栄子：ツムラ小柴胡湯エキス剤に含有する微量元素とその効果例 シェーグレン症候群．薬局，46 (3)：385-389，1995.
35) 椋梨兼彰：口腔乾燥症への漢方薬投与による唾液量の変化について．日歯東洋医会誌，21：65-69，2002.
36) 畠中節夫ほか：星状神経節ブロック療法施行中に症状が改善したシェーグレン症候群の2症例．日臨麻会誌，8 (5)：206，1988.
37) 井上公明：口内乾燥感に星状神経節ブロックが奏効したシェーグレン症候群の1例．麻酔と蘇生，22 (1)：75-76, 1986.
38) 徳間みづほ：唾液腺マッサージの実際．老年歯科医学，20 (4)：356-361，2006.
39) 安細敏弘ほか：今日からはじめる！口腔乾燥症の臨床—この主訴にアプローチ—，第1版．医歯薬出版，東京，2008，77-78.

5 味覚の生理

鶴見大学歯学部非常勤講師（生理学）　塩澤光一

1 味覚の基本

1．味覚とは

“おいしさ”は，食物を食べたときに発現する感覚で，空腹感とともに摂食の動機づけに貢献している．この“おいしさ”は，食物の味覚や咀嚼時に感じる食感（テクスチャー）だけでなく，嗅覚，視覚，食べたときの情動（好き嫌い）やそのヒトの食体験などさまざまな情報が脳で総合的に統合・判断されて作り出されるきわめて複雑な感覚であるが，この“おいしさ”の主要な情報源は“味覚”である．ヒトは，甘味・塩味・酸味・苦味（四基本味）に旨味（うまみ）を加えた五基本味を感じる．一般に，甘味は「エネルギーのシグナル」，塩味は「ミネラルのシグナル」，旨味は「タンパク質のシグナル」といわれており，これらの味を含む食物はヒトが生きていくうえで必須である．これに対し，酸味は「腐敗・有機酸のシグナル」，苦味は「毒のシグナル」で，これらの食物摂取は基本的には避けるべきである．ヒトはすでに生まれたばかりの新生児から味覚受容機能を有しており，甘味を与えると新生児は“快”の表情を，また酸味や苦味を与えると“不快”の表情を示すことが知られている（Lipsitt，1977[1)]）．

食物に含まれる味（味覚物質）は，いずれも唾液に溶けた状態で，味蕾に存在する味細胞に到達することで受容される（**図5-1**）．味細胞が存在する味蕾は，舌背の前方部にある茸状乳頭，舌根部の前縁に位置する有郭乳頭，および左右の舌縁にある葉状乳頭に多数存在するが，軟口蓋や咽頭粘膜にも存在する．この味蕾中の味細胞はおよそ10日～14日で新しい味細胞と入れ替わっている．味覚細胞で受容した味覚情報は味覚神経を経由して伝わり，大脳皮質の前頭弁蓋～島（一次味覚野）に入力することで味覚を認知する．さらにここからの味覚情報は，前頭葉の眼窩前頭皮質（二次味覚野）に投射する．これに加えて，この眼窩前頭皮質には味覚情報に

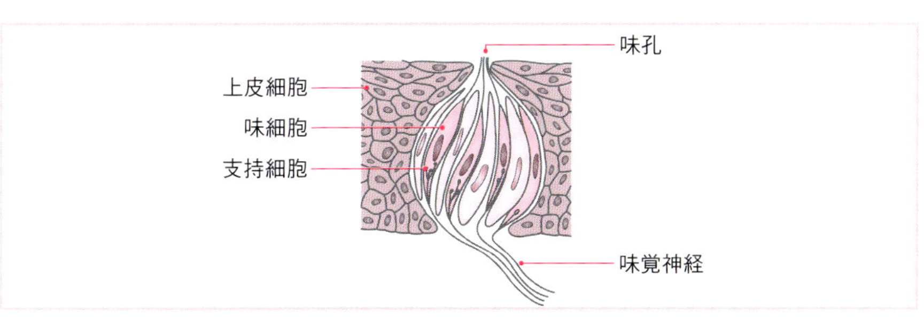

図5-1　味蕾の構造の模式図

加えて，嗅覚や視覚などの情報も入力・収束することが知られている[2]．これらのことからこの眼窩前頭皮質は，ヒトの摂食行動に関わる“食欲形成”に関与することが示唆されている[3]．

2．味覚検査

ヒトにおける味覚検査には，水と比べて“何らかの味”が感じられる最小濃度を調べる“検知閾値”と，その味そのものが感じられる最小濃度を調べる“認知閾値”を調べる2つの方法があり，認知閾値のほうが検知閾値よりも数倍高い値を示す．また，味覚刺激の方法として，ある味質を含んだ一定量の試験溶液を口腔内に含ませて，口腔全体で味覚検査を行う“全口腔法”と，口腔内の限定した領域での味覚を調べるために，濾紙を一定の大きさ（方形または円形）に切断し，味覚刺激液を含ませたその濾紙を，口腔内の調べる領域に接触させ調べる“濾紙法（ディスク法）”の2つの方法がある．また，臨床現場で味覚障害の程度を調べるための方法として，舌に電気刺激を直接与えて調べる“電気味覚検査”も行われている．

2 加齢による味覚の変化

1．全口腔法による味覚閾値の変化

日本人の高齢者と若年者での味覚検知閾値を比較した小川の研究（1961）[4]によると，味覚検知閾値の順序（甘味>塩味>酸味>苦味）は成人と変わらないものの，加齢により各味質に対する閾値は上昇することが報告されている．また，欧米人を対象に行ったCooperらの研究（1959）[5]でも，高齢者では検知閾値，認知閾値どちらも上昇することが報告されている．しかしながら，これらの古典的研究では，実験の際に口腔内の洗浄が不十分であるなど，実験方法に数々の問題点があることが指摘された．そこで，これらの不都合な点を考慮した厳密な研究が1980年以降行われるようになった．その代表的なWeiffenbachらの研究（1982）[6]によると，高齢者群（66〜88歳）では青壮年者群（23〜45歳）に比べて塩味に対する閾値は2.5倍，苦味に対する閾値は2倍上昇するが，甘味と酸味に対する閾値には有意な差は認められなかったことが報告されている（**表5-1**）．このように，味覚は一様に加齢による影響を受けるのではなく，酸味と甘味に比べて塩味と苦味での閾値の上昇が大きい（注意：味覚閾値上昇→味覚感度低下を意味する）ことが示されている．一方，旨味閾値に対する加齢の影響についた調べたSchiffmanらの研究（1991）[7]によると，高齢者でのグルタミン酸塩に対する閾値は青壮年者に比べて，検知閾値で約5倍，認知閾値で約4倍上昇することが報告されており，高齢者では旨味感度も成人に比べて有意に低下することが示されている．これらの事実から，高齢者の好む“みそ汁（みそ汁のおいしさは塩味と旨味が決めている）”の濃度が若年者よりも濃くなる理由がわかる．

表5-1　塩味，苦味，甘味および酸味の味覚検知閾値（mM）

Age group	23～45歳（31名）	46～65歳（24名）	66～86歳（26名）
食塩	2.49	3.26	6.09
塩酸キニーネ	0.00124	0.00198	0.00254
ショ糖	全体（81名）の平均		
クエン酸　男性	0.134（16名）	0.111（10名）	0.164（16名）
クエン酸　女性	0.0731（15名）	0.0293（14名）	0.102（10名）

（Weiffenbach., et al, 1982[6] より引用改変）

表5-2　軟口蓋の甘味，塩味，酸味および苦味に対する認知閾値（mM）

Age group	10～29歳（20名）	21～40歳（20名）	41～60歳（20名）	61～79歳（20名）
ショ糖	47	125	250	1000以上
食塩	200	750	900	1000以上
クエン酸	15.6	62.5	120	500以上
塩酸キニーネ	0.09	0.46	0.82	32以上

（Nilsson, B, 1992[8] より）

表5-3　濾紙法による舌尖の塩味，苦味，甘味および酸味に対する認知閾値（mM）

Age group	18～29歳（30名）	65～85歳（30名）	
食塩	45	170	（3.8倍）
塩酸キニーネ	0.082	1	（12.2倍）
ショ糖	44	110	（2.5倍）
酒石酸	4.7	12	（2.6倍）

（Fukunaga., et al, 2005[9] より引用改変）

2．濾紙法による軟口蓋と舌尖の味覚閾値の変化

軟口蓋にも多くの味蕾が存在するが，この軟口蓋味蕾の認知閾値に対する加齢の影響を調べたNillsonの研究（1992）[8]によると，高齢者群（61～79歳）では若年者群（10～29歳）に比べて食塩では5倍以上，ショ糖では21倍以上，クエン酸では32倍以上，塩酸キニーネでは356倍以上閾値が上昇する（**表5-2**）ことが示されており，軟口蓋味蕾では舌よりも加齢の影響を大きく受けていることが分かる．

全口腔法では口腔内全体が刺激されるために舌の各部での味覚閾値が加齢によってどのような影響を受けるのかについて調べることはできない．そこでFukunagaら（2005）[9]は濾紙法を用いて舌尖（茸状乳頭味蕾）での味覚閾値を青壮年者群と高齢者群とで比較した（**表5-3**）．その結果，苦味（塩酸キニーネ，12.2倍）と塩味（食塩，3.8倍）に対する認知閾値の上昇が認められ，また閾値の上昇は苦味や塩味より少ないものの，酸味（酒石酸，2.6倍）と甘味（ショ糖，2.5倍）に対する認知閾値も上昇することが報告している．これらの結果から，舌尖（茸状乳頭）では四基本味いずれも加齢の影響を受けることが示された．

3 加齢による味覚感度低下の要因

1. 味覚受容機構に対する純粋な加齢の影響

加齢による味覚感度の低下を引き起こす原因として以前から提唱されてきたのは「加齢に伴って味細胞を含む味蕾数が減少していくため」という仮説である．しかしながら，各年代のヒトの舌の味蕾数を調べた報告いずれにおいても，年代間での味蕾数に有意な差は見いだされていない．したがって，これらの知見から上記の仮説は否定されたことになるが，成人でも味蕾密度には個人差が多いことから，これらの報告で統計学的有意差が認められなかった原因は個人差が大きいことによる可能性が考えられる．一方，高齢マウスの味蕾について調べた基礎研究（杉本ら，2000）[10]によると，加齢によって味蕾内の味細胞のターンオーバーが遅延し，その結果，味蕾内に空胞が生じること，また味細胞と味覚神経終末とのシナプス数が減少することが報告されている．したがって，ヒトでも健康な高齢者ではこのような変化が起きている可能性が考えられ，加齢によって味細胞のターンオーバーや味細胞の味覚受容機構が変化することで高齢者の味覚感度が減少する可能性は十分に考えられる．

2. 高齢者での味覚異常

1）亜鉛欠乏と味覚異常

日本における味覚障害者は徐々に増加しており，特に高齢者においてその傾向が高いと報告されている[11]．味覚障害の原因の約30％は食事性の亜鉛欠乏症，また約25％は亜鉛キレート能をもつ薬剤の副作用による薬剤性の亜鉛欠乏症で，亜鉛欠乏症が味覚異常全体の半分以上を占めている（**図5-2**）．正常なヒトの血清亜鉛値は70～130 μg/dLであるのに対し，これらの患者ではいずれも正常値よりも低い血清亜鉛値（低亜鉛血症）を示す．一般に，亜鉛が不足すると味細胞のターンオー

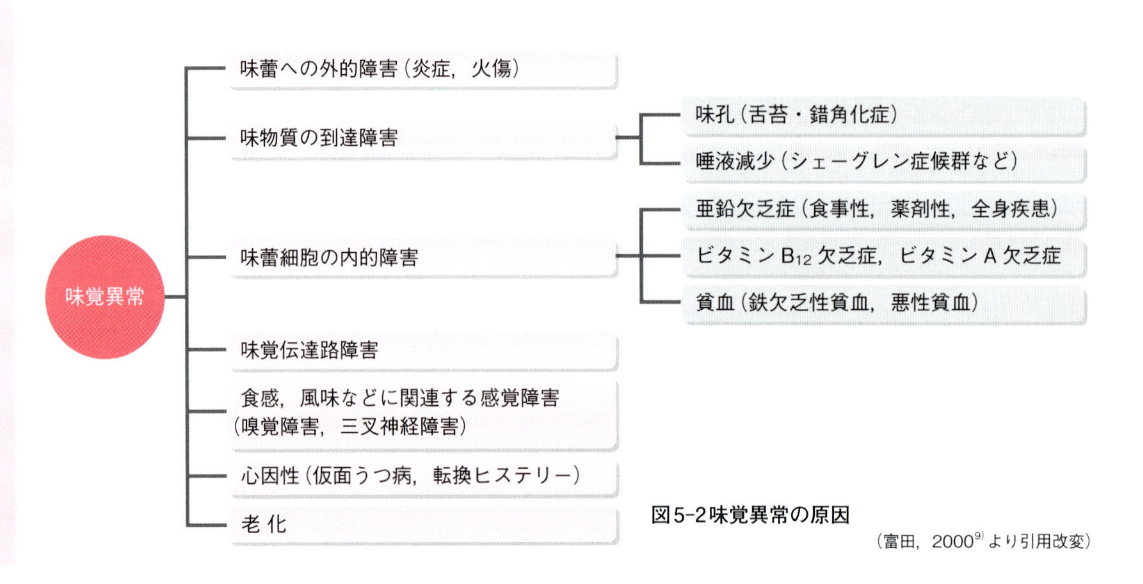

図5-2 味覚異常の原因

（富田，2000[9]より引用改変）

バーが遅れて正常に機能する味細胞が減少するといわれているが，血清亜鉛をキレートする薬剤（降圧剤など数多くの薬剤は，その薬物が血漿中の亜鉛をキレートして低亜鉛血症を誘発する副作用をもつ）の投与中止，あるいは亜鉛製剤を経口投与することによって，これらの患者の血清亜鉛値が上昇して味覚障害がかなり改善されることが報告されている（富田，2000[12]）．なお生体中の亜鉛は味覚感度を維持するとともに，唾液の生成や分泌促進にもかかわっており，食事性や薬剤性による血清亜鉛値の低下は食事の際の唾液分泌低下を引き起こし，その結果，食物の味物質が唾液に溶けにくくなることで高齢者の味覚減退に拍車をかけている．

2）口腔疾患と味覚異常

口腔疾患（口腔乾燥，口内炎，口腔カンジダ症，口腔粘膜不良あるいは義歯不適合など）の問題を抱えている高齢者では，健康な高齢者に比べて“主観的な味覚異常感”が大きいことが報告（花井ら，2004[13]）されている．この“主観的な味覚異常感”は味覚そのものの異常というよりも食事の際に惹起される複合的な感覚である“おいしさ”の減退が大きな要因となっていると考えられる．

近年，“旨味”のみに味覚障害を有する高齢者が存在しており，これらの高齢者では体重減少や低栄養が顕著であること，またこれらの高齢者では摂食する食品数が正常高齢者よりも少ないこと，さらにこれらの高齢者ではいずれも何らかの口腔疾患を抱えていることが佐藤の一連の研究（佐藤，2013[14]）によって明らかにされている．

したがって，高齢者の歯科医療に従事する歯科医師や歯科衛生士が高齢者の口腔内状況や味覚異常を含む口腔機能低下の程度をいち早く把握し，しかるべき歯科治療を適切に行うことが高齢者のQOLや健康長寿を保持するためにきわめて重要であるといえる．

参考文献

1）Lipsitt, L. P.：The study of sensory and learning processes of the newborn. Clinics in Perinatol, 4（1）：163-168, 1977
2）Rolls, E. T.：Gustatory, olfactory, and visual convergence within the primate orbitofrontal cortex. J. Neurosci. 14（9）, 5437-5452, 1994.
3）Jacquin-Piques, A., et al.：Prandial states modify the reactivity of the gustatory cortex using gustatory evoked potentials in humans. Front Neurosci. Jan 5, 9：490. 2016. doi：10.3389/fnins.2015.00490
4）小川文代：老人の味覚．老年病，5（2）：102-110, 1961
5）Cooper, R. M., et al.：The effect of age on taste sensitivity. J. gerontol. 14：56-58, 1959
6）Weiffenbach, J. M., et al.：Taste threshold：quality specific variation with human aging. J. Gerontol, 37（3）：372-377, 1982
7）Schiffman, S. S., et al.：Taste of glutamate salts in young and elderly subjects：role of inosin 5'-monophosphate and ions. Physiol. & Behav, 49：843-854, 1991
8）Nilsson, B.：Taste acuity of the human palate, Ⅲ. Studies with taste solutions on subjects in different age group. Acta. Odont. Scand, 37：235-252, 1992
9）Fukunaga, A., et al.：Influences of aging on taste perception and oral somatic sensation. J.

gerontol, 60A（1）, 109-113, 2005
10）杉本久美子ほか：老化に伴うマウス味蕾の微細構造の変化．歯科基礎誌，42（5）抄録集：469, 2000
11）愛場　庸雅：味覚障害患者の動向．口咽科．24（2）：135-140，2011
12）富田　寛：亜鉛欠乏と味覚障害．JJPEN, 22（2）：97-104, 2000.
13）花井正歩ほか：高齢者の味覚機能に及ぼす要因に関する研究．老年歯学，19（2）：94-103, 2004
14）佐藤しず子：味覚（うま味）と口腔保健：総説特集，より健康な生活を目指して-2，高齢者の味覚障害に対する口腔内科学診断および治療の重要性．日本味と匂学会誌，20（2）：97-109, 2013

6 歯科が行う栄養管理

日本歯科大学附属病院口腔リハビリテーション科・日本歯科大学口腔リハビリテーション多摩クリニック
田村文誉・菊谷 武

1 低栄養の基礎と評価

高齢者は低栄養のリスクが高く，それには摂食嚥下機能の低下，消化吸収機能の低下，ADLの低下による消費エネルギーの減少や，便秘による腹部膨満感からくる空腹感の欠如などさまざまな原因が関係している．要介護高齢者や高齢入院患者の3～4割にエネルギー・タンパク質の低栄養状態(protein-energy malnutrition：PEM，血清アルブミン3.5g/dL未満)を示す者が存在するという報告もある[1](杉山ら，1999)．高齢者医療においてこの低栄養状態(PEM)の早期発見・早期予防は重要であり，摂食嚥下機能を司る口の健康を担当する歯科医療者にとって，その役割は大きい．

1．栄養アセスメント

低栄養の早期発見・予防には，栄養アセスメントを行って栄養状態を評価することが必要である．歯科医療においてはできる限り簡便，非侵襲的なうえに正確であることが望ましい．高齢者の栄養状態は，その経済状況や介護力など環境因子に多大な影響を受ける．さらには，老人性のうつによる食思不振や認知症による食行動の変化など，心理的因子によっても大きな影響を受ける．それゆえ，栄養アセスメントには，身体計測，生化学検査，臨床診査，食事摂取状況調査などの方法に加えて，栄養状態に強い影響を与える環境要因や心理状態を評価する必要がある(**図6-1**)．

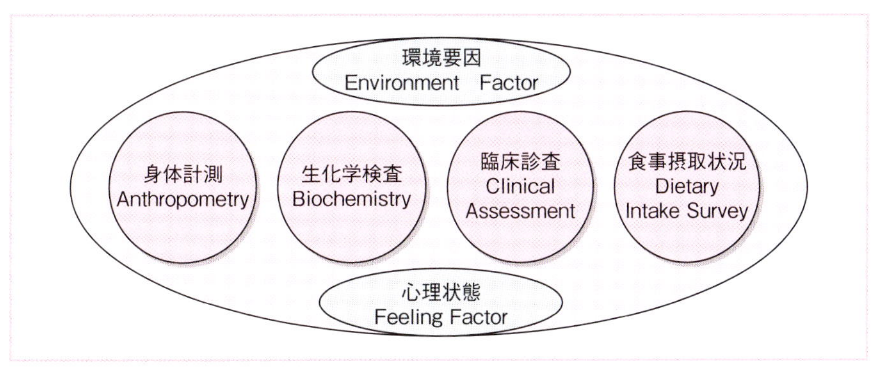

図6-1 栄養アセスメント

表6-1　一般的な低栄養の指標

	低栄養の指標
体重減少率	1カ月に5%以上，6カ月に10%以上
BMI (体重kg/身長m^2)	18.5未満
血清アルブミン値	3.5g/dL未満
コレステロール値	160mg/dL未満
総リンパ球数	800未満：高度の低栄養 800〜1,200未満：中等度の低栄養 1,200〜2,000：軽度の低栄養
CC (下肢周囲表cm)	31cm未満

表6-2　必要エネルギー量，必要タンパク質量，必要水分量の推定方法

・必要エネルギー量
必要エネルギー量(kcaL/日)＝基礎代謝量(BEE)×活動係数×ストレス係数 Harris-Benedict式 男性：BEE＝66.5＋13.75×体重(kg)＋5.0×身長(cm)－6.76×年齢(歳) 女性：BEE＝665.1＋9.56×体重(kg)＋1.85×身長(cm)－4.68×年齢(歳) 活動係数：寝たきり＝1.2　歩行＝1.3 ストレス係数：軽度感染症＝1.2　中等度感染症＝1.5 簡易法 必要エネルギー量＝体重×25〜30kcaL
・必要タンパク質量
正常成人(日常生活)　体重×0.8g/日 内科的疾患(発熱・外傷なし)　体重×1.1g/日 外科的疾患(合併症なし)　体重×1.1〜1.6g/日 異化亢進患者　体重×1.6〜4.2g/日
・必要水分量
簡易必要水分計算式(mL)＝35×体重(kg) ＝1mL×摂取熱量(kcaL) ＝1500mL×体表面積(m^2)

1）客観的栄養評価法

栄養アセスメントの一般的なものには，血清アルブミン値(ALB)，総リンパ球数(TLC)，コレステロール値，BMI(Body Mass Index)，体重減少率等の指標が用いられる(**表6-1**)．栄養評価を行うにあたっては，体重を基本としたBMIや体重減少率が簡便で使用しやすい．BMIは身長で補正した静的な栄養状態の指標であり，一方，体重減少率は，ある一定期間に生じた体重の増減をとらえており，動的な指標である．

2）栄養必要量の把握(**表6-2**)

必要なエネルギー量は，身長，体重と活動量や疾患などのストレスを考慮し，必要栄養量を推定する．一般に，基礎代謝量はHarris-Benedict(ハリスベネディクト)式を用い計算し，そこに活動係数，ストレス係数を乗じて算出する．また，簡易法として，体重(kg)あたり25から30kcaL必要と考える．

表6-3　Subjective Global Assessment（SGA）

A. 病歴
　1. 体重変化
　　　過去６カ月間の体重減少：＿＿＿＿kg，減少率：＿＿＿＿%
　　　過去２週間の体重変化：□増加　□無変化　□減少
　2. 食物摂取変化（平常時との比較）
　　　□変化なし
　　　□変化あり：（期間）＿＿＿＿＿（月，週，日）
　　　食事内容：□固形食　□完全液体食　□低カロリー液体食　□飢餓
　3. 消化器症状（過去２週間持続している）
　　　□なし　□悪心　□嘔吐　□下痢　□食欲不振
　4. 機能性
　　　□機能障害なし
　　　□機能障害あり：（期間）＿＿＿＿＿（月，週，日）
　　　タイプ：□制御ある労働　□歩行可能　□寝たきり
　5. 疾患と栄養必要量
　　　診断名：＿＿＿＿＿＿＿＿＿＿＿＿＿＿＿＿.
　　　代謝性ストレス：□なし　□軽度　□中等度　□高度
B. 身体（スコア：0＝正常：　1＝軽度：　2＝中等度：　3＝高度）
　　　皮下脂肪の喪失（三頭筋，胸部）：＿＿＿＿＿＿.
　　　筋肉喪失（四頭筋，三角筋）：＿＿＿＿＿＿.
　　　くるぶし部浮腫：＿＿＿＿.　仙骨浮腫：＿＿＿＿.　腹水：＿＿＿＿.
C. 主観的包括評価
　　　□栄養状態良好
　　　□中等度の栄養不良
　　　□高度の栄養不良

（Detsky AS. et al, 1984[2]より）

タンパク質は，人体の構成成分であり，生命活動維持に必須の栄養素である．タンパク質が不足すると，筋タンパク質の崩壊につながり生命の危機にさらされる．疾病の状態や異化代謝亢進等を加味しながら必要量を検討し，栄養評価により調整する．

栄養の必要量を把握したうえ，経口摂取量を推定する（連続した3日間の平均摂取量の算出）．現在の体重を維持するためにはどの程度のエネルギー量が必要なのか判断することになるが，現在の体重が極端に少ない場合には，標準体重（身長（m）×身長（m）×22（日本肥満学会は，BMI＝22を標準体重としている））を参考にする．体重1kg減あたり約7,000kcaLのエネルギー不足が生じているとされる．

また，摂取水分量と排泄量をチェックしながら，脱水等にも注意が必要である．人体の構成成分の60%を水分が占めており，体内水分の10%が喪失すると機能障害が出現し，20%が失われると生命維持が困難となる．高齢者の場合，水分が不足すると容易に脱水を生じる．また摂食嚥下障害患者にとって水は最も飲みにくい食品の1つであり，これらの患者は容易に脱水を生じる．脱水の指標として，口腔乾燥や，手掌や腋下などの湿潤度も重要な所見である．尿量や尿の色なども参考となる．

3）包括的栄養評価法

近年，栄養評価には，客観的栄養評価法の他に，包括的栄養評価法であるSub-

表6-4 Mini Nutritional Assessement-Short Form (MNA-SF)

Nestlé Nutrition INSTITUTE

簡易栄養状態評価表
Mini Nutritional Assessment-Short Form
MNA®

氏名:

性別: 年齢: 体重: kg 身長: cm 調査日:

下の□欄に適切な数値を記入し、それらを加算してスクリーニング値を算出する。

スクリーニング

A 過去3ヶ月間で食欲不振、消化器系の問題、そしゃく・嚥下困難などで食事量が減少しましたか?
0 = 著しい食事量の減少
1 = 中等度の食事量の減少
2 = 食事量の減少なし
□

B 過去3ヶ月間で体重の減少がありましたか?
0 = 3 kg 以上の減少
1 = わからない
2 = 1〜3 kg の減少
3 = 体重減少なし
□

C 自力で歩けますか?
0 = 寝たきりまたは車椅子を常時使用
1 = ベッドや車椅子を離れられるが、歩いて外出はできない
2 = 自由に歩いて外出できる
□

D 過去3ヶ月間で精神的ストレスや急性疾患を経験しましたか?
0 = はい 2 = いいえ
□

E 神経・精神的問題の有無
0 = 強度認知症またはうつ状態
1 = 中程度の認知症
2 = 精神的問題なし
□

F1 BMI (kg/m^2) : 体重(kg)+身長$(m)^2$
0 = BMI が19 未満
1 = BMI が19 以上、21 未満
2 = BMI が21 以上、23 未満
3 = BMI が 23 以上
□

BMI が測定できない方は、F1 の代わりに F2 に回答してください。
BMI が測定できる方は、F1 のみに回答し、F2 には記入しないでください。

F2 ふくらはぎの周囲長(cm) : CC
0 = 31cm未満
3 = 31cm以上
□

スクリーニング値
(最大 : 14ポイント)
□□

12-14 ポイント: 栄養状態良好
8-11 ポイント: 低栄養のおそれあり (At risk)
0-7 ポイント: 低栄養

(Guigoz Y, et al, 1996[3], Kuzuya M, et al, 2005[4] より)

jective Global Assessment (SGA)[2] (**表6-3**) と Mini Nutritional Assessment (MNA-SF)[3)4)] (**表6-4**) が臨床現場でよく使用されている.

(1) Subjective Global Assessment (SGA)

Subjective Global Assessment (SGA) は外科の患者評価用に作製されたものだが, 高齢者にも利用できる. 評価項目はA, B, Cに分かれており, AおよびBの項目を評価したのち, 評価者の主観で, 栄養状態良好, 中等度の栄養不良, 高度の栄養不良, の3つに判別される.

(2) Mini Nutritional Assessement-Short Form (MNA-SF)

MNAは, 1990年代にヨーロッパで開発され, さまざまな国でその妥当性が確認された高齢者の栄養評価ツールである. 調査票には, 身体計測評価, 全般的評価, 食事評価, 自己評価の18設問, 4項目からなっていた. その後, 短縮版が報告さ

れ，MNA-SFとして，利用されるようになった．設問は，A：食事摂取量の問題，B：体重の減少の問題，C：移動能力の問題，D：精神的ストレスや急性疾患の問題，E：認知症，うつの問題，F：BMIからなる．14点満点で評価し，12から14ポイントは正常，8から11ポイントは低栄養のリスク有り，0から7ポイントは栄養不良と診断する．介護現場での使用も容易で，歯科診療室などでも有効に活用できる．自己評価する部分がなく，すべて客観的なデータを用いるために，意識レベルの低い患者や認知症患者にも適応可能である．

2 歯科に求められる栄養管理（ポイント：口腔機能の専門家としての介入）

1．外部観察評価による食形態の決定

口腔機能（咀嚼機能や嚥下機能）に現在食べている食形態が適切でない場合，経口摂取量の低下から栄養状態に影響を及ぼす可能性がある．咀嚼障害が運動障害による場合，義歯作成といった従来の関わりだけでは解決しない．咀嚼機能に合わせた食形態の提案による栄養管理が必須である．

食形態の提案には，食事時の外部観察評価によって患者が摂取している食べ物の形態が，摂食嚥下機能に合っているか見極めることが重要である．常食や刻み食はもとより，さらに細かい刻み食を食べるためにも，咀嚼機能が働かなくてはならない．咀嚼機能が障害されると，食品の形を小さくして対応することが多いが，硬く細かい食べ物は，大きめのものに比べて咀嚼するのが困難となる．

1）口腔周囲の観察

実際に咀嚼を評価する際には，口腔関連器官や顔面の動きを詳細に観察する．口唇，口角，顎，頬はそれぞれ異なる動きをしながらも協調しており，咀嚼を評価するのに指標としやすい．咀嚼機能が減退，障害されてくると，これらの器官の動きが弱くなったり，協調運動不全となることもある．

2）咀嚼機能の評価

（1）下顎がほとんど動かない

食物が口に入ってもほとんど口唇や顎が動かず，いつ嚥下したのかわからない状態では，ペースト食の摂取も困難であると考えられる．重度の嚥下障害か，あるいは食物認知の障害の可能性を疑う．

（2）下顎の単純な上下運動

食べ物を舌で後方に送り込んで丸のみするか，あるいは舌で口蓋に押し付けてつぶしてから嚥下する程度の単純な動きに伴う顎の上下運動の場合，外部からは口腔器官が左右対称に動くのが観察される．顎が上下に動いていると，家族や介護者が，「咀嚼している」と勘違いすることがあり，そこで無理に常食や刻み食を食べていると，咀嚼困難や嚥下困難となり，本来であれば避けられるはずの摂食嚥下障害の症状を呈する場合も多い．

また，食べ物を処理する際に，歯がカチカチいうような，口腔器官の左右対称な単純な上下運動がみられる場合もある．嚥下動作に伴う単純な動きよりは咀嚼に近いが，口唇を開けながらの顎運動となりやすい．舌の動きは前後上下が中心で，臼磨運動を伴う咀嚼運動ではない．この状態の時にも常食や刻み食を摂取していることが多々あるため，適切な食形態の選別を慎重に進めていかねばならない．

(3) 下顎の対角の回転咀嚼

ある程度咀嚼運動が可能な状態では，口唇を閉じながら，舌や顎は側方に動く．それに伴い，咀嚼側の口角が引かれ，頬も歯列のほうに寄るように動くが比較的単純な動きであり，臼磨運動には至らない．そのため，繊維の強い野菜や肉などは十分にすりつぶすことができない．

(4) 下顎の環状の回転咀嚼

十分に咀嚼運動が可能な状態では，口唇を閉じながら舌や顎，頬は協調し，臼磨運動を行う．その際，外部からの観察では口角は咀嚼側に引かれ，頬も歯列に寄るように動くため，咀嚼側の口角付近は複雑に動き，力が入っているのがわかる．環状の回転咀嚼が可能な状態では，ほとんどの食品を問題なく摂取することが可能である．

3) 摂取可能な食形態を判断する際の注意点

食形態を判断するためには，咀嚼機能と嚥下機能の評価，それぞれが重要である．咀嚼が可能でも嚥下に障害がある場合もあれば，その逆に咀嚼障害はあるが，嚥下に問題が無いという場合もある．むせや喘鳴，嚥下失行など，嚥下障害の症状に留意し，最終的な判断は摂食嚥下機能の総合的な評価のもとに行う．

2. 嚥下調整食と介護食

摂食嚥下障害患者にとって，機能に合った食事を摂取することは，窒息や誤嚥のリスクを回避できるだけでなく，摂取量を向上させることが可能なため，低栄養の予防にもつながる．そこで，摂食嚥下障害に配慮した食事の基準について知る必要がある．現在，本邦ではいくつかの基準や呼称が存在するが，今後標準化されてくるものと思われる．

3. 嚥下調整食分類（2021）(http://www.jsdr.or.jp/wp-content/uploads/file/doc/classification2021-manual.pdf)

代表的な「日本摂食嚥下リハビリテーション学会嚥下調整食分類2013」を示す．0～4のコードから成り，それぞれの形態の目的や特色，必要な咀嚼能力が示されている．

◎コード0

○コード0j（嚥下訓練食品0j）

均質で，付着性が低く，凝集性が高く，硬さが軟らかく，離水が少ないゼリーで，スプーンですくった時点で適切な食塊状となっているもの．

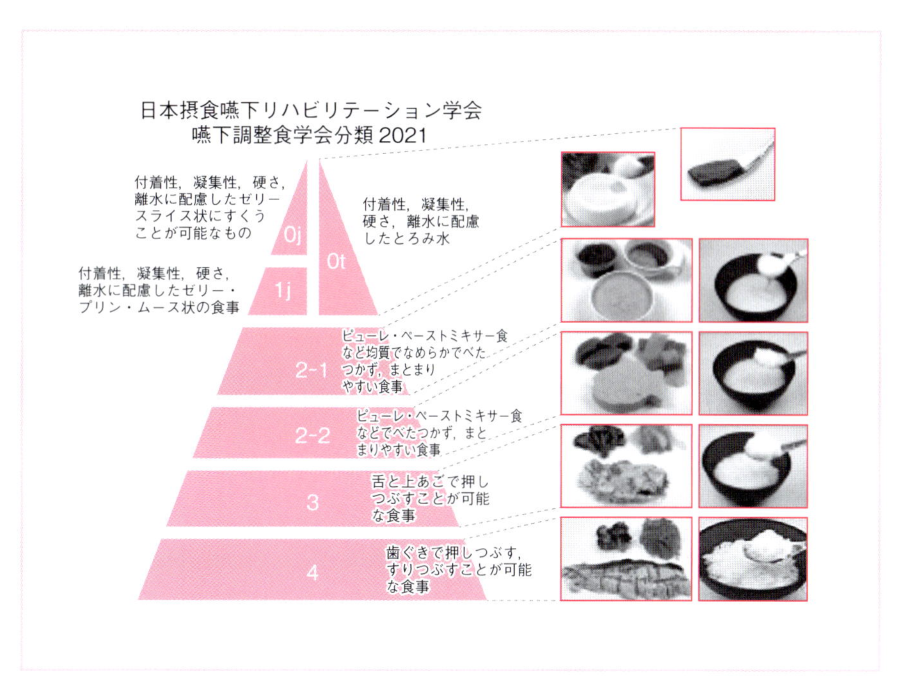

図6-2　日本摂食嚥下リハビリテーション学会嚥下調整食分類2021

○コード0t（嚥下訓練食品0t）

均質で，付着性が低く，粘度が適切で，凝集性が高いとろみの形態．スプーンですくった時点で適切な食塊状となっているもの．コード0jと並び，最重度の嚥下障害者に評価も含めて訓練する段階において推奨する形態の1つである．

○コード1j

咀嚼に関連する能力は不要で，スプーンですくった時点で適切な食塊状になっている．均質でなめらかな離水の少ないゼリー・プリン・ムース上の食品である．

◎コード2（嚥下調整食2）

スプーンですくって，口腔内の簡単な操作により適切な食塊にまとめられるもので，送り込む際に多少意識して郊外に押し付ける必要のあるもの．一般的にはミキサー食，ピューレ食，ペースト食とよばれることが多い．コード2の中でなめらかで均質なものを2-1，軟らかい粒などを含むも不均質なものを2-2とする．ペースト状の粥は2-1，粒の残っている粥は2-2となる．

◎コード3（嚥下調整食3）

形はあるが，歯や義歯がなくても押しつぶしが可能で．食塊形成が容易であり，口腔内の操作時に多量の離水がなく，ばらけやすくないもの．やわらか食，ソフト食などとよばれることが多い．

◎コード4（嚥下調整食4）

硬すぎず，ばらけにくく，貼りつきにくいもので，箸やスプーンで切れる軟らかさをもつ．咀嚼に関する能力のうち，上下の歯ぐきで押しつぶしすりつぶしの能力が要求される．軟飯や全粥など．

低栄養改善のために，気軽に手に入る高栄養，高タンパクの食事は高齢者にとって福音となる．

3 患者指導，多職種連携

1．歯の健康と栄養との関係[5)]

歯の数や咀嚼機能は栄養状態に関係するとされ，多くの研究がなされてきた．

日本人を対象とした横断研究において，歯科医師20,366名を対象に残存歯数と栄養摂取について検討した研究では，歯の喪失本数の多い者では，カロチン，ビタミンA，ビタミンC，乳製品，緑黄色野菜の摂取量が減少しており，逆に炭水化物，ご飯，菓子類の摂取が増えていた．また，20本以上の残存歯を有している者とそうでない者とを比較した研究や，臼歯部の咬合が残存歯で維持されている者と義歯で維持されている者を比較した研究では，それぞれ残存歯の喪失が野菜や果物の摂取，ビタミン類の摂取に影響を及ぼしていた．

咀嚼能力と栄養状態には，咀嚼機能の低下と低体重に関係があったという報告や，咀嚼機能と体重やアルブミン値との間に関係がみられたという報告もある．

義歯治療による栄養状態への効果についてはさまざまな報告があり，栄養改善に及ぼす影響は十分に明らかにされているとは言い難い．しかし一方，要介護者高齢者においては，歯の喪失は健常高齢者以上に栄養摂取に影響を与えている．菊谷ら[6)]による在宅療養者716名を臼歯部の咬合関係とMNA-SFとの関係を検討した研究では，咬合関係が残存歯で維持されている群に比べて，義歯で維持されている群は1.7倍，咬合が維持されていない群では3.2倍有意に低栄養となるリスクが高いことが示された．このことから，要介護状態になる以前からの咬合支持の維持が重要であり，可能であれば義歯治療を行うことで栄養状態が維持できる可能性がある．

2．多職種との連携

1）NST（Nutrition Support Team〈栄養支援チーム〉）

NSTとは，低栄養状態を改善し，合併症の発症を抑え，入院日数や医療費の低減を目指す，栄養管理に関する専門知識・技術を持った医師，看護師，栄養士，薬剤師などが中心となったチームであり，1970年代にアメリカのシカゴで誕生した．当時，アメリカでは中心静脈栄養などの高カロリー輸液療法が普及し，手術前後や重症患者に多くの福音をもたらした．一方，カテーテル合併症などの合併症も多発したことから栄養管理の重要性が叫ばれ，その後多くの実践から，栄養管理による経済効果が認められた[7)]．現在では，多職種による栄養管理を目的として多くの施設でNSTが稼働しており，静脈栄養管理のみならず，より生理的で安全かつ経済的な経管栄養などの経腸栄養や経口栄養をも含めた栄養療法全体を支援するチームとなっている[8]．

一方，この活動は地域にも広がりをみせ，地域の医師会や福祉施設，訪問看護ステーションなどとネットワークを組み，シームレスな栄養サポートを目的に地域一体型のNSTが実施されている現状にある．

2) 介護保険施設における栄養管理

介護保険施設（介護老人福祉施設，介護老人保健施設，介護療養型医療施設）においては，施設入居高齢者の栄養状態を管理するため，栄養アセスメントにもとづいた栄養管理が行われている．これには，咀嚼機能や嚥下機能の評価をもとに，食形態の選択や摂取量の決定が行われており，歯科衛生士にも協働が求められている[9]．

参考文献

1) 杉山みち子：高齢者のPEM改善のための栄養管理サービス．臨床栄養，94(4)：406-411，1999.
2) Detsky AS. et al：Evaluating the accuracy of nutritional assessment techniques applied to hospitalized patients：methodology and comparisons. JPEN J Parenter Enteral Nutr, 8：153-9, 1984.
3) Guigoz Y, et al：Assessing the nutritional status of the elderly：The Mini Nutritional Assessment as part of the geriatric evaluation. Nutr Rev, 54(1 Pt 2)：S59-65, 1996
4) Kuzuya M., et al：Evaluation of Mini-Nutritional Assessment for Japanese frail elderly. Nutrition, 21：498-503, 2005.
5) 菊谷 武ほか：高齢者の栄養障害に対する歯科的アプローチに関するプロジェクト研究　歯の喪失ならびに口腔機能低下が栄養状態に及ぼす影響　アセスメント法の開発．日歯医学会誌，34：59-63，2015.
6) Kikutani T., et al：Relationship between nutrition Status and dental occlusion in community-dwelling frail elderly people, Ger：at Gerontal Int 2013；13：50-54.
7) Bernstein LH., et al：Financial implications of malnutrition. Clin Lab Med, 13(2)：491-507, 1993.
8) 日本病態栄養学会編：認定NSTガイドブック，メディカルビュー，2004.
9) 菊谷 武ほか：栄養ケア・マネジメントにおける歯科の役割．日歯医学会誌，26：36-41，2007.

BASIC

7 口臭への対応

日本歯科大学附属病院総合診療科　**小川智久**

臨床の現場で口臭を訴える患者に遭遇したときは，おそらく“どう対応しようかな”と困ってしまう場面が多々あるように思われる．ほとんどの口臭患者は，周りの人からの指摘や他人の素振りなどがきっかけで悩むようになってしまい，口臭についての相談はなかなかできないために自分で情報取集を行う患者も多い．結果的に歯科医院を受診するときには，患者は口臭に対するさまざまなケアを行っているため口臭が感じられないことがある．一方，生活していくうえで種々の因子から生じる生理的口臭に過剰反応していたり，また実際に明らかな病的口臭として感じることもある．特に高齢者では唾液分泌量の低下などから病的口臭が多く，口腔乾燥症状とともに注意が必要である．

このように，口臭患者を対応するにはさまざまな原因を理解し，口臭を感じる状況や患者の精神面などにも配慮する必要がある．本稿では，口臭の原因や分類，医療面接の行い方，さらには口臭患者への対応法について解説していく．

1 口臭の原因

口臭の原因は細菌によって産生される揮発性硫黄化合物（V.S.C）である．V.S.Cの中でも，メチルメルカプタン・ジメチルサルファイド・硫化水素の3種類の臭気成分が特に注目されている．では，この原因物質であるV.S.Cがどのようにして口腔内に存在しているかが問題であるが，V.S.Cは主に口腔内の細菌による産生物であるため，プラークの量に応じて産生量は多くなってくる．また，V.S.Cは細菌産生物以外にもネギ科などの食品にも含まれている．

口腔内に代表される口臭の原因を**図7–1**に示す．なお，全身疾患が原因となって

揮発性硫黄化合物：細菌の産生物や食品のにおい

・齲蝕や歯周病
・清掃不良
・不良補綴物や修復物
・舌苔
・唾液分泌量の減少による口腔乾燥症

図7–1　口臭の原因
揮発性硫黄化合物は主に細菌の産生物であり，プラークが溜まりやすい環境になると口臭が発生しやすくなる．

唾液の働き

・粘膜保護作用
・口腔の運動操作（咀嚼，嚥下，発音）を円滑にする
・自浄作用の発揮（齲蝕や歯周病を防ぐ）
・抗菌・殺菌作用（口腔カンジダ症を防ぐ）
・感染防御作用（風邪，誤嚥性肺炎などの防止）
・自然治癒作用
・消化作用
など

図7-2　口腔内における唾液の作用
唾液は人体にとってとても重要な働きをしている．

唾液の分泌量が減少すると

・口腔細菌の増加
・口臭
・舌痛
・味覚障害（味がわからなくなる）
・嚥下障害（食べ物を飲み込みにくくなる）

図7-3　唾液分泌量減少による口腔内の変化
唾液が減少することにより，口臭以外にもさまざまな症状の原因となっていることがある．

口臭が生じることもまれにはあるが，その際は全身疾患がかなり進行した状況でないと生じることはない[1]．

1．プラークの付着因子

"齲蝕や歯周病"，"清掃不良の義歯"，"不良補綴物"などは，総じてプラークの付着が多量でありかつ長期的であるため，口臭の明らかな原因となっている．

2．口腔乾燥

唾液にはさまざまな働きがあり（**図7-2**），口腔内にとっては非常に重要な存在である．なかでも自浄作用は，口腔内細菌を唾液が洗い流すことにより口腔内を良好な状態に保つという働きがある．一方，口腔乾燥により唾液量が減少してしまうと自浄作用が低下してしまうために口腔内で細菌が増殖しやすい環境となり，結果的に口臭が発生してしまうというメカニズムになる．また，口臭以外にも唾液量の減少によりさまざまな症状が発現する恐れがあり（**図7-3**），口腔乾燥に関する知識は臨床を行ううえで口臭以外においても重要となる．

3．舌苔

舌の表面は舌乳頭の存在により凹凸があるため，食渣や口腔内の剝離上皮などが溜まりやすい形態となり，そこに細菌が感染することにより白く苔状の舌苔が形成されるようになる．舌苔が長期間存在することにより口臭は強くなる傾向にある．舌苔の形成には唾液量の減少や体調不良による免疫力の低下などにより促進されることもあるため，高齢者においては舌苔付着の有無を検査する必要性が求められる．

舌苔の付着部位として，舌の先端や側面は常に動いているためにあまり汚れはたまりにくいが，中央から後方にかけて付着しやすい．

表7-1 口臭症の国際分類（1999年）

<table>
<tr><th>分類</th><th colspan="2">定義</th><th>治療必要性（Treatment Needs；TN）</th></tr>
<tr><td>1. 真性口臭症</td><td colspan="2">社会的容認限度を超える明らかな口臭が認められるもの</td><td></td></tr>
<tr><td>1）生理的口臭</td><td colspan="2">器質的変化，原因疾患がないもの（ニンニク摂取など一過性のものは除く）</td><td>TN1：説明及び口腔清掃指導（セルフケア支援）
（以下のTN2～TN5にはいずれもTN1が含まれる．）</td></tr>
<tr><td rowspan="2">2）病的口臭</td><td>（1）口腔由来の病的口臭</td><td>口腔内の原疾患，器質的変化，機能低下などによる口臭（舌苔，プラークなどを含む）</td><td>TN2：歯科での治療
専門的治療（PMTC），歯周治療など</td></tr>
<tr><td>（2）全身由来の病的口臭</td><td>鼻咽腔系，呼吸器疾患など</td><td>TN3：医科での治療</td></tr>
<tr><td>2. 仮性口臭症</td><td colspan="2">患者は口臭を訴えるが，社会的容認限度を超える口臭は認められず，検査結果などの説明（カウンセリング）により訴えの改善が期待できるもの</td><td>TN4：カウンセリング（結果の提示と説明）
（専門的）指導，教育</td></tr>
<tr><td>3. 口臭恐怖症</td><td colspan="2">真性口臭症，仮性口臭症に対する治療では訴えの改善が期待できないもの</td><td>TN5：精神科，心療内科，心療歯科などでの治療</td></tr>
</table>

2 分類

以前は口臭の分類について自臭症と他臭症とにわけていたが，現在では口臭症の国際分類により，真性口臭症，仮性口臭症，口臭恐怖症の3つに大別されるようになった（**表7-1**）．さらに国際分類においては，各段階における治療必要性（Treatment Needs：TN）についても示された[2,3]．

1. 真性口臭症

実際に口臭があり，原因により生理的口臭と病的口臭にわけられる．

生理的口臭とは起床時や空腹時，さらには緊張時などにおいて，おそらく誰もが口臭を感じたことがあると思われ，このように健常人でも起こりうる口臭をいう．また，女性において妊娠時や生理時などはホルモンバランスの変化により口臭が発生することもある．

病的口臭としては，口腔内の清掃不良や歯周病，さらには舌苔の付着や唾液分泌量の低下による口腔乾燥などが原因としてあげられる．特に高齢者においては，加齢や薬剤などの影響により唾液分泌の低下が認められることが多い．

全身疾患による口臭として，耳鼻咽喉科系の疾患や呼吸器系疾患などが関係していることもあるが，まれであるように思われる．

2. 仮性口臭症，口臭恐怖症

口臭は存在しないが，自分で口臭があると気にしている患者で，仮性口臭症は歯科医院でのカウンセリング等により理解，納得し解決する．一方，口臭恐怖症ではこちらが説明しても全く受け入れることなく，完全に口臭があるということに固

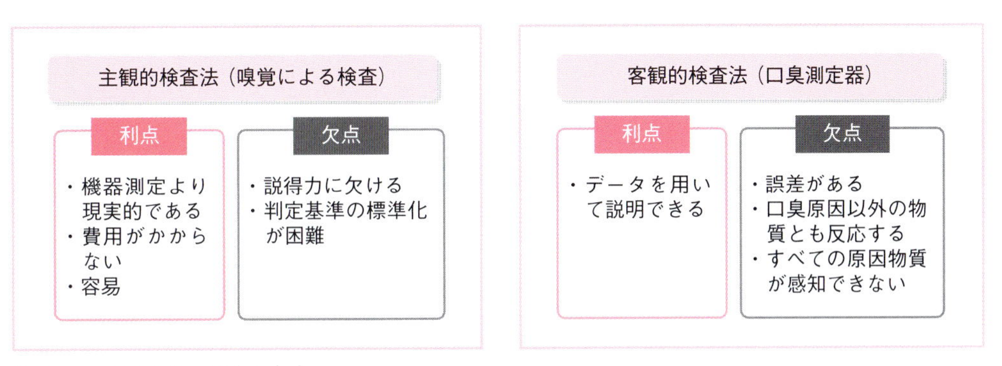

図7-4　口臭検査法の利点と欠点
それぞれの特徴を理解し，使い分けて用いるのが好ましい．

表7-2　官能検査のスコア

0（臭いなし）	嗅覚閾値以上の臭いを感知しない
1（非常に軽度）	嗅覚閾値以上の臭いを感知するが悪臭と認識できない
2（軽度）	かろうじて悪臭と認識できる
3（中等度）	悪臭と容易に判定できる
4（強度）	我慢できる強い悪臭
5（非常に強い）	我慢できない強烈な悪臭

臭いの程度は人によって異なり，さらに同じ人間でも体調や環境などにより変化する可能性があるので注意する．

執している．

3 口臭の評価と対応

1．口臭の評価

目に見えない口臭を評価するのは非常に困難であるが，現状として，患者の息を実際嗅いで判定する「主観的検査法」と，口臭測定器により数値などで口臭の強さを表す「客観的検査法」がある（**図7-4**）．それぞれ利点と欠点があり，主観的検査法の利点としては簡単に行えて費用も安価，さらに最大の利点として口臭の存在が実際わかることである．欠点としては，定量や比色などのように明確な判定基準で示すことができないために判定の標準化が困難であり，また判定者の嗅覚によっても差が生じてしまう（**表7-2**）．また，息を吹きかける際に照れが生じるなどの抵抗が予想され，やり方を工夫する必要もある．

一方，客観的検査法では口臭測定器などにより臭気の値がデータで示されるために，患者に対して説得力がある．しかしながら，口臭測定を行う診療室の環境（温度や湿度，他の臭いなど）などにより誤差が生じたり，洗口剤の成分に反応するなどの欠点もある．

口臭の評価を行う際は，「主観的検査法」と「客観的検査法」の特徴を理解して，患者に適した検査法を行うことと，評価を行うタイミングなども考慮する必要がある[4]．

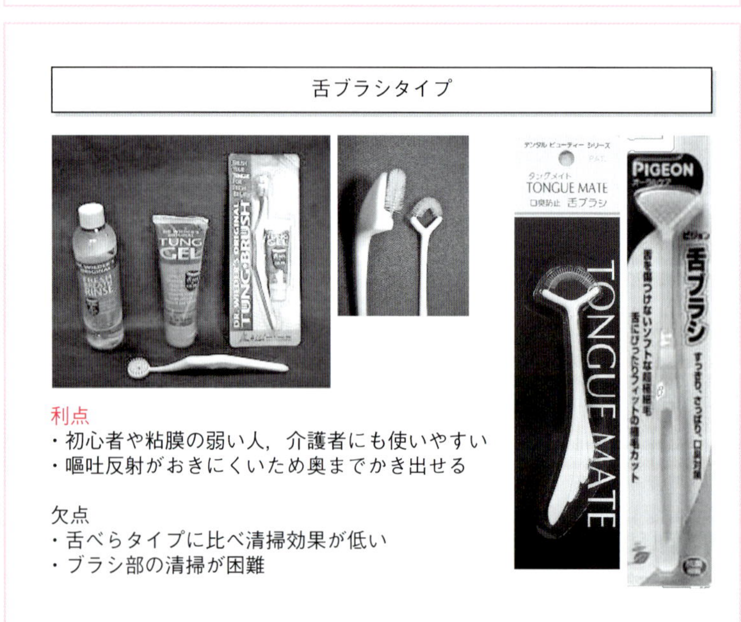

図7-5　舌清掃器具

2．口臭患者の対応

医療面接時には必ず「1日のどの時間帯で口臭が強く感じるか」，「いつから悩んでいるか」，「自分で感じるか，それとも他人から指摘されるのか」などの質問を行

表7-3　口臭恐怖症患者の特徴

・一日中臭いがする ・他人の仕草が気になる ・常に臭いのことばかり気にしている ・無臭になることを熱望している ・歯科，内科，耳鼻咽喉科などドクターショッピング ・身体的疾患であることを熱望する

う．さまざまな質問を行うことにより，診断と治療方針の立案が容易となる[5]．

1）生理的口臭

起床時や空腹時，さらには緊張時などにおいて口臭を感じた経験は誰しもあるかと思われる．このように，生理的口臭は健康であっても発生するものであるため，生理的口臭を気にしているようならば“誰もが感じていること”であり，無臭の人間など存在しないことを説明するのが好ましい．

2）病的口臭

原因が口腔清掃の不良やそれに伴う歯周病や齲蝕などであれば，通常の歯科治療で対応できる．舌苔に対しては，舌ブラシや舌ヘラなどの専用器具を用いて清掃するのが効果的であるが，頻回の使用や過度な圧により舌表面を傷つけてしまう恐れがある（**図7-5**）．そのため，使用は起床時のみ1日1回程度が好ましい．唾液分泌量の低下による口腔乾燥では，口腔内にプラークがたまりやすくなっているため徹底したプラークコントロールとともに，口唇や舌の体操，唾液腺マッサージ等の機能訓練を行い，唾液分泌量の増加を促す．

3）仮性口臭症，口臭恐怖症

口腔内に異常所見もなく口臭も感じられないため，対応は非常に困難となる（**表7-3**）．そのため，心理療法的な対応も必要となってくる．また，口臭を意識するようになった原因，悩んでいる期間や程度などをよく聴き，仮性口臭症ならば「もしかしたら自分は口臭が無いのかもしれない」と認識するような洞察療法なども有効である．しかし，説明や指導を行っても口臭がないことを認めない患者に対しては，口臭はなく口腔内は問題ないことを伝えて精神科などの受診を促す必要がある．

参考文献

1）小川智久ほか：医学の知識　口臭症．薬局，51（2）：925-929，2000．
2）喜多成价ほか，日口臭学会ガイドライン策定委員会：「口臭への対応と口臭症治療の指針」を目指して．日口臭誌，4（1）：20-25，2013．
3）宮崎秀夫ほか：口臭症分類の試みとその必要性．新潟歯学会誌，39（1）：11-15，1999．
4）小川智久ほか：口臭測定器．DE，132：23-26，2000．
5）小川智久：仮性口臭症患者への対応．歯学，94：36-39，2006．

BASIC

8 口腔微生物叢の理解

徳島大学名誉教授　三宅洋一郎

口腔にはきわめて多くの種類の微生物が複雑なバランスのもとに生息している．その多くはヒトに疾患を引き起こすことはないが，一部がヒトに病原性を示すことがある．この微生物の集団（口腔微生物叢）を知ることは，口腔を管理するうえで必須である．この章では，口腔微生物叢の基礎，その役割と病原性，評価と対応について解説する．

1 口腔微生物叢の基礎

1．常在微生物叢とは

ヒトの体の表面は上皮組織でおおわれており，外面は皮膚，消化管，呼吸器などの内面は粘膜がその役割を担っている．その皮膚，粘膜の表面には細菌を主とする微生物がびっしりと付着し，生息している．その数はヒトを構成する細胞数（約60兆といわれる）の10倍にものぼるとされる膨大な数である．それらの微生物は通常はヒトに病原性を示すことはなく，常在微生物叢，あるいは常在細菌叢とよばれている．「微生物」の中には細菌以外に真菌，原虫およびウイルスが含まれているが，細菌がはるかに多く存在しているため，2つのよび方が共存しているのである．その微生物叢は身体の部位により異なり，それぞれの部位で特徴的な構成をしている．この常在微生物叢は単に寄生しているのではなく，場合によってはヒトの役に立つこともある．たとえば腸内細菌のあるものはヒトに必須のビタミンを合成して供給し，またあるものは発がん作用をもつ物質を分解したりと，きわめて有用な細菌も常在している．しかし，状況によってはヒトに病原性を示すものもあり，そのコントロールは疾病予防の点からは重要と思われる[1,7]．

2．口の役割とその特徴

口は消化器の入り口であるとともに呼吸器の入り口でもある．口は消化器として，呼吸器として，またそれ以外のものとして**表8-1**にあげるような多くの役割がある．また，乳児などは口で未知のものを確認することも行っているので，これも口の役割といえるかもしれない．このように多くの機能をもった口であるためその性状も多岐にわたる．

その特徴としてはまず，外界に開かれており，出入りが容易である．食道，気管，鼻腔へ通じている．食物を摂取するために栄養が豊富で十分な水分が存在している．咀嚼するためにヒトの組織の中で最も硬い歯が存在すると共に軟らかい粘膜

表8-1　口の役割

消化器として	呼吸器として	その他
食べる（咀嚼，嚥下） 飲む 嘔吐する 味わう	呼吸する 話す（構音） 息を吹く，吸う	表情をつくる 物を保持する 咬みつく

がある．歯は非常に複雑な形状をしているうえに，上皮と異なり剝離をしない組織である．歯と歯肉の境界というきわめて特異な部位がある．唾液および血漿成分が存在している，などの特徴があるが，それらが口腔に生息する微生物に多くの影響を与えているのである．

3．微生物にとっての口腔

前項であげた口の特徴は微生物に種々の環境を与えている．まず，外界に開かれているために外界からの侵入が容易である．呼気とともに入ってくるものに加えて，食品に含まれるあるいは付着している微生物も頻繁に入ってきている．また，逆に口腔に生息する微生物が外界に出ていくことも容易である．さらに，食事をするために栄養が豊富で水分も十分にある．通常の上皮細胞は剝離をするために付着している細菌も共に排除されるが，歯は剝離をしないために一度付着した細菌は取り除かない限りそこに生息し続けることができる．口腔は歯以外の部位は粘膜で覆われているが，その粘膜も歯肉，頰，舌，口腔底と種類がある．歯と歯肉の間に歯肉溝（病的になると歯肉ポケット，歯周ポケット）が存在しているが，そこは硬組織と軟組織の境界という生体内でも特異な部位であり，深部になるとほとんど酸素は存在していない．

こういったさまざまな環境を口は微生物に提供しているため，微生物はそれらの生息に適切な場所（ニッチ）を見つけることが可能となる．微生物に対し口腔は，硬い非剝離表面から柔らかい粘膜まで，平滑な表面から複雑な凹凸の表面まで，酸素濃度の高い場所から低い場所まで，唾液に曝される場所から曝されない場所まで，幅広い条件を提示するのである．

その多様なニッチと豊富な栄養のため，口腔には700種を超える種類の微生物が生息しており，それも多数生息している．実際にはすべての微生物の同定ができてはいないので，1,000種に近い微生物が生息している可能性もある．またその数はデンタルプラーク1g中に10^{10}（百億）個以上，唾液1mL中に10^{8}（1億）個以上と膨大な数の微生物が存在している[1)]．

4．口腔微生物の由来

胎児は子宮内にいるときは無菌状態であり，出産時に産道を通るときから外界に曝されて微生物の感染を受けはじめる．主に出産後に接触の多い個体からの感染を受けるため，通常は母親からの感染が多いようである．もちろん，接触するその他の個体からも感染を受けるであろうし，また食物などからの感染も受けると考えられる．出生後に多くの微生物が口腔を通過するであろうが，その中で口腔のニッチに定着できるもののみが残り，口腔微生物叢を形成していくことになる．

5．口腔微生物叢の構成とその変動

表8-2に口腔微生物叢を構成する主な微生物を属で示す．これらの微生物がそれぞれの特性に応じた部位（ニッチ）に生息している．したがって歯面，粘膜表面，舌表面などでそれぞれ異なった構成の微生物叢が存在している．また，歯面でも歯肉縁上と歯肉縁下では大きく異なっており，また歯肉縁上でも平滑面と裂溝などではその構成は異なっている．

また，同じ部位の微生物叢であっても，年齢とともに変化していくようであり，一日の中でもその構成，細菌数も大きく変化している．

微生物のほとんどは何らかの固体表面に付着して生息しており，それは口腔においても同様である．口腔では微生物は歯あるいは粘膜の表面に付着して生息している．唾液中にも微生物が存在しているが，それらは付着していた微生物が放出されたものであると考えられる．

唾液中からウイルスが検出されることがあるが，通常は口腔粘膜細胞などに潜んでおり，複製を開始した後に唾液中に放出される可能性がある．多くのヒトの口腔領域に感染しているのがヒトヘルペスウイルスである．

6．デンタルプラーク

1）デンタルプラークとは

歯の表面に形成された細菌とその産物の塊で簡単に除去できないものをデンタルプラークとよんでいる．近年口腔バイオフィルムといわれることが多くなってきたが，バイオフィルムの定義は「固体表面に形成された細菌とその産物の塊」であり，やや異なっている．当然デンタルプラークもバイオフィルムの1つではあるが，歯の表面に形成されたものにはデンタルプラークという固有の名称があるので，それを使用するのが適当であると考える．また，口腔バイオフィルムといった場合には歯以外の部位に形成されたものも含まれると考えるのが当然であろう．

デンタルプラークは通常「歯肉縁上プラーク」と「歯肉縁下プラーク」に分類されている．歯肉縁下プラークは歯肉縁上プラークが歯肉溝内へと入り込み増殖したものであるが，歯肉縁上と歯肉縁下の環境は大きく異なっているので，その構成細菌も大きく異なっている．

2）デンタルプラークの形成機序

デンタルプラークの形成機序は**図8-1**に示すように，まずエナメル質表面に唾液中の糖タンパクが吸着することからはじまる．形成された被膜はAcquired pellicleであるが通常ペリクルとよばれている．このペリクルに付着する能力をもった初期付着

表8-2　口腔微生物叢を構成する主な微生物

グラム陽性菌	
Streptococcus	レンサ球菌
Peptostreptococcus	ペプトストレプトコッカス
Actinomyces	アクチノミセス（放線菌）
Corynebacterium	コリネバクテリウム
Lactobacillus	乳酸桿菌
グラム陰性菌	
Porphyromonas	ポルフィロモナス
Prevotella	プレボテーラ
Fusobacterium	フゾバクテリウム
Tannerella	ターネレラ
Aggregatibacter	アグリガティバクター
Capnocytophaga	カプノサイトファガ
Neisseria	ナイセリア
Veillonella	ベイロネラ
真菌	
Candida	カンジダ
原虫	
Trichomonas	トリコモナス
Entamoeba	エントアメーバ

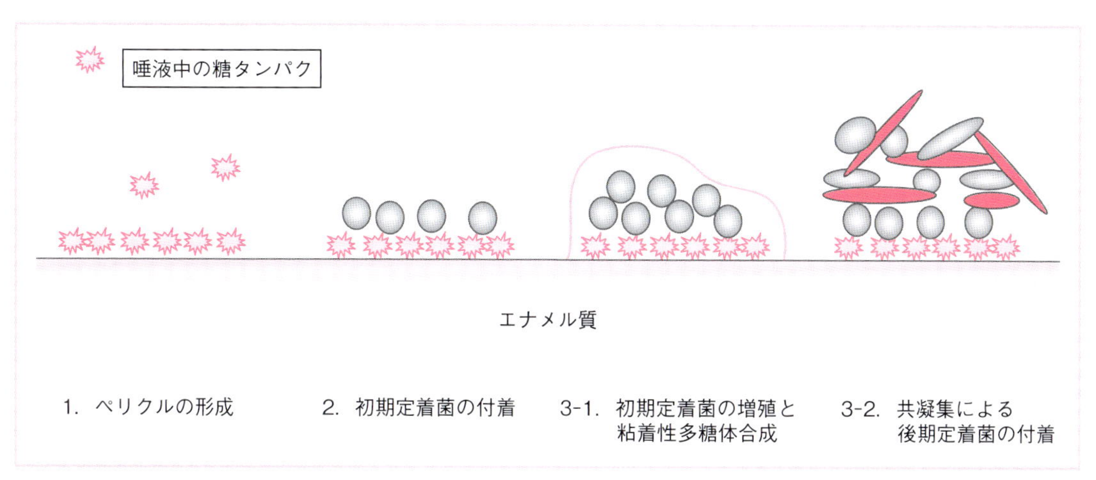

図8-1　デンタルプラークの形成機序
1. 唾液中の糖タンパクがエナメル質表面に吸着しペリクルを形成する．2. ペリクルに初期定着菌が付着する．3-1. 初期定着菌が増殖，粘着性グルカンを生成する．3-2. 初期定着菌に共凝集により後期定着菌が付着する．3-1 および 3-2 によりデンタルプラークは成熟していく．

菌(Early colonizer)が付着し，プラーク形成がはじまる．初期付着菌の多くはレンサ球菌である．この初期付着菌に他の菌種が付着する(共凝集)ことによりプラークは成長していく．初期付着菌に付着していく菌は後期付着菌とよばれるが，これらの細菌はペリクルに直接付着する能力はもたず，すでに付着した細菌へ付着することによりデンタルプラークに参加する．また，ミュータンスレンサ球菌をはじめとする菌によりショ糖から産生される粘着性グルカンもデンタルプラークの重要な構成物となっている．デンタルプラークが成長しその厚さを増すとともに深部は酸素濃度がきわめて低くなり，嫌気性菌の割合が高くなってくる．

デンタルプラークの形成機序を知ることは，その形成阻害法，特に化学的方法を考えるうえで重要である．

2 口腔微生物の役割と病原性

他の常在微生物と同様に，口腔常在微生物も通常はヒトに病原性を示さず，一面では宿主であるヒトの役に立っているが，ある条件下ではヒトに病原性を発揮することがある．

1．口腔微生物の役割

口腔内の歯および粘膜はほぼ細菌を中心とする微生物で覆われているといっても言い過ぎではない．そのために他の細菌が入り込もうとしてもすでにニッチ(細菌が定着できる適切な場所)がふさがれており，外部からのより強毒な病原菌の侵入・定着を防いでいるのである．

また，口腔常在微生物が口腔に安定的に生息し続けているということは，口腔の免疫システムと絶妙なバランスをとっているということがいえる．したがって，口腔常在微生物は口腔の免疫システムに対し適当な刺激を与え，その発達・維持に寄与しているのであろう．

このように，口腔微生物は宿主であるヒトに対して有益な働きもしているのである．しかし，ある条件下ではヒトに対して病原性を示すことになる．

2．口腔微生物の病原性

1) 口腔領域での病原性

(1) 齲蝕

口腔常在菌の中で齲蝕の原因菌として最もよく知られているのがミュータンス・グループ・レンサ球菌の*Streptococcus mutans*および*Streptococcus sobrinus*である．これらの細菌は動物実験において単独で齲蝕を発症させることができる．そのメカニズムとしては，これらの細菌はエナメル質に吸着している唾液成分ペリクルに付着することができ，そこでショ糖を基質として粘着性グルカンを生成，デンタルプラークを形成し，さらに乳酸などの有機酸を生成してプラークのpHを低下させてエナメル質の主成分であるヒドロキシアパタイトを脱灰するとされている．

もちろん，ミュータンス・グループ・レンサ球菌以外にも齲蝕を引き起こす可能性のある細菌は存在しており，特に歯間部および裂溝内などでは病原性を発揮しているものと思われる．

(2) 歯周病

歯周病は歯肉縁下プラークによって引き起こされることは明らかであるが，特定の原因菌をあげることはきわめて困難である．これまで述べてきたように，口腔には多種の細菌が生息しているため，複数菌による感染が多いことが知られている．歯周病の病因論においても，歯肉縁下プラークの量が増えることによって引き起こされるメカニズム（非特異的プラーク仮説）および歯肉縁下プラークの中のある特定の細菌種あるいはその組み合わせによって引き起こされるメカニズム（特異的プラーク仮説）とがある．プラークコントロールで改善される症例は歯肉縁下プラーク量の増加により引き起こされたものであり，プラークコントロールのみでは改善されない症例は歯肉縁下プラークの質的変化により引き起こされたものと推察される．質的変化とはプラーク内の菌種のバランスの変化，あるいは新たな菌種の参加が考えられる

これまでに多くの「歯周病原菌」が提唱されてきたが，いずれの菌種も歯周病巣から検出されないこともあり，また健康な部位からも検出されることがあり，それが「歯周病原菌」の定義を困難にしている．口腔は元来微生物で覆われており，歯周病が発症していない状態でも歯肉溝には歯肉縁下プラークが存在している．そのような部位での歯周病発症のメカニズムは決して単純なものではなさそうである．それでもいえることは「歯周病の原因は歯肉縁下プラークである」ということである．

(3) その他の感染症

その他にも，歯髄炎，口内炎，各種膿瘍，蜂窩織炎，インプラント周囲炎などが口腔微生物により引き起こされている．

2) 口腔以外の部位での病原性

(1) 病巣感染

病巣感染とは，口腔領域に慢性感染病巣がある場合，口腔から遠隔の部位で何らかの症状が発症することである．そのメカニズムとしては，感染病巣の微生物が血行性などで遠隔部位に移動しそこで発症する，あるいは感染病巣でそこにいる微生物に対する免疫が成立し遠隔部位でその微生物に似たヒトの抗原に反応し臨床症状を発症する，ことが考えられる．その例としては，感染性心内膜炎，急性糸球体腎炎，リウマチ熱などがあげられる．

(2) 口腔微生物のトランスロケーションによる感染症

口腔には多くの微生物が常在しているため，病巣感染の条件である慢性感染病巣がなくても微生物の供給源（リザーバー）となりうるのである．口腔微生物は血行性あるいは粘膜上を移動（トランスロケート）することにより遠隔部位に到達し

そこで病原性を発揮する．血行性の場合は口腔から血管へ入らなければならないが，その入り口としては抜歯，スケーリング，激しいブラッシングなど出血を伴う行為の後があげられているが，極端な場合は歯肉炎があるだけでも口腔微生物が血流中に侵入するとの報告もある．粘膜上の移動の場合は，口腔から咽頭へ，さらに気管，気管支を経て肺へとトランスロケートする．

口腔微生物の血行性のトランスロケートにより引き起こされる疾患には，感染性心内膜炎，肝膿瘍，脳膿瘍などがある．その中では発症頻度の高い感染性心内膜炎の原因の約半数が口腔微生物，特に口腔レンサ球菌との報告がある．

粘膜上のトランスロケートにより肺に達した口腔微生物により発症するのが誤嚥性肺炎である．この原因となる誤嚥には，嚥下中に食塊の一部が誤って気管に入り込む「顕性誤嚥」と，咽頭に移動した口腔微生物が就寝中に気道を落下し肺へ達する「不顕性誤嚥」とがある．不顕性誤嚥は高齢者以外でも就寝中に起こっているが免疫システムにより発症にまでは至らない．しかし，高齢者では免疫能の低下のために肺炎発症に至るのである．高齢者の肺炎の約半数は口腔微生物によるものとされている[8)]．

3 口腔微生物の評価と対応

後述するように，口腔微生物の口腔ケアによるコントロールはそれらによる疾患の予防に効果的である．したがって口腔ケアの効果の確認のための口腔微生物の評価が大切である．口腔微生物の評価は質的な評価法と量的な評価法がある．質的な評価法は培養法あるいはDNAを用いた方法などにより，個々の菌種を同定し，またその割合を明らかにするものであり，その菌種の病原性が明らかにされている場合に有効である．量的な評価法はある部位に生息している細菌の総数を計測するものであり，存在する細菌数が病態に影響を与えている場合に有効である．ここでは主に量的な評価法について述べる．

1．口腔微生物の評価法

1）顕微鏡による観察

口腔から得たサンプルを染色して光学顕微鏡で観察するのが最も簡単な方法であるが，得られる情報はそれほど多くない．また，血球計算版を用いて菌数計算をする方法もあるが，これも正確さに欠けるものである．

2）培養法

口腔から得たサンプルに適切な希釈を加え，寒天平板培地に播種して培養し，生育したコロニー数から元のサンプル中の細菌数を算出するのが現在では最も一般的な方法である．この方法では使用する培地の種類によって生育する細菌の種類が異なるため，目的に応じて培地の種類を選択することになる．できるだけ多くの細菌種の生育を期待する場合は血液寒天培地を使用し，嫌気培養するのが一般的であ

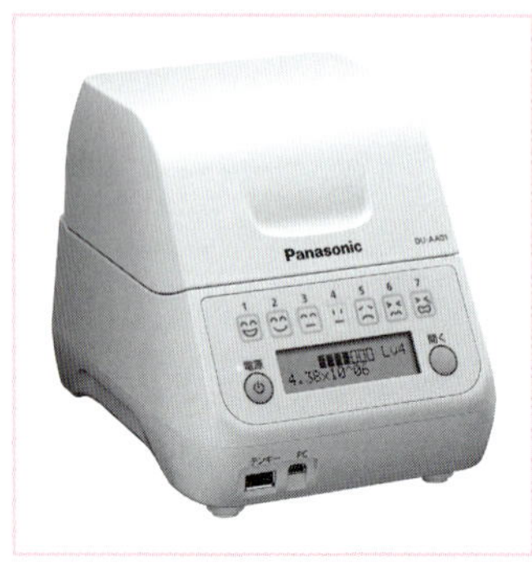

図8-2 細菌カウンタ
細菌カウンタの外観.
（写真提供：パナソニックデンタル㈱）

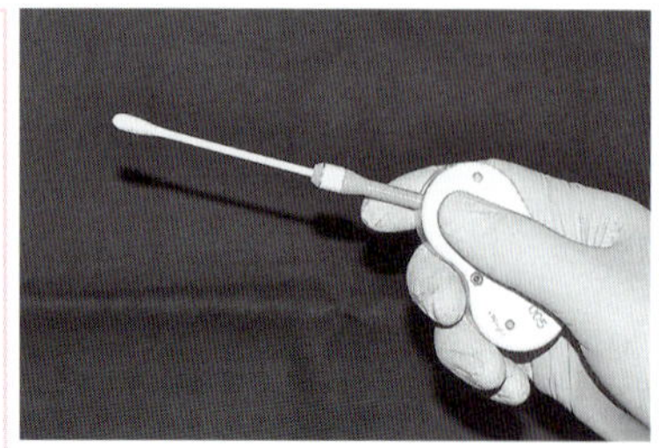

図8-3 サンプル採取用器具

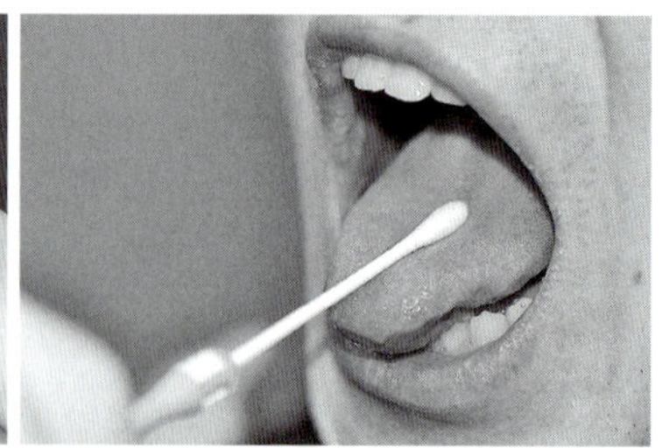

図8-4 舌苔採取方法

る．また，ある種の細菌数を測定したい場合には，その菌種の生育を目的とした「選択培地」を用いる．

しかし，この方法では直接細菌数を測定するのではなく，「発育可能な細菌数」を測定しているのであり，結果はコロニー形成単位（Colony Forming Unit）という単位で表される．

3）遺伝子を用いた方法

現在は遺伝子を用いた方法を用いることもある．遺伝子を用いた方法は特異的にある種の細菌を検出することが可能であるがそれに加えて定量的な測定も可能であるため，サンプル中のある特定の細菌の定量を行っている．しかし，時間がかかり特別な機器を必要とし経費もかかるため，使用される機会は限られている．

4）細菌カウンタの応用

Dielectrophoretic impedance測定法（DEPIM）という粒子数を電気的に計測できる方法を応用した細菌カウンタが開発された（**図8-2**）．この方法は粒子数を測定できるが，その精度は粒子のサイズに影響を受ける．そのため，実際の細菌を用いてキャリブレーション（較正）を行う必要がある．この機種は口腔細菌の総菌数に対応した粒子数を表示できるようキャリブレーションが施されている．そのため，口腔より採取したサンプル中の総細菌数相当の粒子数を測定することができ，それも1分という短時間で行うことができる[10]（**図8-3，4**）．臨床の現場で口腔ケアの効果の検証のための口腔細菌数測定に適した機器であり，現在多くの現場で応用されている．

この機器を用いる場合には，あくまでも細菌を粒子として数を計測しているのであり，すべてが細菌であるかは不明である．また，測定可能数の下限および上限があることも理解したうえで使用することが求められる．

5）舌背の観察（Tongue Coating Index：TCI）

口腔機能低下症の診断基準のなかで，口腔衛生状態不良の検査として視診によるTongue Coating Index（TCI）が用いられている．TCIは厳密にはPlaque Indexとの相関は見られないとの報告[2]があるが，ある程度は口腔衛生状態を反映してお

り，また比較的簡単に肉眼で状態を観察できることから採用されていると思われる．

Tongue coating（舌苔）は口腔内の他の部位のプラークと同様にバイオフィルムであり，多くの細菌をはじめとする微生物から成り立っている．構成する微生物は多岐にわたるが，その一部は口臭の原因物質である硫化物などを産生している[3)]．

舌苔を含む舌表面の状態は口腔衛生状態のみならず全身の健康状態を反映しているといわれており，悪性腫瘍の早期診断に利用できる可能性がある[4)]．舌背の観察は口腔衛生状態の評価にとどまらず，全身の健康状態を評価にもつながるかもしれないものであり，今後の研究から目が離せない．

2．口腔微生物への対応

口腔は外界に開かれた器官であるため口腔微生物叢で覆われており，これを無菌状態にすることは不可能である．したがって，口腔微生物が病原性を発揮できないようにするためにはその数をコントロールし，常在微生物叢の機能を失わない程度に抑制することが求められる．

1）物理的方法

デンタルプラークおよび舌苔はうがいなどでは簡単には除去できないほど強固に付着しているため，これらの除去には物理的方法が欠かせない．歯ブラシ，歯間ブラシ，デンタルフロス，舌ブラシなどを用いて機械的に除去するのが最も効果的である．また，歯科医師，歯科衛生士によるProfessional Mechanical Tooth Cleaningがより効果的であることはいうまでもない[5,9)]．

2）化学的方法

物理的な方法の補助的手段として化学的方法を用いることはより効果を高めると思われる．主に消毒薬，界面活性剤等が用いられているが，化学的方法単独で十分なプラーク除去効果は期待できないので，物理的方法との併用が求められる．現在，プラーク形成機序の各段階を考慮した細菌の付着抑制や共凝集の抑制効果を持つ物質の応用が検討されているので，今後より効果の高い化学的方法の実用化が期待できる[6)]．

3）ワクチン

ワクチンによる特定の口腔微生物の抑制が試みられてきたが，現在のところ実用化には至っていない．口腔微生物叢の成立には口腔の免疫機構が重要な働きをしていることは確実と思われるので，今後のワクチン実用化の可能性も否定はできない．

4 おわりに

口腔には常在微生物叢が存在しており，決してすべてを除去することはできない．口腔微生物は口腔および遠隔部位で病原性を発揮するが，その予防のためには口腔微生物の量的および質的コントロールが有効である．特に量的コントロールは

評価も比較的容易に行えるので，その実践が求められる．

参考文献

1) Lamont RJ., et al.：Oral microbiology at a glance, Whiley-Blackwell, 2010. 2-31.
2) Van Gils LM, et al.：Tongue coating in relationship to gender, plaque, gingivitis and tongue cleaning behaviour in systemically healthy young adults. *Int J Dent Hyg,* 18 (1)：62-72, 2020.
3) Ye W, et al.：Relationship of tongue coating microbiome on volatile sulfur compounds in healthy and halitosis adults. *J Breath Res,* 14 (1)：016005. doi：10.1088/1752-7163/ab47b4. 2019.
4) Casu C, et al.：Microbiota of the tongue and systemic connections：The examination of the tongue as an integrated approach in oral medicine. *Hygiene,* 1 (2)：56-68, 2021.
5) Ishikawa A., et al.：Professional oral health care reduces the number of oropharyngeal bacteria. *J Dent Res,* 87 (6)：594-598, 2008.
6) Hirota K., et al.：Coating of a surface with 2-methacryloyloxyethyl phosphorylcholine (MPC) co-polymer significantly reduces retention of human pathogenic miroorganisms. *FEMS Microbiol. Lett.* 248：37-45, 2005.
7) 三宅洋一郎：気道感染と口腔細菌の役割．歯界展望，102：629-633，2003
8) 三宅洋一郎：口腔の病原微生物と感染症．Geriatric Medicine，42：287-291，2004
9) 三宅洋一郎：口腔ケアと細菌付着．Geriatric Medicine，43：1745-1749，2005
10) Hirota K., et al.：Evaluation of rapid oral bacteria quantification system using dielectrophoresis and impedance measurement. *Biocontrol Sci* 19：45-49, 2014.

9 在宅療養における口腔健康管理

米山歯科クリニック　米山武義

1 介護の現場で目にする口腔の現実

口腔には，食べること，話すこと，愛情をはじめとする感情の表現，呼吸器の入口，脳への刺激，力を出す，殺菌作用や免役物質を含んだ唾液の分泌，平衡感覚を保つ，ストレスの発散等の働きや機能がある．どれ1つを失っても日常生活に大きな支障をきたす．ところが，在宅医療の現場で在宅療養などで通院困難となった結果，不衛生に放置され，口腔の機能の著しい低下がみられ，多剤の服用が原因と思われる口腔乾燥症が高い頻度で認められる．安全な嚥下を促すには上下顎の咬合の安定が何よりも大切であるにもかかわらず多数歯欠損に対し適切な補綴治療がなされていない方も多い．どんなに食形態に考慮し，栄養価の高い料理を提供しても，口腔機能や口腔環境が著しく欠落していれば安全な食事は確保されない．これまで，医療や介護の現場で，口腔の衛生管理や機能管理が最後の最後まで顧みられなかった苦い歴史を振り返り，器質と機能の両面にわたる口腔の管理が重要と考える．またこの2つのテーマは密接な関係にあることを知っていただくことも，本章の1つの目的である．

2 目の前の患者さんの将来を考える

高齢者であっても定期的にリコールに来院され，高い口腔衛生状態を保ち，素晴らしい歯周組織の状態を維持されている方々に接するたびに，年齢という因子より口腔健康管理が口腔保健上，何より重要であることを教えられる（**図9-1**）．しかし患者さんは必ず高齢化し，いくつかの病気を抱え，身体の介護を必要とする，そしてやがて死を迎えるという生物としての避けられない過程を歩んでいる．幸か不幸かわれわれはこれまで，この過程をあまり考えずに診療室の中で治療と予防に取り組むことができた．しかし，これからは目の前にいる患者さんの将来の姿を想像すべきであり，何がその患者さんにとって必要で大切かを考えなければならない（**図9-2**）．まさに生涯にわたり切れ目のない口腔健康管理が求められる時代に入ったといえる．そのうえで患者さんが通院できなくなったら，診療室から一歩出て，対応できるシステムを構築することが肝要である．すべては将来に対する予測およびその対策（リスク管理）であり，予防に尽きる．

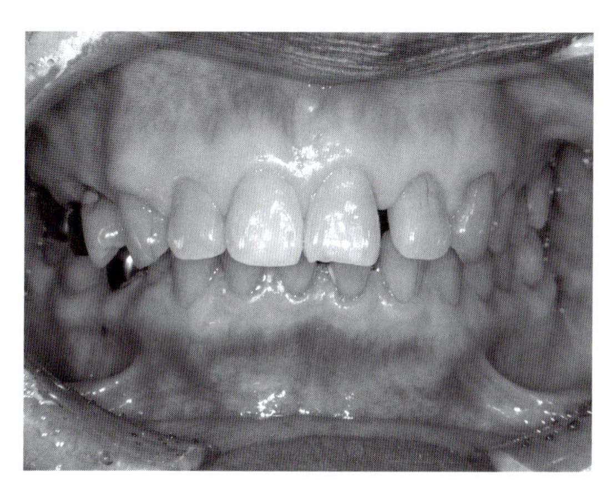

図9-1　30年間にわたるメインテナンスによって90歳になった現時点でも，プラークスコアが5%以下，BOPが10%を維持している．ご本人は「健康は口腔から」と強く認識している．

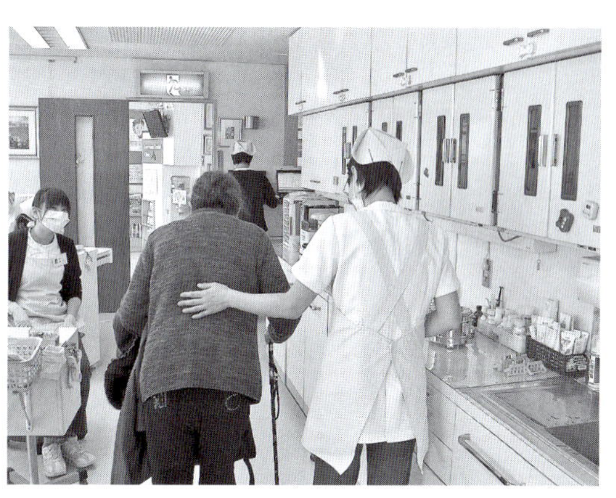

図9-2　来院患者のうち，高齢者の占める割合が年々多くなっている．さらに後期高齢者の患者も増加．5年後，10年後に来院できる方は何割いるであろうか．

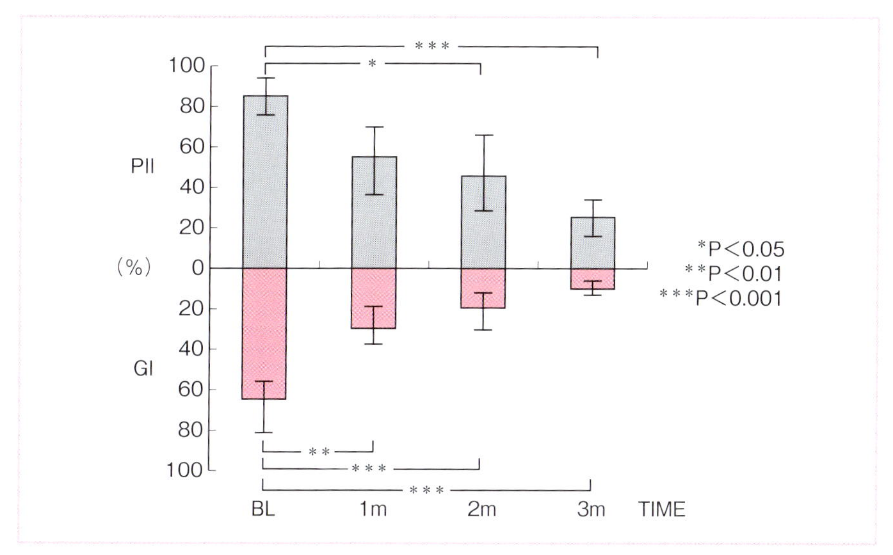

図9-3　施設に入所する高齢者を対象に2週間に1回の専門的歯面清掃を継続した結果，歯垢付着率も歯肉炎の割合も有意に減少．

（米山ほか，1997[1]より）

3 口腔衛生管理を継続的に行うことで歯肉炎の改善を図る

たとえ要介護高齢者であっても，継続的に口腔衛生管理を行うことによって歯肉炎の改善が得られ（**図9-3**），同時に咽頭部の細菌数が有意に減少することが報告された[1,2]．これらのことから口腔ケアつまり口腔衛生管理によって，歯周病の改善が期待できるとともに咽頭部の細菌数が減少することにより誤嚥性肺炎のリスクが取り除かれることが示唆された．質の高い継続した口腔衛生管理は確実に口腔内環境を改善し，呼吸器疾患等の全身疾患の予防につながる．

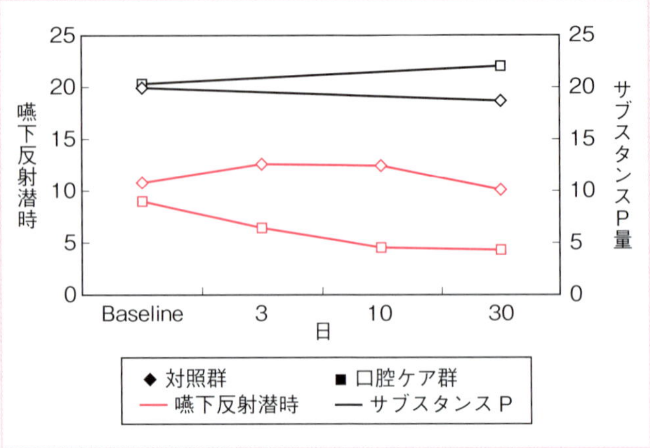

図9-4　1カ月間の口腔衛生管理により，嚥下反射が有意に改善
(Yoshino, A., et al, 2001[3])

4 口腔機能管理と口腔衛生管理との関係

口腔健康管理は器質的な口腔衛生管理（主として歯垢の除去，義歯の清掃）と機能的な口腔機能管理（口腔リハビリテーションを含む）に分けられる．このうち口腔機能管理は，摂食嚥下障害を有する方に対する間接的訓練としての役割も有している．これらの管理を充実することにより口腔環境が改善し，顔貌や表情の改善に影響を与える．1カ月間の口腔清掃による口腔粘膜への刺激により，有意に嚥下反射が改善する[3]．このことは，清掃器具を使った口腔衛生管理単独でも，口腔機能の向上，嚥下機能の向上に効果があることを示唆している（図9-4）．一方，口腔機能管理によって唾液の流出量が増加し，自浄作用が増し，衛生状態の改善につながる．その意味でこれら口腔衛生管理と口腔機能管理は車の両輪のような関係にある．患者の病状や介護度により，この2つの管理の比重を調整することも歯科衛生士に託された業務である．

5 誤嚥性肺炎予防における口腔健康管理の重要性

要介護高齢者について保健上，大きな問題となるのは肺炎をはじめとする呼吸器感染である．ある老人福祉施設で1年余りにわたって発熱者数を調べたところ，ADLが低下している人ほど，また認知症が進んでいる人ほど発熱の頻度が高いことが認められた．また多くの要介護高齢者の口腔内は不衛生になっており，歯肉炎が認められることが多い[4]．

これらの現状に対して2年間，特別養護老人ホームで，日々の施設介護職員による口腔の清掃を主体とした口腔のケアと週に1回の歯科衛生士による専門的な口腔清掃を継続することによって，対照群に比較し，発熱日数，肺炎の発症率，肺炎に

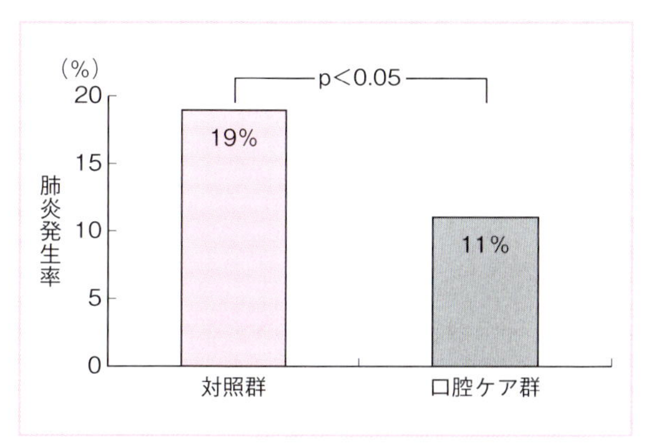

図9-5　専門的な口腔ケア(口腔衛生管理)により，肺炎の発症率が有意に減少

(Yoneyama, T. et al, 1999[5])

表9-1　専門的な口腔ケア(口腔衛生管理)により，肺炎による死亡者数が有意に減少

	口腔ケア群	対照群
発熱発生者数	27 (15)	54 (29) **
肺炎発症者数	21 (11)	34 (19) *
肺炎死亡者数	14 (7)	30 (16) **

(*：$p<0.05$, **：$p<0.01$)　人数(%)

(米山ほか，2001[7])

よる死亡率に有意の減少が報告されている[5,6]．(図9-5, 表9-1)．

誤嚥性肺炎の多くが不顕性誤嚥が原因で発症することが明らかになり，口腔衛生管理が誤嚥性肺炎の予防のカギとなる．特に嚥下反射や咳嗽反射の低下する夜間，就寝前の口腔清掃は特に重要である．一方，義歯を装着し，口腔機能の維持を図った人の方が肺炎の発症率が有意に低いことから義歯治療とその後の義歯管理も肺炎予防の大切な事項である[7]．

6　多死多歯時代を迎え，感染症等の全身疾患の増加への対応

直近値で8020達成者は対象年齢の50%を超えた[8]．さらに今後高齢者の残存歯数の急激な増加が予想される．問題はどのような状態で残っているか(機能出来る状態か)が重要であり，今後，管理を必要とする歯が急増する．自分の歯を保ち続けることが何より肝要であるが，残存歯数が増えることにより歯の表面の細菌性付着物である歯垢が著しく増加する(図9-6)．またこの歯垢を除去するには，かなりの労力と時間が要求される．加えて歯があることで歯周病の進行リスクが高まる．つまり，肺炎をはじめとする口腔に起因する感染症が増加することが予想される．社会において口腔健康管理に対する理解が進む一方，残存歯数の増加に伴う細菌性付着物の増加により誤嚥性肺炎の発症率が今後，増加するのではないかと危惧している．また歯周病の進行と関係する脳血管疾患，心臓疾患，関節炎，糖尿病，骨粗鬆症の増加も看過できない．以上のことから，全身疾患に対する口腔衛生管理と口腔機能管理の重要性がますます高まる(図9-7)．

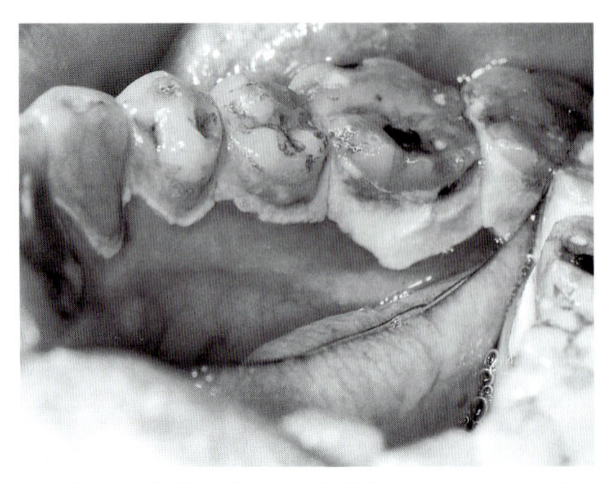

図9-6　ある回復期病院入院患者の口腔内，ほとんど口腔衛生管理がなされていない

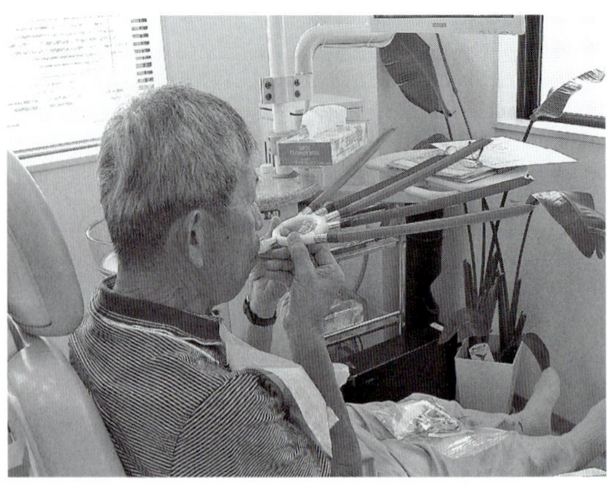

図9-7　神経難病を発症し，医師より紹介を受けた患者．病状が進行する前に，そして通院できる間に口腔衛生管理と口腔機能管理を行い，口腔保健の維持を図る（75歳）

7 認知機能の低下予防と口腔健康管理の意義

口腔健康管理は誤嚥性肺炎を予防する以外にも精神的活動の維持や改善をもたらす効果が示されている．特に認知機能に関しては口腔衛生管理群において進行の抑制効果が報告されている．特に介入してから初期の期間（3～6カ月）における効果が有意であり[7]，認知症が軽度の人のほうが，より効果が高いことが報告されている．認知機能の評価（値）だけでなく実際，口腔衛生管理を始めてから施設利用者の顔の表情が豊かとなったという報告を聞くことが多い．さらに，口腔衛生管理を始めてから施設の行事に積極的に参加するようになり，精神的に前向きの変化も報告されている．

8 診療室完結型から地域完結型へ

口腔は，生命維持にとって基本的かつ重要な働きをもつ器官である．さらに，愛情表現，人間関係の創造，人間成長への関与という人間の心とも繫がる高度な役割を担っている．これまで口腔健康管理について目が向けられることが少なかった背景には，口腔＝食物を噛む場所，という一元論的にしかとらえられていなかったことがあげられる．しかし，口腔の役割に着目し，口腔健康管理を継続することによりおよそ40％の誤嚥性肺炎の予防効果が発現することが示され，口腔保健と全身の健康との関係に注目が向けられるようになった．このテーマは当然のことながら歯科だけの問題ではない．広く保健，医療，福祉のすべての職種にかかわるテーマである．これまで歯科は診療所で，ほぼすべての業務を完結してきたが今後は地域との結びつきを強め，地域包括ケアシステムの中で地域完結型の診療所に機能を変化，発展させることが急務と思われる．超高齢社会に対応できる歯科医院にその機能を変革することにより，地域内における評価や見方が確実に変化するものと思われる．その中心にあるのが口腔衛生管理と口腔機能管理に精通した歯科衛生士であることを忘れてはならない．

参考文献

1) 米山武義ほか：特別養護老人ホーム入所者における歯肉炎の改善に関する研究，日老医誌，34：120〜124．1997.
2) 弘田克彦ほか：プロフェッショナル・オーラル・ヘルス・ケアを受けた高齢者の咽頭細菌数の変動，日老医誌，34：125-129，1997.
3) Yoshino, A., et al.：Daily Oral Care and Risk Factors for Pneumonia Among Elderly Nursing Home Patients, JAMA, 286：2235-2236, 2001.
4) 厚生省　平成10年度老人保健強化推進特別事業　社会福祉施設等入所者口腔内状態改善研究モデル事業報告書：浜松市保健福祉部保健福祉総括室健康増進課口腔保健医療センター編，静岡，1999.
5) Yoneyama, T., et al：Oral care and pneumonia, Lancet, 1999：354-515.
6) Yoneyama, T., et al.：Oral care reduces pneumonia in older patients in nursing homes. J. Am. Geriatr. Soc. 50：430-433, 2002.
7) 米山武義ほか：要介護高齢者に対する口腔衛生の誤嚥性肺炎予防効果に関する研究．日歯医学会誌，20，58〜68，2001.
8) 厚生労働省：平成28年度歯科疾患実態調査.

10 口腔機能低下症

東京医科歯科大学大学院医歯学総合研究科高齢者歯科学分野
水口俊介

1 口腔機能低下症という病名の意義

加齢とともに身体のさまざまな部分で機能低下が生じる．口腔においても同様で，唾液腺の機能低下による口腔乾燥，味覚閾値の上昇，舌骨上筋群のサルコペニアに起因すると思われる嚥下機能低下など多くの事象が発生する．加えて社会性や意欲の低下による口腔リテラシー（口腔への関心度）の低下により，う蝕，歯周病の増加，歯の喪失が生じ，咀嚼機能の低下が発生する．さらに補綴装置の不調や食品多様性の欠如による栄養障害などが複雑に影響し，フレイルや要介護に至る道筋が示されている[1]（図10-1）．この口腔を起因とする状態変化をオーラルフレイルと

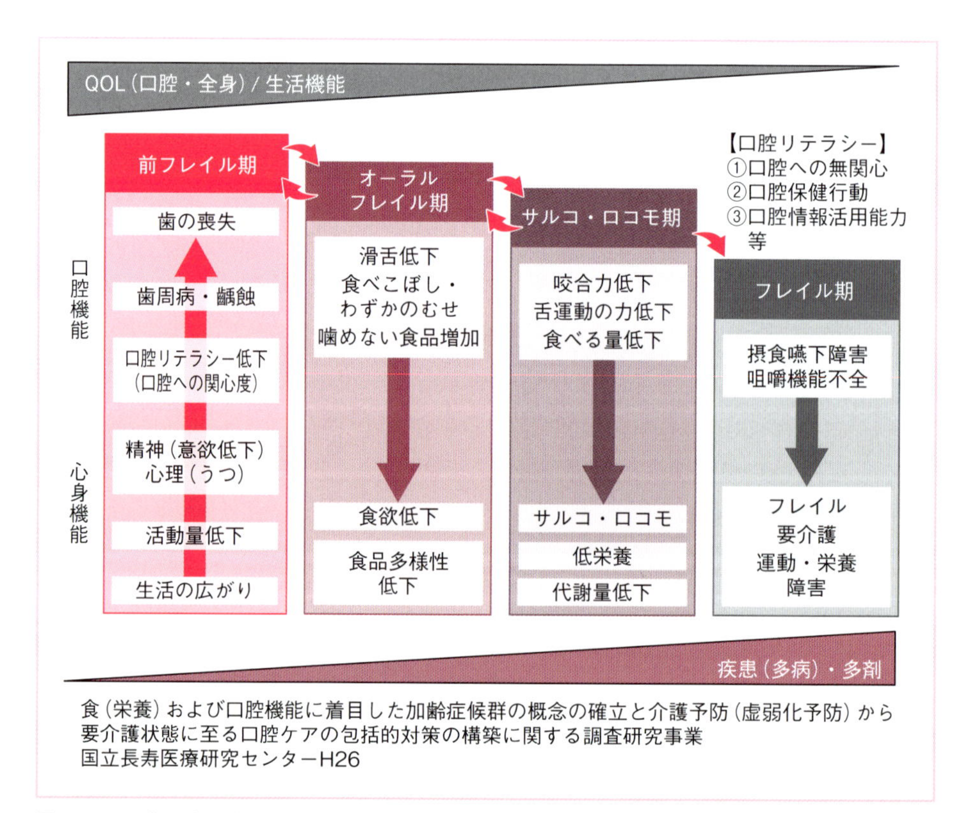

図10-1　平成26年発表のオーラルフレイルに関する概念図
この時には，オーラルフレイルは病的ではないが病的な状態に進行する手前の口腔のわずかな衰え，として表現されている．
（平成26年度　老人保健事業推進費等補助金　老人保健健康増進等事業[1]より）

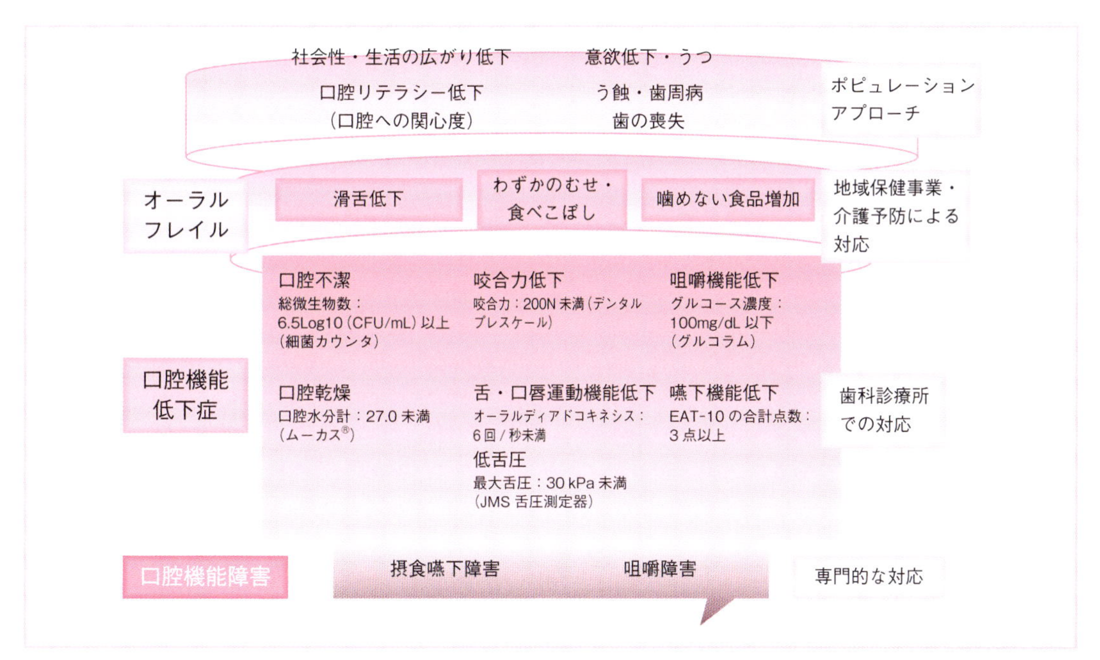

図10-2　2016年に発表されたポジションペーパーに掲載された口腔機能低下症の概念図

（水口ほか，2016[2]より）

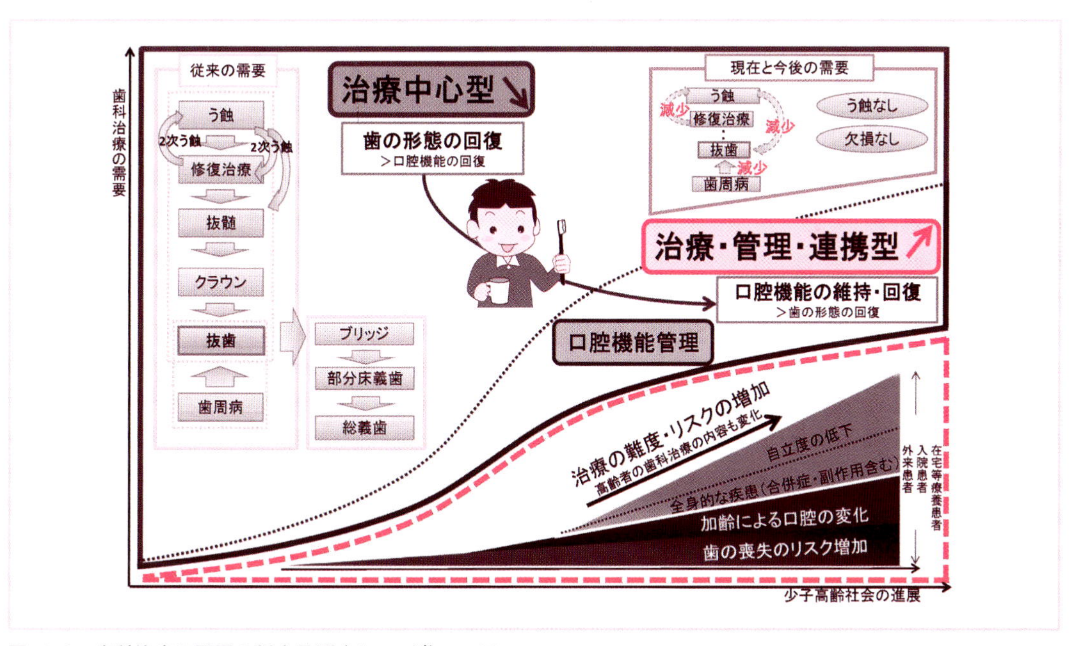

図10-3　歯科治療の需要の将来予測（イメージ）ver. 2017

（厚生労働省保険局医事課：平成30年度 歯科診療報酬改訂の概要より）

いわれているが，2016年に日本老年歯科医学会は歯科医療が介入するきっかけとなる病名として「口腔機能低下症」を提案した[2]（**図10-2**）．2017年には厚生労働省により口腔機能管理を中心とした治療・管理・連携型の歯科治療の将来予測イメージが発表されている（**図10-3**）．口腔機能低下症という病名の提唱の目的は，高齢期において口腔に発生するさまざまな問題の解決と，口腔機能の維持増進の有用であることを明確にし，歯科医療者と患者に口腔機能の維持増進に対する強い意識をもってもらうことにある．この意義は，2022年度の診療報酬改定でさらに強調された．65歳以上だったのが50歳以上と引き下げられたのである．これにより高齢期に突入する前から口腔機能に関心をもってもらい，ライフコースに沿った口腔健康管理が可能になったと考えられる．

2 オーラルフレイルとは

オーラルフレイルが初めて世に出たのは，国立長寿医療研究センターの研究班からである．口腔機能や栄養状態を中核とする食習慣を含む食環境の悪化からはじまる身体機能の低下とサルコペニア，さらには最終的に生活機能障害と虚弱の発生から要介護状態にいたる構造的な流れを，4つの段階に分けて説明し，口腔の機能低下を経由して，全身の機能低下が進行する過程の概念を初めて示した．この報告書のなかで提示されている仮説概念図（**図10-1**）のなかでは，口腔の機能低下を「オーラルフレイル」と表現している．すなわち「オーラルフレイル」は口腔に現れる虚弱を意味し，その症状としては滑舌低下，わずかなむせや食べこぼし，噛めない食品の増加とし，その前段階として口腔リテラシーの低下の結果生じた歯周病やう蝕による歯の喪失があげられている．したがって，オーラルフレイルを脱するためには口腔リテラシーを高め，口腔清掃を励行し歯の欠損を防止するとともに，欠損が生じた場合には歯科医院を受診し，適切な補綴装置を装着する．このように「オーラルフレイル」は，ヘルスプロモーションには重要な「言葉」と認識され，日本歯科医師会は「8020」に続く重要な口腔保健のシンボルとして「オーラルフレイル」の啓発を実施している．さらに日本歯科医師会は，オーラルフレイル対応マニュアル[3]の中で，新たにオーラルフレイルに関する概念図を発表した（（**図10-4**）．負のライフイベントなどにより，生活環境などの変化が生じ口腔保健への意識が低下し，次に日常生活における口のささいなトラブル（滑舌低下，噛めない食品の増加，むせ，など）が生じ，こういった状況を放置してしまうことにより，食欲低下や食品多様性の低下に至る．さらに，口腔機能低下（咬合力低下，舌運動機能低下など）が生じ，低栄養，サルコペニアのリスクが高まり，最終的に食べる機能の障害を引き起こすことになり，この一連の現象および過程をオーラルフレイルとしてとらえ，「老化に伴うさまざまな口腔の状態（歯数・口腔衛生・口腔機能など）の変化に，口腔健康への関心の低下や心身の予備能力低下も重なり，口腔の脆弱性が増加し，食べる機能障害へ陥り，さらにはフレイルに影響を与え，心身の機能低下にまで繋がる一連の現象および過程．」と定義した．

つまりオーラルフレイルは，「口に関する“ささいな衰え”が軽視されないように，口腔機能低下，食べる機能の低下，さらには，心身の機能低下まで繋がる“負の連鎖”に警鐘を鳴らした概念」ということになる．

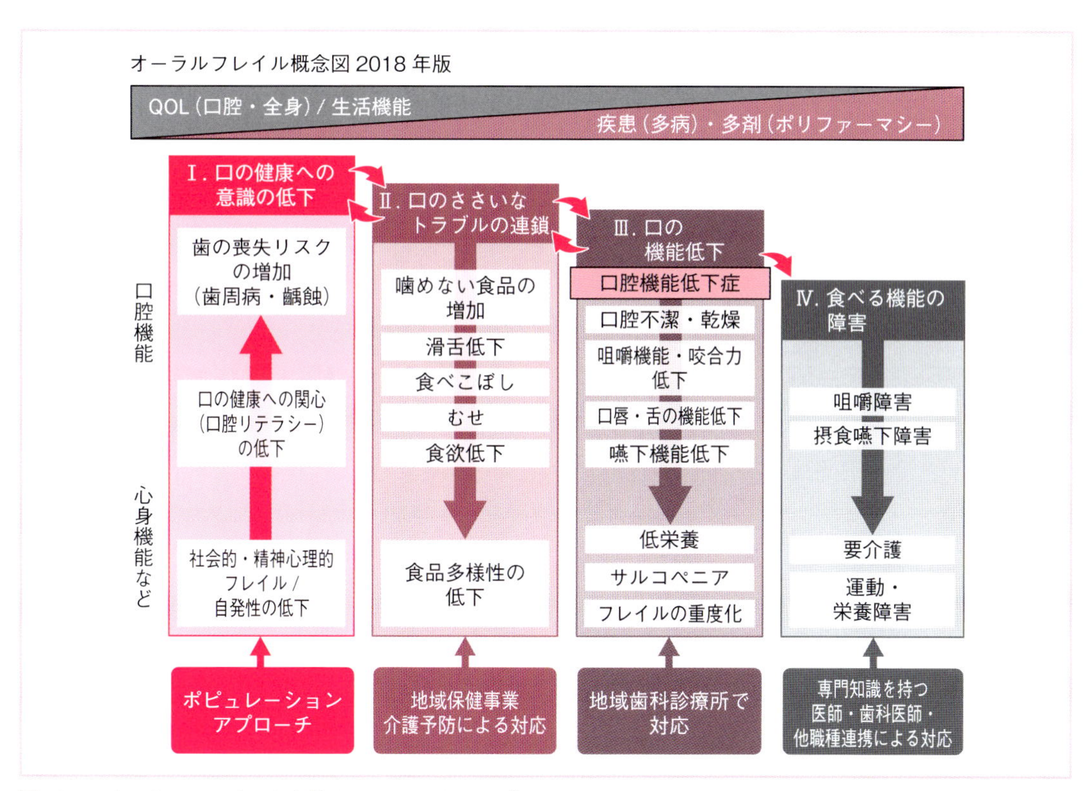

図10-4　オーラルフレイルの定義（日本歯科医師会，2020[3]より）

オーラルフレイルと口腔機能低下症は，よく混同され用いられているが，口腔機能低下症は歯科医療が介入すべきポイント，言い換えれば病名であり，その診断基準は数値をもって決められている．オーラルフレイルは前述のように口の機能低下が心身の機能低下まで続くという概念であり，現時点では数的な診断基準は設定されていない．日本老年歯科医学会は，このオーラルフレイルの定義の発表を受けて，口腔機能低下症の前段階にオーラルフレイルがあるとした口腔機能低下症の旧概念図（**図10-2**）を**図10-5**のように変更した．現在，日本老年医学会，日本サルコペニア・フレイル学会，日本老年歯科医学会の3学会により，オーラルフレイルの発信・啓発力を高めるためオーラルフレイル概念のステートメントおよびそれに付随する簡易スクリーニングを打ち出すべく，討議を開始した．口腔機能低下症の提案の発端となったオーラルフレイルに関して具体的な発信が今後行われるが，両者の基本的な関係は変わらず，ともに車の両輪として，国民の健康長寿に貢献してゆくことになるであろう．

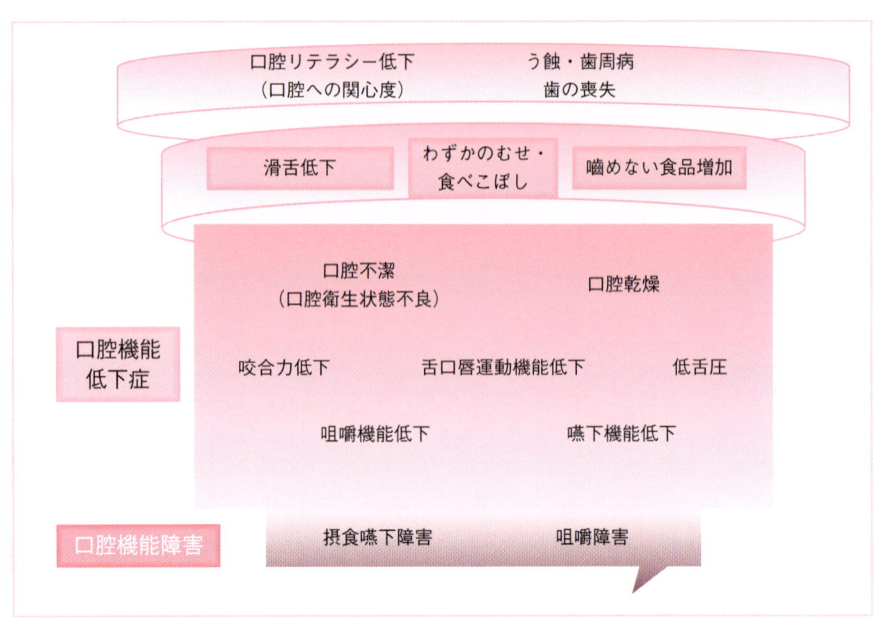

図10-5　日本歯科医師会のオーラルフレイルの定義を受けて，口腔機能低下症の概念図を変更した．（上田，水口，ほか，2018[4]より）

3 口腔機能低下症の検査項目と診断基準

口腔機能低下症の下位症状として，口腔衛生状態不良，口腔乾燥，咬合力低下，舌口唇運動機能低下，低舌圧，咀嚼機能低下，嚥下機能低下があげられている．口腔衛生状態，口腔乾燥は機能を営む口腔の環境の指標として，咬合力，舌口唇運動機能，舌圧は口腔機能のエレメントとして，咀嚼機能と嚥下機能は口腔の総合的な機能の指標と想定している．

それぞれに検査方法と診断基準が決められており，ここで本書の他の部分に掲載されていない口腔衛生状態の代替検査法（Tongue Coating Index（TCI））と舌口唇運動機能低下を評価するオーラルディアドコキネシス，咀嚼機能低下検査のグルコセンサほか，各症状と検査について詳説する．

1．口腔衛生状態不良

口腔清掃状態不良とは，高齢者の口腔内で微生物が異常に増加した状態である．歯垢や，義歯表面に付着したプラークつまりデンチャープラークの増加を意味し，う蝕や歯周病の原因となる．唾液中の細菌の増加につながり，誤嚥性肺炎，術後肺炎等を引き起こすことにもなる．歯や義歯をていねいに磨かなくなってしまうことによって起こるが，それは，口腔衛生活動に対するモチベーションの低下，すなわち口腔リテラシーの低下，社会活動や精神的な活力の低下によって生じる．一見，機能とは関係が薄いようにみえるが，フレイルサイクルの中に取り込まれていく項目なので，口腔機能低下症の検査項目として採用された．検査方法として細菌カウ

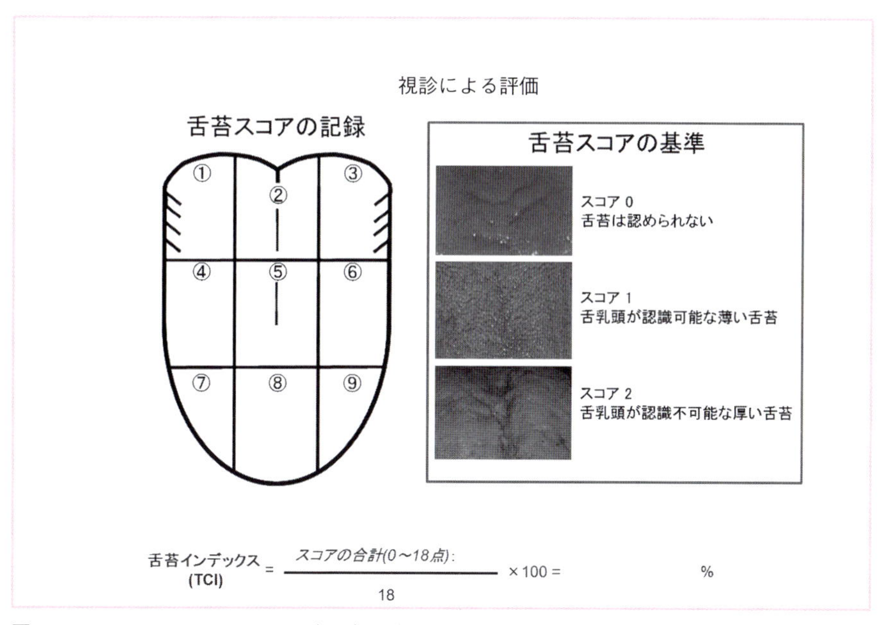

図10-6　Tongue Coating Index (TCI)：舌表面を9分割し，それぞれのエリアに対して舌苔の付着程度を3段階（スコア0，1または2）で評価しスコア化する

ンター（パナソニック）が見解論文には提示されているが．当時は医療機器として認可されていなかったため，保険診療のなかでは使用できなかったので，代替法として以下に説明するTongue Coating Indexを使用することになっている．ただ細菌カウンターは2022年度から医療機器として認可されたため，口腔機能低下症の正式な検査器具として使用可能となった（精密検査としての点数は付与されていない）．細菌カウンターでの基準は6.5 Log10（CFL/mL）表示ではレベル4以上である．

＊Tongue Coating Index（TCI）[5)]

舌表面を9分割し，それぞれのエリアに対して舌苔の付着程度を3段階（スコア0，1または2）で評価しスコア化するという方法である．舌苔の付着を細菌数に置き換えて評価するものである．被験者の合計スコアの18に対する百分率が50％以上だったときに口腔清掃不良と判定する（**図10-6**）．上田ら[6)]によると2週間の舌清掃を含む口腔清掃の介入後の総嫌気性数は7 Log10（CFL/mL）程度であり，その時のTCIは50～60％であったことなどを参考に50％と設定した．

2．口腔乾燥

高齢者は，年齢や疾患によって唾液分泌量が低下することにより，口腔乾燥を実感する[7)]．また服用薬剤によっても起こることがあり[8)]，その原因の確定と対策は歯科からは困難なことが多い．ただ口腔乾燥によって，咀嚼嚥下に障害が出ることもあり，唾液腺の機能，および口腔が適正に機能を営む環境として口腔乾燥を評価しておくことは重要であると考え，口腔機能低下症の診断基準の1つとして採用している．

検査法としては，口腔水分計（ムーカス®）[9]を使用し測定値27.0未満を口腔乾燥とした．また既定の大きさのガーゼを咀嚼し，含まれた唾液の重量を計測するサクソンテストでは2g/2分未満とした[10]．歯科的な対応としては，服薬の内容の再検討や唾液腺マッサージが考えられるが，口腔内を清潔にすることによる口腔内環境の総合的な改善を第一に考えるべきであろう．

3．咬合力低下

咬合力の低下は，天然歯あるいは義歯による咬合力が低下した状態である．咀嚼能力と相関が高く，残存歯数や咬合支持と関連が強いが[11]，筋力の低下にも影響を受けるためサルコペニアなどの影響も受ける可能性がある．咬合力が低いと，野菜や果物，抗酸化ビタミンや食物繊維の摂取量が少なくなるという報告がある[12]．歯数も上記の栄養摂取と関係がある[13-15]が，歯数よりも咬合力の方が，関係がより強いとされている[13]．

咬合力の測定には歯列全体の咬合力が測定できるデンタルプレスケールを用いる．デンタルプレスケールⅠでは200N，現在販売されているデンタルプレスケールⅡでは350N（フィルター機能オン）以下であれば咬合力低下と判断する．また咬合力との相関が強い残存歯数では，残根と動揺度3の歯を除いた残存歯が20本未満であれば，咬合力低下と判断する．

咬合力が低い（200N未満）と，低体重だけでなく，肥満の人も多いという報告もあり[16]．咬合力[12,18]は，運動機能や転倒と関連するという報告もある．

4．低舌圧

低舌圧とは，舌を動かす筋群の慢性的な機能低下により，舌と口蓋や食物との間に発生する圧力が低下した状態である．この進行に伴って健常な咀嚼と食塊形成および嚥下に支障を生じる．低舌圧の原因には，加齢，脳血管障害やパーキンソン病，レビー小体型認知症などの神経筋疾患，外傷や舌癌手術の後遺症など直接的な原因と，廃用症候群や低栄養など相互作用的な原因が考えられる．低舌圧は，適切な運動療法[19]や補綴装置による口腔内形態の改善（舌接触補助床等）などの治療介入により回復が見込まれる場合もあるが，神経変性疾患を原因とする場合など回復が困難な場合もあるので，早期発見と対応が重要と考えられる．

舌圧の測定には舌圧測定器（JMS舌圧測定器，ジェイ・エム・エス）[20]を用いて最大舌圧を計測し，最大舌圧が30kPa未満の場合を低舌圧とする．

簡便な舌圧検査が可能になったことで，要介護高齢者での低舌圧とむせの発生に関連のあること[21]，要介護高齢者は健常高齢者に比べて低舌圧であること[22]，普通食が摂取できない場合，舌圧が低下していることが明らかになった[23]．さらに入院および高齢者福祉施設入所の高齢者201名を対象とした研究で最大舌圧30kPa以上の14名は全て常食を摂取していたが，最大舌圧の低下に伴って携帯調整食の人数が増加したとの報告[24]があったことから低舌圧の基準を30kPaとした．

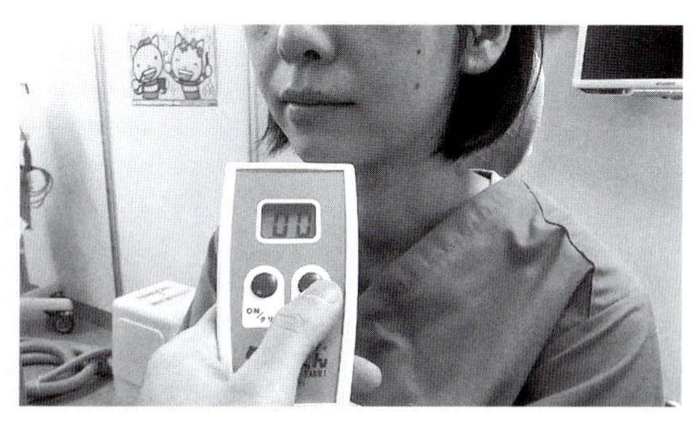

図10-7 オーラルディアドコキネシスOral diadochokinesis
5秒間で/pa//ta//ka/をそれぞれ繰り返し発音させ，自動計測器（健口くんハンディ®，竹井機器工業）を用いて，1秒当たりのそれぞれの音節の発音回数を計測する

5．舌口唇運動機能低下

舌と口唇は，下顎，頬，軟口蓋，咽喉頭と協調して運動し，咀嚼，嚥下，発音，呼吸といった生命と生活の質を保つ重要な口腔の機能を中心的に担っている．舌と口唇の運動は外部から観察しやすく，特に運動の速度や巧緻性といった運動機能は定量的評価が容易であり，口腔機能とも関連があるとされている[25)]．検査方法としては，舌口唇における運動の速度と巧緻性を包括的に計測するオーラルディアドコキネシスを採用した．5秒間で/pa//ta//ka/をそれぞれ繰り返し発音させ，1秒当たりのそれぞれの音節の発音回数を計測する．/pa/は口唇の機能，/ta/は舌前方部の機能，/ka/は舌後方部の機能を示している．高齢者を対象とした大規模調査では，健康群766名のオーラルディアドコキネシスの値は，年齢階層を考慮しない場合，女性で/pa/が6.3±0.9回，/ta/が6.2±0.9回，/ka/が5.9±0.8回であり，男性で/pa/が6.2±0.9回，/ta/が6.1±0.9回，/ka/が5.6±1.0回であった．また，フレイル群535名では，年齢階層を考慮しない場合，女性で/pa/が5.6±1.0回，/ta/が5.6±1.0回，/ka/が5.2±1.1回であり，男性で/pa/が5.6±1.0回，/ta/が5.5±1.0回，/ka/が5.0±1.0回であった[25)]．これらを参考にそれぞれの音節の1秒当たりの回数が6回未満を口腔機能低下の基準とした（**図10-7**）．

6．咀嚼機能低下

咬合力や舌の運動能力が低下して噛めない食品が増加しその結果低栄養，代謝量低下を起こすことが危惧される状態である．咀嚼能力を評価する方法としてはさまざまなものが提案されている．よく知られている方法としては，ピーナツを用いた篩分法，色変わりチューインガムを用いる方法などが提案されているが，歯科医院で医療行為の中で使用できる医療機器として認められており，かつ保険収載されているグミゼリー咀嚼後のグルコース濃度を測定する方法を用いることとした．志賀ら[26)]は20歳代の健常者20名の咀嚼能力を測定し，その平均は175.0 mg/dLであると報告している．雲野ら[27)]は，測定値は咀嚼運動経路のパターンの違いに影響さ

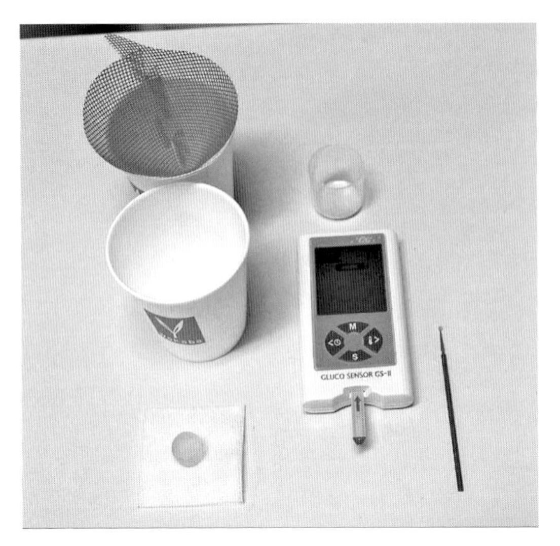

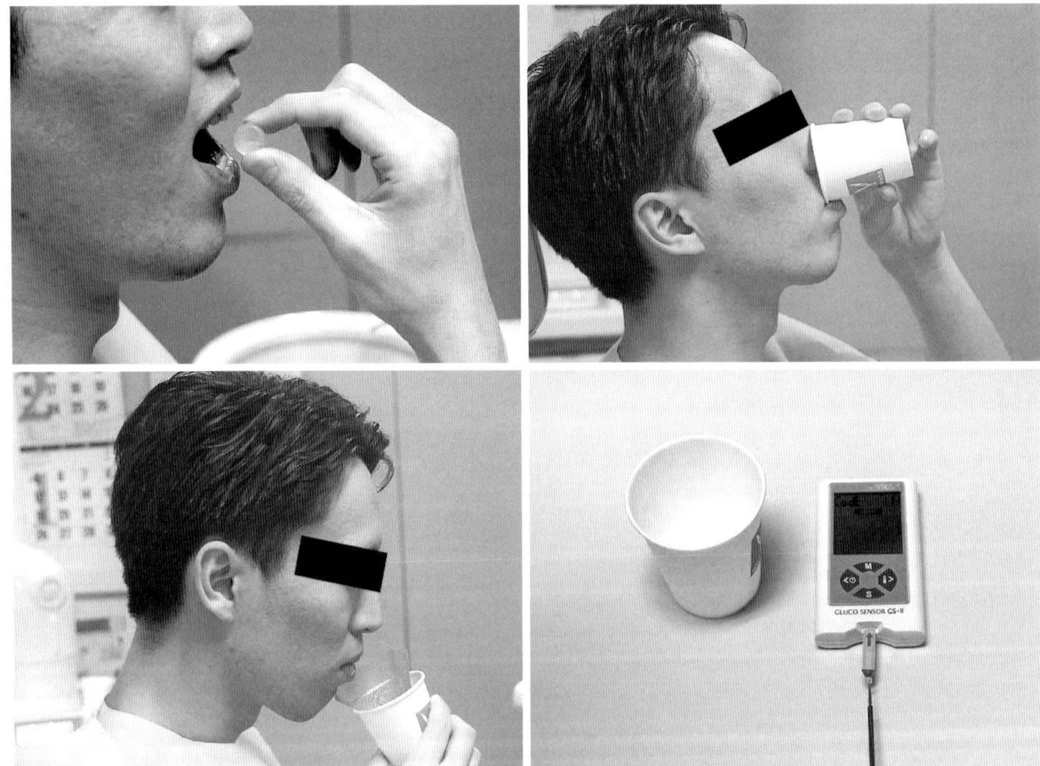

図10-8　咀嚼能力低下に使用するグルコラム
グミゼリーを20回咀嚼し，20ccの水を含み，メッシュを敷いたコップに吐き出す．上澄みに溶出したグルコースの濃度を計測する．

れ，102.5～186.8mg/dLであったと報告している．志賀ら[28]は，多施設研究により補綴治療前後の咀嚼能力を測定し，補綴治療前が102.9mg/dL，補綴治療後には150.8mg/dLに増加したと報告している．このように，年齢や補綴治療，咬合接触面積に影響を受けるものの，咀嚼機能が正常な場合，測定値はおおむね100mg/dL以上であったことなどを参考に，診断基準を「100mg/dL」未満と定めた（**図10-8**）．

7. 嚥下機能低下

嚥下機能低下とは，加齢による摂食嚥下機能の低下が始まり，明らかな障害を呈する前段階での機能不全を有する状態としている．したがって本検査で嚥下機能低下が明らかになった場合，さらに嚥下のスクリーニングテスト（反復唾液嚥下テスト，改訂水飲みテスト，頸部聴診法）を行い，必要に応じて精密検査（VF，VE）を実施し，摂食嚥下機能に明らかな異常が認められた場合には，嚥下機能低下ではなく「摂食機能障害」と診断し，専門的介入を必要とする．

評価には，Belaskyらが開発したEating Assessment Tool-10（以下，EAT-10）[29]を用い，合計点数が3点以上であれば嚥下機能低下とする[30]．東京都内の無作為層化抽出した自立高齢者1,000人，介護保険受給者2,000人を対象とした調査研究[31]においてEAT-10を実施したところ，3点以上は，自立高齢者では24.1%，要介護高齢者では53.8%検出されたという結果であった．またEAT-10を実施できて3点以上の場合，軽度問題以下の摂食嚥下障害を認める可能性が高いという，信頼性・妥当性についての検討が報告されている[32]．よって3点以上とすることで，嚥下障害の予備軍を検出することが可能になると考えられる．

4 患者指導と経過観察

「口腔機能低下症」の診断と管理の概要を図10-9に示した[33]．

このように，原則として7つの項目すべてを検査すべきではあるが，やむなく実施できない検査があった場合は診療録にその旨記載する．3項目以上該当した場合は「口腔機能低下症」と診断され「歯科疾患管理料」の算定対象となるが，そのうち咬合力低下，低舌圧，咀嚼機能低下が含まれる場合は「口腔機能管理加算」を算定

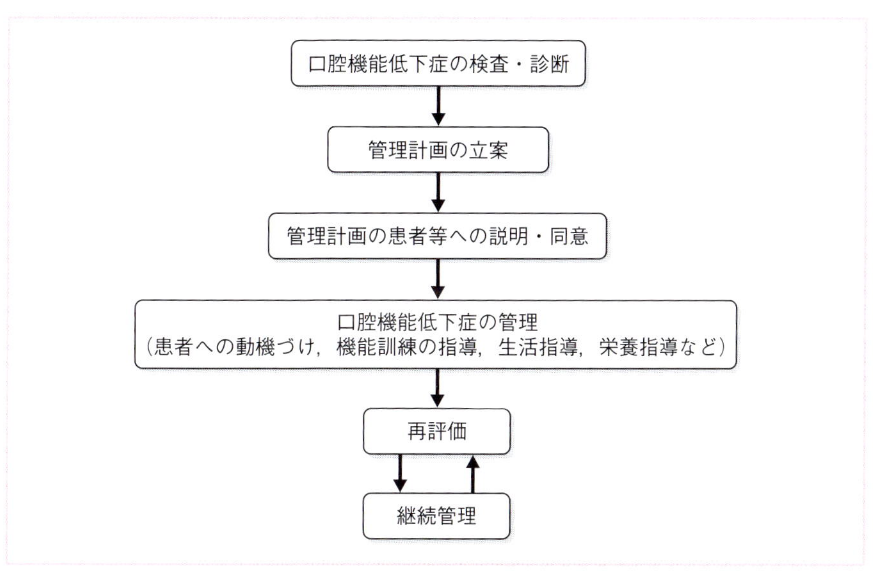

図10-9 口腔機能低下症の診断と管理の概要（日本歯科医学会，2020[33]より）

別添2　口腔機能精密検査記録用紙

口腔機能精密検査　記録用紙

患者氏名		生年月日	年　月　日（　歳）	（男・女）

計測日　年　月　日

下位症状	検査項目	該当基準	検査値	該当
① 口腔衛生状態不良	舌苔の付着程度	50%以上	%	□
② 口腔乾燥	口腔粘膜湿潤度	27未満		□
	唾液量	2g/2分以下		
③ 咬合力低下	咬合力検査	200N未満（プレスケール） 500N未満 （プレスケールII・フィルタなし） 350N未満 （プレスケールII・フィルタあり）	N	□
	残存歯数	20本未満	本	
④舌口唇運動機能低下	オーラルディアドコキネシス	どれか1つでも、 6回/秒未満	/pa/　回/秒 /ta/　回/秒 /ka/　回/秒	□
⑤ 低舌圧	舌圧検査	30kPa未満	kPa	□
⑥ 咀嚼機能低下	咀嚼能力検査	100mg/dL未満	mg/dL	□
	咀嚼能率スコア法	スコア0、1、2		
⑦ 嚥下機能低下	嚥下スクリーニング検査 （EAT－10）	3点以上	点	□
	自記式質問票 （聖隷式嚥下質問紙）	Aが1項目以上		

該当項目が3項目以上で「口腔機能低下症」と診断する。　**該当項目数：___**

図10-10　口腔機能低下症の検査の記録用紙

（日本歯科医学会，2020[33]より）

できる．また3種の精密検査は半年経過すると再検査が算定できるため，半年リコールのごとに検査するとよい．管理計画書の全身状態や，歯・歯肉の状態などは，どこか別の用紙に記載されていればここで重複させる必要はない．ただ，口腔機能管理という観点からは一括して記載されているほうが把握が確実にできると考えられる．

図10-10に口腔機能低下の症状とそれに対応する管理方法の例を**図10-11**に示している．これをみると，口腔機能低下症患者に用いる手技は特殊なものではなく，いつも実施している歯科治療と口腔健康管理の内容がそのまま口腔機能低下症の対応となることがわかる．すなわちこれらの項目を意識した口腔管理を行うこと

別添3 管理計画書

管理計画書

患者氏名		年齢　　歳	性別　男・女	年　　月　　日

【全身の状態】

1	基礎疾患	心疾患・肝炎・糖尿病・高血圧症・脳血管疾患・その他（　　　　　　　）
2	服用薬剤	1．なし　2．あり　（薬剤名：　　　　　　　）
3	肺炎の既往	1．なし　2．あり　3．繰り返しあり
4	栄養状態	体重：　　Kg、　身長：　　m
		体格指数（BMI）：　　　1．正常範囲内　2．低体重（やせ）　3．肥満
5	体重の変化	1．なし　2．あり　（　　か月で　　Kgの　増・減　）
6	食事形態	1.常食　2.やわらかい食事　3.その他（　　　　　　　）
7	食欲	1．あり　2．なし（理由：　　　　　　　）

【口腔機能の状態】

1	口腔内の衛生状態	検査結果　　　（基準値　　　）	1．正常範囲内　2．低下
2	口腔内の乾燥程度	検査結果　　　（基準値　　　）	1．正常範囲内　2．低下
3	咬む力の程度	検査結果　　　（基準値　　　）	1．正常範囲内　2．低下
4	口唇の動きの程度	パ発音速度　　回/秒（基準値 6.0 回/秒未満）	1．正常範囲内　2．低下
5	舌尖の動きの程度	タ発音速度　　回/秒（基準値 6.0 回/秒未満）	1．正常範囲内　2．低下
6	奥舌の動きの程度	カ発音速度　　回/秒（基準値 6.0 回/秒未満）	1．正常範囲内　2．低下
7	舌の力の程度	舌　圧　　kPa（基準値 30kPa 未満）	1．正常範囲内　2．低下
8	咀嚼の機能の程度	検査結果　　　（基準値　　　）	1．正常範囲内　2．低下
9	嚥下の機能の程度	検査結果　　　（基準値　　　）	1．正常範囲内　2．低下
10	歯・歯肉の状態	プラーク（なし・あり）　歯肉の炎症（なし・あり）　歯の動揺（なし・あり）	
11	口腔内・義歯の状態		

【口腔機能管理計画】

1	口腔内の衛生	1．問題なし　2．機能維持を目指す　3．機能向上を目指す
2	口腔内の乾燥	1．問題なし　2．機能維持を目指す　3．機能向上を目指す
3	咬む力	1．問題なし　2．機能維持を目指す　3．機能向上を目指す
4	口唇の動き	1．問題なし　2．機能維持を目指す　3．機能向上を目指す
5	舌尖の動き	1．問題なし　2．機能維持を目指す　3．機能向上を目指す
6	奥舌の動き	1．問題なし　2．機能維持を目指す　3．機能向上を目指す
7	舌の力	1．問題なし　2．機能維持を目指す　3．機能向上を目指す
8	咀嚼の機能	1．問題なし　2．機能維持を目指す　3．機能向上を目指す
9	嚥下の機能	1．問題なし　2．機能維持を目指す　3．機能向上を目指す

【管理方針・目標（ゴール）・治療予定等】

図10-11　口腔機能低下症の管理計画書の例

（日本歯科医学会，2020[33]より）

が重要であり，患者にも口腔機能に関するモチベーションを維持してもらうことが重要である．

（それぞれの管理方法については，p137～を参照〈りっぷるとれーなー，ぺこぱんだ，健口体操など〉）

5 診療形態ごとの問題点とその対応

口腔機能低下症の概念図(**図10-1**)に示したように,口腔機能低下症は口腔機能が障害された状態より少し手前の状態で,サルコペニアやフレイルの状態にはなっていない段階であり,対象患者の多くは歯科医院に通院している患者である.したがって,整形外科的な問題で通院はできないが,居宅にてある程度座位を保つことができ,嚥下障害もない訪問診療の患者さんに対しては適用することができる.ここで注意しなければならないのは,嚥下機能低下を示した患者の中には,嚥下障害(保険病名としての「摂食機能障害」)患者が含まれることがあるということである.したがって,そのような患者さんに対しては,さらに嚥下のスクリーニングテストを行い,必要に応じて精密検査(VF,VE)を実施し,摂食嚥下機能に明らかな異常が認められた場合には,嚥下機能低下ではなく「摂食機能障害」とみなし,専門的介入が必要となる.

参考文献

1) 平成26年度　老人保健事業推進費等補助金　老人保健健康増進等事業「食(栄養)および口腔機能に着目した加齢症候群の概念の確立と介護予防(虚弱化予防)から要介護状態に至る口腔機能支援等の包括的対策の構築および検証を目的とした調査研究」事業実施報告書.
http://www.iog.u-tokyo.ac.jp/wp-content/uploads/2015/06/h26_rouken_team_iijima.pdf (2022/6/8アクセス)
2) 水口俊介,津賀一弘,池邉一典,上田貴之,田村文誉,永尾　寛,古屋純一,松尾浩一郎,山本　健,金澤　学,渡邊　裕,平野浩彦,菊谷　武,櫻井　薫:高齢期における口腔機能低下—学会見解論文　2016年度版—.老年歯医,31:81-99,2016.
3) 日本歯科医師会:通いの場で活かすオーラルフレイル対応マニュアル～高齢者の保健事業と介護予防の一体的実施に向けて～2020年版
https://www.jda.or.jp/oral_flail/2020/ (2022/6/8アクセス)
4) 上田 貴之,水口 俊介,津賀 一弘,池邉 一典,田村 文誉,永尾 寛,古屋 純一,松尾 浩一郎,山本 健,金澤 学,櫻井 薫:口腔機能低下症の検査と診断　—改訂に向けた中間報告—.老年歯医,33:299-303,2018.
5) Shimizu, T., Ueda, T. and Sakurai, K.:New method for evaluation of tongue-coating status. J. Oral Rehabil, 34:442-447, 2007.
6) 上田貴之,須藤るり,渡邉幸子,田嶋さやか,竜　正大,田坂彰規,大神浩一郎,櫻井薫:口腔ケア用ジェルを併用した舌清掃による要介護高齢者の舌苔除去効果.老年歯医,27:366-372,2013.
7) 山本　健,山近 重生,今村 武浩,木森 久人,塩原 康弘,千代 情路,森戸 光彦,山口 健一,長島弘征,山田浩之,斎藤一郎,中川洋一:ドライマウスにおける加齢の関与.老年歯医,22:106-112,2007.
8) Singh M L and Papas A:Oral Implications of Polypharmacy in the Elderly. Dent Clin North Am. 58:783-796, 2014.
9) 福島洋介,古株彰一郎,金谷あゆみ,掘直子,立山高秋,佐藤毅,坂田康彰,小林明男,荒木隆一郎,柳澤裕之,依田哲也:口腔水分計の至適測定方法に関する実験的検討.日口腔粘膜会誌,13:16-25,2007.
10) 森戸光彦,山本健,菅武雄,野村義明,山根源之,渡邊裕,北川昇,岡根百江:口腔乾燥の評価ならびにガイドラインの検討.日歯医会誌,31:59-63,2012.
11) Ikebe, K., Matsuda K., Murai S., Maeda Y. and Nokubi T.:Validation of the Eichner index in relation to occlusal force and masticatory performance. Int J Prosthodont. 23:

521-524, 2010.

12) Inomata, C., Ikebe K., Kagawa R., Okubo H., Sasaki S., Okada T., Takeshita H., Tada S., Matsuda K., Kurushima Y., Kitamura M., Murakami S., Gondo Y., Kamide K., Masui Y., TakahashiR., Arai Y. and Maeda Y.：Significance of occlusal force for dietary fibre and vitamin intakes in independently living 70-year-old Japanese：from SONIC Study. J Dent. 42：556-564, 2014.

13) Hung, H. C., Colditz G. and Joshipura K. J.：The association between tooth loss and the self-reported intake of selected CVD-related nutrients and foods among US women. Community Dentistry & Oral Epidemiology. 33：167-173, 2005.

14) Nowjack-Raymer, R. E.andSheiham A.：Numbers of natural teeth, diet, and nutritional status in US adults. J Dent Res. 86：1171-1175, 2007.

15) Wakai, K., Naito M., Naito T., Kojima M., Nakagaki H., Umemura O., Yokota M., Hanada N. and Kawamura T.：Tooth loss and intakes of nutrients and foods：a nationwide survey of Japanese dentists. Community Dentistry & Oral Epidemiology. 38：43-49, 2010.

16) Ikebe, K., Matsuda K., Morii K., Nokubi T. and Ettinger R, L.：The relationship between oral function and body mass index among independently living older Japanese people. Int J Prosthodont, 19：539-546, 2006.

17) Iinuma, T., Arai Y., Fukumoto M., Takayama M., Abe Y., Asakura K., Nishiwaki Y., Takebayashi T., Iwase T., Komiyama K., Gionhaku N. and Hirose N.：Maximum occlusal force and physical performance in the oldest old：the Tokyo oldest old survey on total health. J Am Geriatr Soc, 60：68-76, 2012.

18) Okada, T., Ikebe K. and Kagawa R.：The association between lower occlusal force and slower walking speed mediated by less protein intake：from SONIC study. J Am Geriatr Soc, 2015.

19) 歌野原有里，林亮，吉田光由，久保隆靖，津賀一弘，藤原百合，岡本哲治，鎌田伸之，赤川安正：ディスポーザブルプローブを用いて舌運動リハビリテーションを行った口腔癌症例，日本顎口腔機能学会雑誌，11：158-159，2005.

20) Utanohara, Y., Hayashi, R., Yoshikawa, M., Yoshida, M., Tsuga, K. and Akagawa, Y.：Standard values of maximum tongue pressure taken using newly developed disposable tongue pressure measurement device, Dysphagia, 23：286-290, 2008.

21) Yoshida, M., Kikutani, T., Tsuga, K., Utanohara, Y., Hayashi, R. and Akagawa, Y.：Decreased tongue pressure reflects symptom of dysphagia, Dysphagia, 21：61-65, 2006.

22) Tsuga, K., Yoshikawa, M., Oue, H., Okazaki, Y., Tsuchioka, H., Maruyama, M., Yoshida, M. and Akagawa, Y.：Maximal voluntary tongue pressure is decreased in Japanese frail elderly persons, Gerodontology, 29：e1078-e1085, 2012.

23) 津賀一弘，吉田光由，占部秀徳，林亮，吉川峰加，歌野原有里，森川英彦，赤川安正：要介護高齢者の食事形態と全身状態および舌圧との関係．日本咀嚼学会雑誌，14：62-67，2004.

24) 田中陽子，中野優子，横尾円，武田芳恵，山田香，栢下淳：入院患者および高齢者福祉施設入所者を対象とした食事形態と舌圧，握力および歩行能力の関連について．日本摂食・嚥下リハビリテーション学会雑誌，19：52-62，2015.

25) Watanabe, Y., Hirano, H., Arai, H., Morishita, S., Ohara, Y., Edahiro, A., Murakami, M., Shimada, H., Kikutani, T. and Suzuki, T.：Relationship between frailty and oral function in community-dwelling elderly people. J. Am. Geriatr. Soc., J Am Geriatr Soc, 65：66-76, 2017.

26) 志賀　博，小林義典，雲野美香，大迫千穂，水内一恵：グミゼリー咀嚼による咀嚼能率の評価のための咀嚼時間．日顎口腔機能会誌，11：21-25，2004.

27) 雲野美香，志賀　博，小林義典：グミゼリー咀嚼時の運動経路のパターンと咀嚼能率との関係．補綴誌，49：65-73，2005.

28) 志賀　博，横山正起，横山敦郎，坂口　究，服部佳功，依田信裕，赤川安正，川良美佐雄，大川周治，祇園白信仁，小野高裕，前田芳信，皆木省吾，津賀一弘，鱒見進一，佐々木啓一：歯科治療による口腔機能の改善が健康に及ぼす影響に関する臨床データベースの構築．日歯医会誌，34：69-73，2015.

29) Belafsky, P. C., Mouadeb, D. A., Rees, C. J., Pryor, J. C., Postma, G. N., Allen, J., Leonard, R. J.：Validity and reliability of the Eating Assessment Tool (EAT-10), Ann. Otol. Rhinol.

Laryngol., 117：919-924, 2008.
30) 若林秀隆：嚥下障害とフレイルはこう関連する，Modern Physician, 35：880-884，2015.
31) 平成27年度長寿科学研究開発事業中間評価報告書　地域包括ケアにおける摂食嚥下および栄養支援のための評価ツールの開発とその有償性に関する検討（研究代表者　菊谷武）
32) 若林秀隆：摂食嚥下障害スクリーニング質問紙票EAT-10の日本語版作成と信頼性・妥当性の検証，静脈経腸栄養，29：871-876，2014.
33) 日本歯科医学会　口腔機能低下症に関する基本的な考え方（令和2年3月）https://www.jads.jp/basic/pdf/document-200401-2.pdf（2022/6/8アクセス）

（水口俊介）

11章 ― 実践例

PRACTICE

地域包括ケアシステムが推進される中，
歯科医療の提供体制も従来の歯科診療所における外来患者中心の
「診療所完結型」から，今後は「地域完結型」へと変化し，
地域でのきめ細かな歯科保健医療の提供が求められます．
今後ますます，医療および介護の総合的な確保に向けた
歯科医療サービスの拡充に伴い，多職種連携が加速する中，
歯科医療従事者としての役割を認識して，
よりいっそう専門性を高めることが大切です．
そこで，日本歯科衛生士会では，
「口腔機能管理」についての基礎から実践まで研修できるよう
マニュアルを作成しました．
第1章から10章までは，専門の先生方に
口腔機能管理の基本を解説していただきました．
11章の実践例は，
これまでの口腔機能管理の知識と実践力を
どのように活動の場で発揮したらよいかを学ぶ章として，
それぞれの著者が実践している症例や事例を具体的にまとめていただきました．
第12章の「医療・介護との連携」も参照し，
多職種と連携してどのように口腔機能管理を実践したらいいのかについて
学習されることを願っています．

PRACTICE

11-1 歯科訪問診療における食支援の試み

三間歯科医院　石塚真理子

在宅療養者の口腔機能管理において，口から食べるための「食支援」は重要な課題である．QOLの向上にも繋がる「食のサポート」は，医療従事者がかかわるプライマリーヘルスケアにおいて重要な役割であるといわれている．

2021年度介護報酬改定では，従来の口腔衛生管理体制加算を廃止し，基本サービスとして口腔衛生の管理体制を整備するとともに「口腔衛生管理加算　Ⅰ」・「口腔衛生管理加算　Ⅱ（新設）」となった．歯科医師の指示を受けた歯科衛生士が施設・介護医療院にて行うものであり，施設での業務内容もかなり明確に記載されている．

歯科診療所の歯科衛生士の立場から，歯科訪問診療において口腔衛生管理と食支援を実施した症例を通して学んだ内容を紹介する．

概要

●症例

95歳，女性．平成14～26年外来受診．第一腰椎骨折（転倒）のため3カ月間入院後，介護付有料老人ホーム入所（平成27年2月）．その直後，本人と家族から訪問診療の依頼があった．

経過

●訪問診療1回目

主訴：義歯の具合が悪くて食べられない．体重も減ってしまった．

全身疾患的背景：突発性頻脈，左大腿骨頸部骨折に対する人工骨頭置換術，第一腰椎骨折（転倒）強度の円背，ほとんど仰臥位，車いす移動，要介護5．血清アルブミン3.1 g/dL，BMIは計測不能．

食形態：提供は軟食．経口摂取のみ約1割．水分も積極的な摂取はみられない．

歯科的所見と対応処置：①開口時舌根沈下，口角下垂，口唇閉鎖不全（口腔周囲筋の機能低下）→突舌訓練，口角閉鎖訓練　②口腔乾燥（口呼吸）と炎症．ムーカス®レベル14→含嗽（グリセリン＋アズレン散＋水）③義歯不適合→リライニングと舌接触補助床（PAP）→舌圧は1.8 kpaから3.4 kpaに改善．

看護師とケアマネジャーに対する口腔機能管理指導：①口腔周囲筋の状態説明，必要な筋機能訓練，②口腔ケアの要点と手順，③義歯の状態説明，予測される問題点.

歯科衛生士の訪問回数：歯科医師からの指示により週2回（口腔機能管理）

●経過1：訪問診療2回目（2〜3週後）＝本人・家族・施設からの依頼

主訴：患者本人・家族→よく食べられないので新義歯が欲しい.

看護師→義歯装着時に痛みがあり，毎回場所が違うようだ．筋機能訓練（食前），口腔ケア（食後）は行っている.

食形態：本人が軟食拒否．常食で2〜3割の摂取．日ごとの変動あり．座位15分可能.

歯科的所見：①舌圧6.8kpaに向上．②新義歯作成について→下顎は顎堤吸収が進んでおり，新義歯作成でも対応困難（家族・看護師に説明）

機能的所見：①加齢による咀嚼筋機能低下　②把持力を含む筋力の低下（箸，皿の把持・座位をとるなど.）③環境への適応能力の低下　④食物性状改善の必要性

患者の意見：①静かに食べたい．②家族・入居者に世話されたくない．③料理が山盛りでイヤ，トレーにたくさんの皿もイヤ．④食事がよく見えない．⑤料理が硬い.

食事観察結果：①円背によりトレー内が見えにくい．→踏み台で補助する．②腕を伸ばし支える力が弱く持続時間も短い→軽い食器への変更.

歯科衛生士の訪問回数：この期間2回のみ.

●経過2：訪問診療3回目（初診時より約3カ月後）家族・施設からの依頼

主訴：患者本人→もう自宅には帰れないかもしれない．義歯が悪いから食べられない．不安だ.

家族：自宅からの持ち込みもほとんど食べない．どうしたらよいかわからない．連れ帰り自宅で食べさせたい．何とか助けて欲しい．点滴・胃瘻はさせたくない．義歯が悪いのではないか？

食形態：軟食は拒否．常食も1〜2割摂取のみ．かろうじて高カロリー補助飲料は可.

主治医より何を食してもよいとの許可がでている.

看護師・ケアマネジャーより：笑顔が消えた．覇気がない．体重が入所時より3kg減．高カロリー飲料も拒否することあり．機能訓練・口腔ケアも時として拒否．何とかしたい．集団での食事がストレスかもしれない．自立意識が高い人なので何かきっかけがほしい.

患者の観察：①25分程度の座位可能　②舌圧13.8kpaまで改善

上記の点から歯科医師指示のもと「施設内での食事会」を予定し家族，看護師，職員にも参加してもらうことを提案した.

対応1：目的　①本人・家族に「食べる」自信を取り戻してもらう．②家族に食事状態を見てもらう．③参加者が食の性状情報を共有する．④義歯は原因でないことを理解してもらう.

対応2：準備　①自宅使用の瀬戸物食器・季節感のある絵皿を持参してもらう．②自宅の庭の木の葉などを持参してもらう．③施設内を感じさせない部屋を借りる.

図1　施設で使用している食器

図2　持参してもらった季節感のある食器

図3　見違えるように食事が楽しめるようになった

④車いすではなくテーブル，椅子で本人に極力合ったものを用意してもらう．④食材の調達と準備は家族と歯科サイドで準備する．(施設許可)(口唇だけでも潰せる硬さ・形状あり)(**図1，2**)．

対応3：本人に対して　①食事会予定を伝える．②食べたい物を選んでもらう．③それに向けての機能訓練を行っていく．歯科衛生士介入週2回の訓練とする．③食事会は3週間後とする．

結果：食事内容　①エビフライ(13cm 2尾)，②冬瓜，③金目鯛切り身(約60g)，④軟らかく炊いたご飯(茶碗2/3)，⑤プチトマト(3個皮ごと噛み切り)，⑥中華風かきたま汁(1/2)，⑦野菜炒め(ブロッコリー，ほうれん草少量)ほぼ完食であった．

義歯で噛む位置や途中水分を摂るタイミングなど食べやすくなる助言を行い，義歯の痛み，外れも全く起こらなかった．今後の機能訓練はしばらく施設側で行ってみることとなった．

●経過3：食事会から4週間後

食事会をきっかけに施設において少しづつ「食べる」意欲をみせ，食堂までの歩行努力も始まった．患者と家族は自宅での昼食会に前向きになっていった(**図3**)．まだ不安要因があり，ケアマネジャーと家族から月1回でもよいので歯科衛生士として食支援を含めた口腔機能管理を依頼したいとの申し出があった．

まとめ

本症例において理想的な経過・結果が得られたのには次のポイントがある．

1　要介護状態になる以前より通院歴があり，本人・家族とラポール形成ができていた．

2　本人・家族・看護師・ケアマネジャー・ケアワーカーとの十分な連携，目標(食べる)がもてた．初診から6カ月経過後　常食7〜8割は毎食摂取・血清アルブミン値3.8g/dL・BMI：21・口角下垂消失・口腔乾燥ムーカス®レベル26．4と改善した．口腔機能訓練は患者個々のケースにより異なる．歯科医師の指示によ

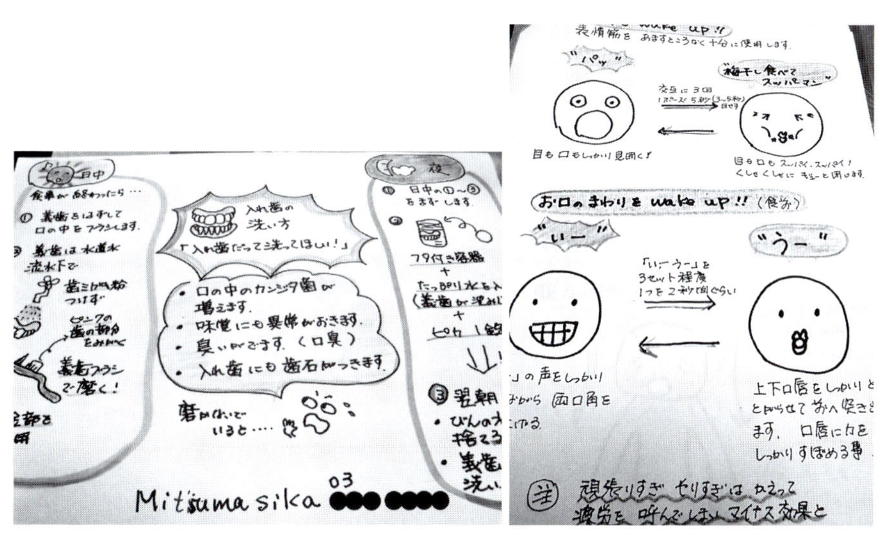

図4　ケアワーカーに向けた指導用資料

り，摂食トラブルが起きている場合，機能面，メンタル面，コミュニケーション能力等を観察する．歯科衛生士が毎日，入所者の口腔機能管理を行うことは困難である．毎日向き合っている介護者にどのように理解してもらい，実践に移行していけるかを考え，助言・指導していくことが大切である．ミールラウンドにおいて，歯科の専門性が問われる口腔機能評価の理解や口腔内の把握はもちろんのこと，栄養学・服用薬・身体可動域などのインフォメーションも必要となる．一人の患者を支えるために何ができて何をすべきなのか？他職種との連携による情報交換，カンファレンスへの積極的参加は最重要事項となる．今回は，看護師・ケアマネジャーと連携し，ケアワーカーが見てすぐわかる図説を作成，評価，実行した症例である（**図4**）．「食べる」ことが「苦痛」であってはならない．食べることは生きる意欲に繋がる．その一端を担う歯科衛生士は，患者や連携スタッフに対し近接性・協調性・継続性・責任性が新たに求められている．幅広い視野での対応が今後の課題であるといえる．

参考文献

1）田中陽子ほか：入院患者および高齢者福祉施設入所者を対象とした食事形態と舌圧，握力および歩行能力の関連について．日摂食嚥下リハ会誌19（1）：52-62，2015.

2）山田晴子ほか：かみやすい・飲み込みやすい介護食―家族いっしょのユニバーサルレシピ―．女子栄養大学出版部，東京，2005.

3）清水哲郎ほか：本人・家族のための意志決定プロセスノート―高齢者ケアと人工栄養を考える―．医学と看護社，東京，2013.

4）白澤卓二：白澤卓二さんの100歳まで「元気で若い人」の食事．PHP研究所，東京，2012.

5）小山珠美ほか：口から食べる幸せをサポートする包括的スキル（KTバランスチャートの活用と支援）．医学書院，東京，2015.

11-2 施設における介護予防の取り組み

昭和大学歯科病院 歯科衛生室 草間里織

超高齢社会を迎えた今，高齢者に対しては医療の提供だけでなくQOLの維持向上も大きな課題となっている．介護予防は高齢者の機能向上・維持に関与し，また，介護者の負担軽減に加え，本人の意欲増進や機能を含めたADLの向上につながる．

歯科衛生士は「口腔機能の維持・向上」を担うことができる職種であり活動を通じて対象者とその介護者へ生活支援の一部にかかわることができる．

実際に，地域における介護予防の取り組みとして施設で行った活動の事例を紹介する．

介護予防の具体的取り組み

施設における口腔機能の維持・向上において歯科衛生士が具体的にかかわる方法を述べる．

施設での活動は個別指導と集団指導で実施することが多い．居宅などの訪問指導では個別に口腔衛生指導や介護予防プログラムを実施する．個別対応では対象者の状況に合わせた内容とする．特に歯科医療が必要な生活者には医療とつなぐことが大切である．

1）集団指導の方法（実際に行った集団指導の一例）

施設での活動は口腔衛生管理と介護予防の活動として口の機能を維持向上する「健口体操」を実施している．「健口体操」とは口唇訓練，頬訓練，舌訓練や発声練習等である．施設の集団指導の場合には日常的に対象者，家族，施設職員が簡単に継続して行い効果が得られる内容で実施する．継続することの意義，目的，この行為に対する効果を伝え，対象となる者すべての意識向上，行動変容を促す．具体的方法を以下に紹介する．

(1) 指導内容の検討

・施設での定例催事での参加企画：「楽しくできる内容」を提案する．

・対象者が参加することによって得られる効果として，意欲の向上，運動機能の向上，社会性の回復などにつながる．

・集団に対して講義・講演型で説明を行う．また実演により動きをまねることで対象者が行えるようにする．

・椅子に座ったままでもできる内容にする⇒車椅子使用時：フットペダルに注意する．

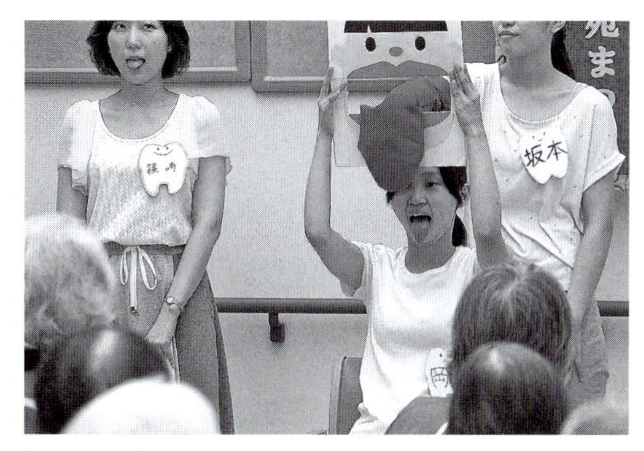

図1　舌訓練

図2　上体ストレッチ

・腕上げ，腕ふり，足踏み，手拍子などを含む簡単な運動を行い体を動かす．

(2) 媒体の活用

・高齢者にもなじみのある曲目を選択

・画用紙に顔のイラストと文字を書き，見やすいものを作成する．

・舌を赤いフェルト生地で作成して腕に装着し，イラスト内の口から出して動かす（**図1**）．

・口唇・舌訓練は発声のための「パ・タ・カ・ラ」を1文字ずつ大きく作成し見やすくする．

(3) 具体的方法

・体を動かす「腕上げ，腕ふり，足踏み，手拍子」などの簡単な運動
（曲目にあわせて2回程度繰り返すとよい）

・上体のストレッチ（**図2**）
（体幹の強化として上体を左右，前後に動かし，他に手を上下させる）

・機能維持のための発声練習「パ・タ・カ・ラ」

・口唇訓練「イー・ウー」

・頬訓練「頬を膨らませる・頬をへこませる」

・舌訓練「舌を前後・上下・左右に動かす」（**図1**）

・「健口体操」の流れの配布資料を準備し，日々の生活の中にとり入れてもらう

2) 個別指導（週に1回）

個々のもつ能力と理解度に合わせた指導を行う．そのための情報を関係者からできるだけ多く得ることが望ましい．

・対象者の心身の基本情報

・口腔状態

・全身疾患の既往や禁忌事項等，他に日常生活や療養生活のパターン

・日常の口腔ケアの方法や時間，環境などの情報

・サポート体制

図3　実施後のミーティング

・コミュニケーション能力

活動の振り返りと今後の課題

①実施に対する評価とアンケートの作成

今後の活動の参考となる意見を収集する.

②実施後のミーティングでの反省と検討　（図3）

・対象者にはっきりと聞こえるように声量と発語を明確にする.
・難しい用語は使用しない. わかりやすい表現で説明する.
・視覚物をできるだけ多く使うこと.
・実演による動きを取り入れ, 参加型プログラムの工夫をする.
・参加者の近くでデモを行うスタッフを数名配置することで個々の対応ができる.

③今後の課題および考察

個別または集団指導を通して, 対象者（入居者）の機能維持・向上を図るとともに施設職員とのコミュニケーションが円滑にとれるような活動をしていく必要がある.

しかしながら介護予防に対する職員の意識の向上や口腔機能についてより多くの入居者, 家族, 施設職員へ伝達する方法などがスムーズに行えない. これらの課題に対して, 施設の担当者とミーティングを重ね, かつ介護職員への機能向上に対する行動変容と実施の理解を深め, 実践へとつながるようにしていく必要がある. 歯科衛生士と対象者が共通認識をもち, 集団指導を実施することが重要となる. 歯科衛生士が行うアプローチは対象者に対する生活支援の向上である. そのための活動の円滑化にはキーパーソンの育成や対象者支援のあり方など理解しておく必要もある.

参考文献

1） 全国歯科衛生士教育協議会監修：最新歯科衛生士教本 障害者歯科 第2版．医歯薬出版，東京，2014．
2） 富田かをり：摂食・嚥下を滑らかに―介護の中でできる口腔ケアからの対応（おはよう21ブックス―基礎から学ぶ介護シリーズ）．中央法規，東京，2008．
3） 日本歯科衛生士会監修：歯科衛生士のための摂食嚥下リハビリテーション．医歯薬出版，東京，2011．

11-3 介護老人保健施設における歯科衛生士の役割

医療法人天馬会デンタルクス仙台　秋山利津子

介護老人保健施設は，要介護高齢者の生活機能の回復・維持・向上を目的に入所者の健康管理とリハビリテーションの機能を併せもつ．筆者は2000年（平成12年）4月に開設されたせんだんの丘（**図1**）で常勤の歯科衛生士として入所者全員の口腔ケアにかかわってきた．開設当時は介護老人保健施設で勤務する歯科衛生士は全国で100名以下であったが，その後の介護保険改正（**図2**）により年々増加傾向がみられ，2020年（令和2年）末には介護保険関連施設に就業する歯科衛生士は1,258人と報告されている（**図3**）．2015年（平成27年）4月の介護保険改正では，地域包括ケアシステムの骨子として「口腔・栄養管理に係る取組の充実」が設定され，施設等入所者が認知機能や摂食嚥下機能の低下により食事の経口摂取が困難となっても，自分の口から食べる楽しみを得られるよう多職種連携による支援の充実をはかることが重要視された（**図4**）．これらのことからも，介護保険施設への歯科衛生士の配置基準の設定を期待したい．

施設入所者の口腔機能管理

私たち施設職員は，各専門分野からのサービス提供を基に，在宅復帰を最終目標とした入所者の生活機能の回復・維持・向上を支援している．そのための具体的な目標をケアプランとして立案，歯科衛生士もサービス担当者会議（ケアカンファレンス）に参加してケアプランにあげられた課題の解決策について他職種と共に検討する．当施設では口腔ケアにおける目標設定もケアプランに記載しているが，その際には会話・表情の形成・食事・栄養管理・活動性，といった入所者の生活場面

介護老人保健施設　せんだんの丘
- 開　設：平成12年4月（常勤歯科衛生士の配置）
- 所在地：仙台市青葉区国見ヶ丘
- 定　員：入所100名
- その他：短期入所療養介護
  通所リハビリテーション
  介護予防型デイサービス
  指定訪問看護ステーション
  指定居宅介護支援事業所
  指定訪問介護事業所
  指定福祉用具貸与販売事業
  訪問理美容サービス

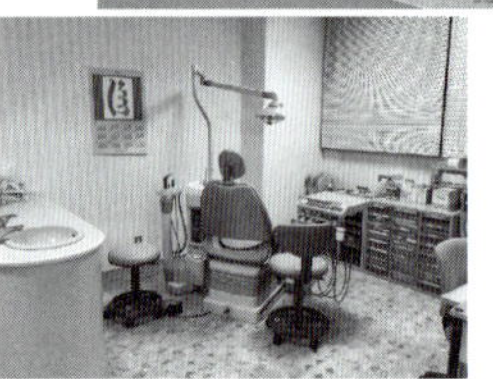

図1　「介護老人保健施設 せんだんの丘」の概観と概要

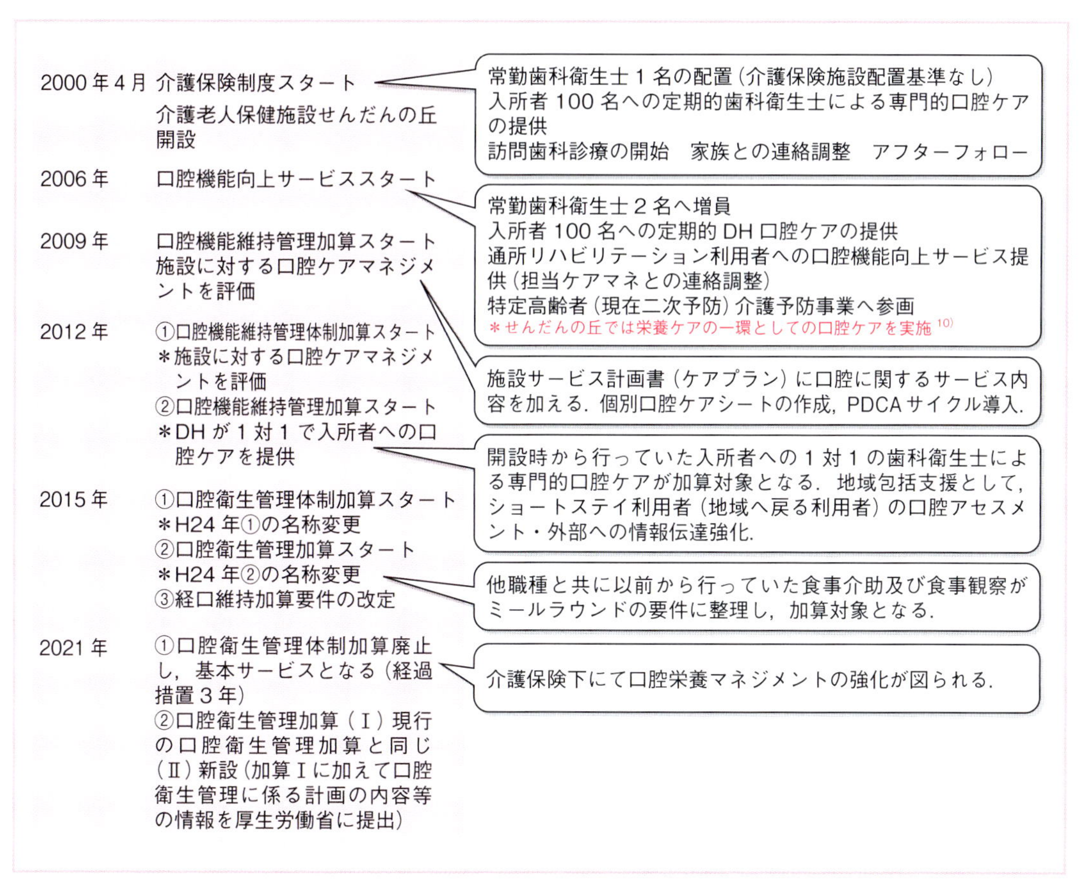

図2　介護保険口腔関連サービスの変遷と当施設常勤歯科衛生士の役割の推移

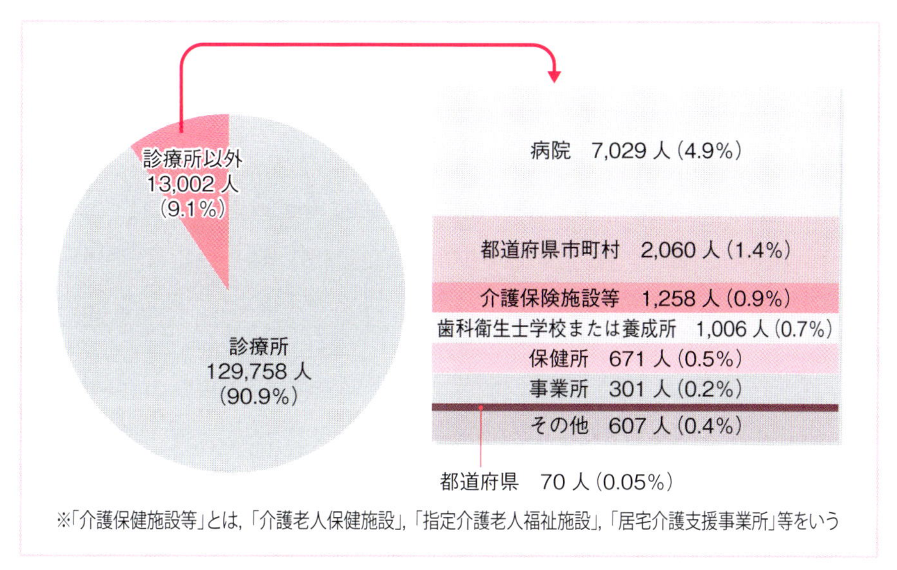

図3　就業場所別にみた就業歯科衛生士数

就業場所別にみると，「診療所」が 129,758 人（構成割合 90.9%）と最も多く，「診療所」以外は 12,561 人（9.5%）で，そのうち「病院」が 7,029 人（5.0%），次いで「市区町村」が 2,220 人（1.4%）である．前回との比較では，就業場所別にみた就業歯科衛生士数の割合に大きな変化はない．（令和２年衛生行政報告例より）

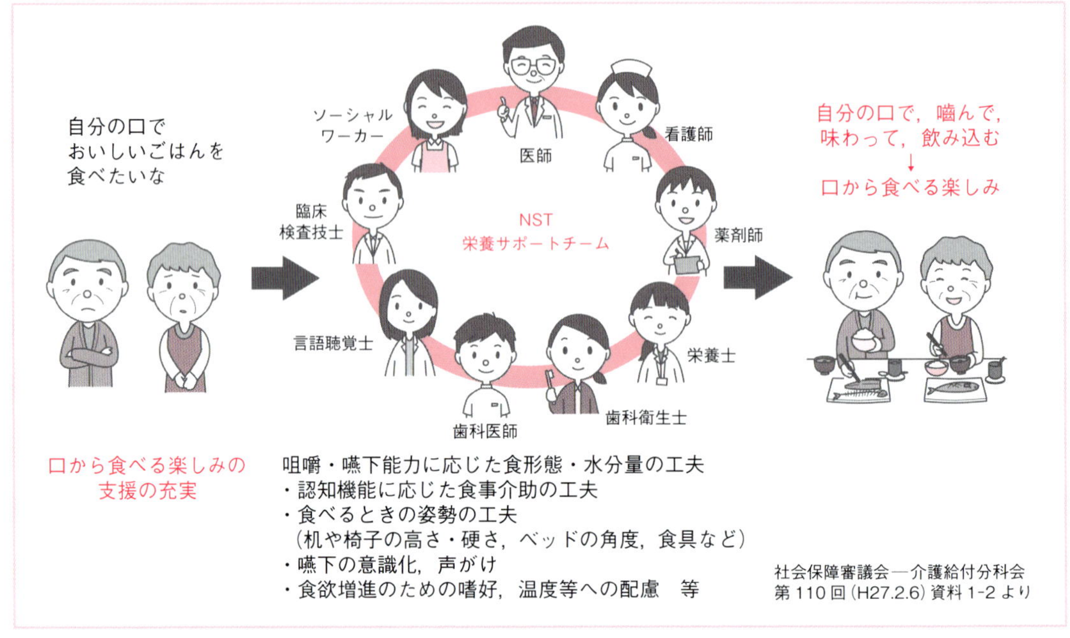

図4　平成27年度介護保険報酬改定で《口腔・栄養管理に係る取り組みの充実》が骨子として設定される．（施設等入所者が認知機能や摂食·嚥下機能の低下により食事の経口摂取が困難となっても，自分の口で食べる楽しみを得られるよう，多職種連携による支援の充実を図る）

に，口腔がいかに関わっているのかを具体的に他職種に伝えていくことを意識して行っている．

さまざまな疾患や障害を抱える入所者にとって，栄養管理としての食事摂取はきわめて重要であり（**図5**），誤嚥や窒息のリスクを回避して安全に楽しみながら摂取していただくためには食事の観察と口腔ケアが欠かせない．これらは，現在当施設で歯科衛生士が行っている口腔機能管理である．食事時には歯や義歯だけではなく口唇・頬・舌の運動についても観察し，口唇の閉鎖はしっかりできているか，食べこぼしはあるか，あれば何が原因なのか，咀嚼はどうか，食塊の形成はどうか，送り込みはできているか，嚥下までの時間はどうか，1回の嚥下後にどのくらい口腔内に食べ物や飲み物が残っているか，などについて他職種と共に情報共有し，統一した支援方法を言語聴覚士や管理栄養士らと共に検討し，ケアスタッフと共有し，共に実施している（**図6**）．口腔機能と食事形態のマッチングについては，日々検討事項としてあがってくる．重度嚥下障害の方には食事前の口腔ケアを行っているが，毎日の口腔ケアの継続がいかに嚥下の促通（食べ続けられること）に有効であるかを痛感している．経口摂取はもう無理かもしれないと一時評価された入所者が，その後細々とではあるが，大きく体調を崩すことなく食べ続けていただけたという入所者にもこれまで何度も出会うことができた．退所時には退所先に向けて，これらの情報伝達は欠かせない．

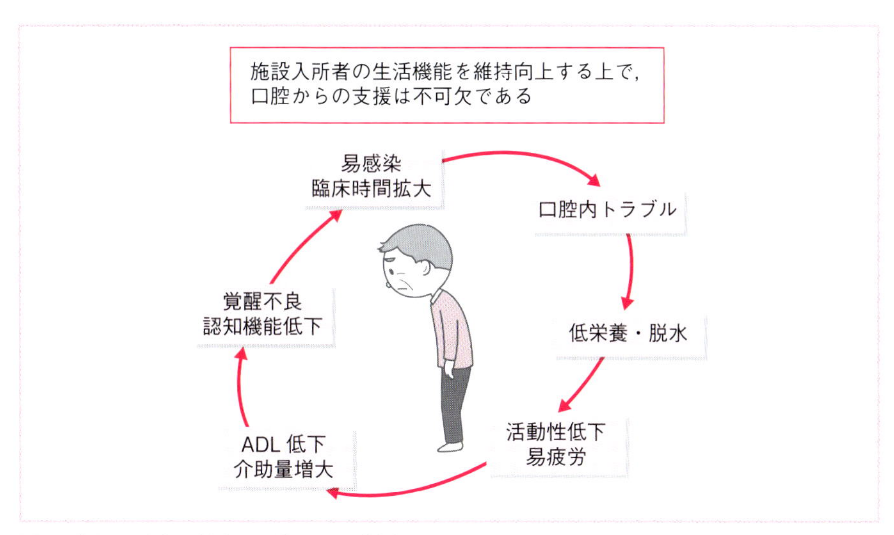

図5　施設入所者に対する口腔からの支援

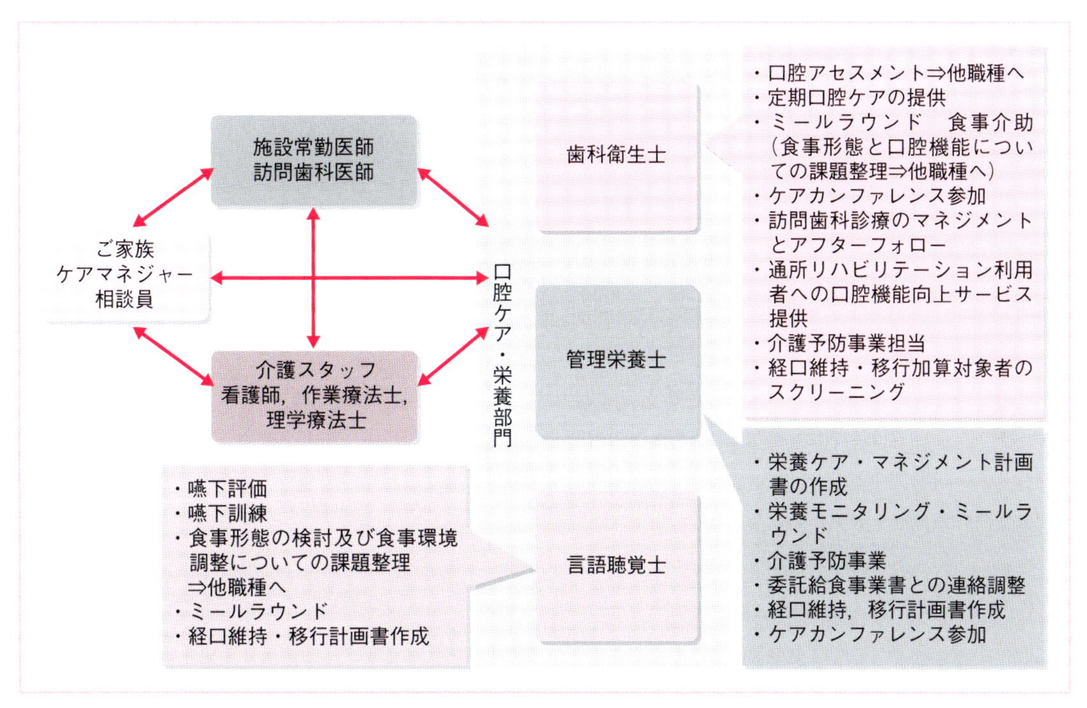

図6　せんだんの丘における口腔ケア・栄養部門の役割

観察のポイント

施設入所時には歯科衛生士が全入所者の口腔アセスメントを実施するが，義歯が必要であるのに入院中に義歯を紛失したなどして入所時に義歯を使用できていない入所者や，不適合の義歯を治せることを知らなかったためにそのまま使い続けていた入所者も少なくない．また，残根の動揺が進行している入所者や脱離したままの不潔な補綴物を使用していた入所者など，歯科治療の機会を失ってしまった方が多くいらっしゃる．このような場合には状況をご本人に説明すると共にこちらからご家族へ連絡を取り，了解のもとに歯科で受診していただくようにしている．受診については，対象入所者にかかわるケアスタッフへの伝達も欠かせない．受診して適合も良好，使用可能な状態になっても，残念ながら施設入所者は要介護高齢者であるから，義歯調整してもそのままでは日常的使用に繋がらないことが多い．特に認知症のケースの場合には，細かい配慮が必要になる．ときには「10分だけ使ってみましょう」とお伝えし，別の入所者の口腔ケアを行いながら調整後の義歯を入れて，どんな行動パターンをとる方なのかを観察し，食事支援にも直接，歯科衛生士が入る．そのうえでいつ入れるのか，はずすのか，食事の時はどうするのか，以前の義歯はどうすればよいのかなどの細かい情報伝達を行う．日常的にかかわる（夜間帯や早朝時にかかわるスタッフも含めて）他職種スタッフへそのような情報を確実に繰り返して伝えていくことが，施設入所者が義歯を日常的に使用していただける支援の１つではないかと感じている．また，終末期に咬合支持のない口腔で，義歯がないがために自身の残存歯で粘膜を深く傷付けてしまい，お見送りの際に悔やまれた経験もあった．このように義歯に関わる業務だけでも施設では相当多いのが現状である．医師，歯科医師との連絡調整をタイムリーに行い，入所者の「今」に寄り添い，ケアスタッフに適切に指示を出せる常勤歯科衛生士の配置を望む理由はここにもある．

まとめ

在宅生活を支援する介護老人保健施設に勤務しながら，たくさんの要介護高齢者と向き合える時間をいただいてきた．口腔ケアに関する介護保険制度が徐々に整備されてきたことに喜びを感じながら，これからの歯科衛生士の役割についてさまざまな思いをめぐらしている．口腔機能向上に関していえば，“頬，舌，口唇も筋肉であること，筋力低下が起こること，その低下は誤嚥や窒息のリスクを高めること．をいかに気づいてもらうか？”が大切である．

歯科衛生士は医療・介護・保健・福祉の多方面から利用者にかかわることができる職種であるから，垣根を取り払って，外部に向かって他の職種と共に包括的な支援を行っていける力をつけていきたいと強く願っている．

参考文献

1）柴田浩美：柴田浩美の高齢者の口腔ケアを考える．医歯薬出版，東京，2003.
2）金子芳洋ほか：食べる機能の障害．医歯薬出版，東京，1987.
3）鈴木俊夫ほか：高齢者のためのトータル口腔ケア．医歯薬出版，東京，2003.
4）金子芳洋監修：介護予防プラクティス．厚生科学研究所，東京，2008.
5）別所和久監修：口腔機能の維持・向上による全身状態改善のためのオーラルケアマネジメン

ト実践マニュアル．医歯薬出版，東京，2010.
6）菊谷武編：高齢者の口腔機能評価NAVI 単行本．医歯薬出版，東京，2010.
7）菊谷武編：介護予防のための口腔機能向上マニュアル．建帛社，東京，2006.
8）一般社団法人日本老年歯科医学会：口腔機能維持管理マニュアル．http://www.gerodontology.jp/publishing/file/manual.pdf
9）渡部芳彦ほか：施設常勤歯科衛生士による口腔ケア—入所利用者の歯科受療支援—．老年歯学，20：343～349，2006.
10）若生利津子ほか：介護老人保健施設常勤歯科衛生士による食生活支援．老年歯学，23：412-416，2009.

11-4 在宅における多職種連携 ～「うどんが食べたい」を支援する！～

まんのう町国民健康保険造田歯科診療所　丸岡三紗

歯科専門職は在宅医療チームの中に入らず，単独で患者にかかわっていることが多い．しかし在宅医療・介護の現場では利用者本人が望む生き方を尊重することが最も重要であり，そのためには多職種間での情報共有が欠かせない．最期まで口から食べる楽しみを支援するためには，他のチームメンバーや患者，家族と情報をタイムリーに交換しながら取り組む必要がある．「うどんが食べたい」という望みを多職種で協働して支援した事例を提示する．

概要

●事例

Yさん　83歳男性．要介護5

主病名および既往歴：嚥下障害，肺炎，廃用症候群

●「食べれんのやったら生きている意味がない」

妻と二人暮らし．近くに住んでいる長女が介護の援助をしている．2015（平成27）年4月，肺炎によりM総合病院に入院中，嚥下造影検査を実施した結果，咽頭期障害により経口摂取は困難と判断される．中心静脈アクセスポート（CVポート）を造設し，輸液のみの栄養で在宅療養となった．

妻と長女は「入院中にプリンを食べさせた際に，看護師にひどく叱られた」「入院中に主治医からはもう絶対口から食べることはできないと言われていた」と話す．しかし，Yさんは「食べれんのやったら生きている意味がない，食べて死ねたらそれでも良い」と繰り返し，摂食嚥下リハビリテーションに前向きに取り組みたいと思っている．

入院中に嚥下造影検査を行った歯科医師から「義歯を作製し臼歯部の咬合が確保できれば飲み込みやすくなるかもしれない」と説明を受け，当歯科診療所を紹介された．提供サービスは**図1**のとおりである．「口から食べたい」という思いを支援する体制が動き始めた．

経過

●情報を共有するためにITシステムを活用

本ケースではさまざまな事業所より別々の時間帯にサービスが提供されており，

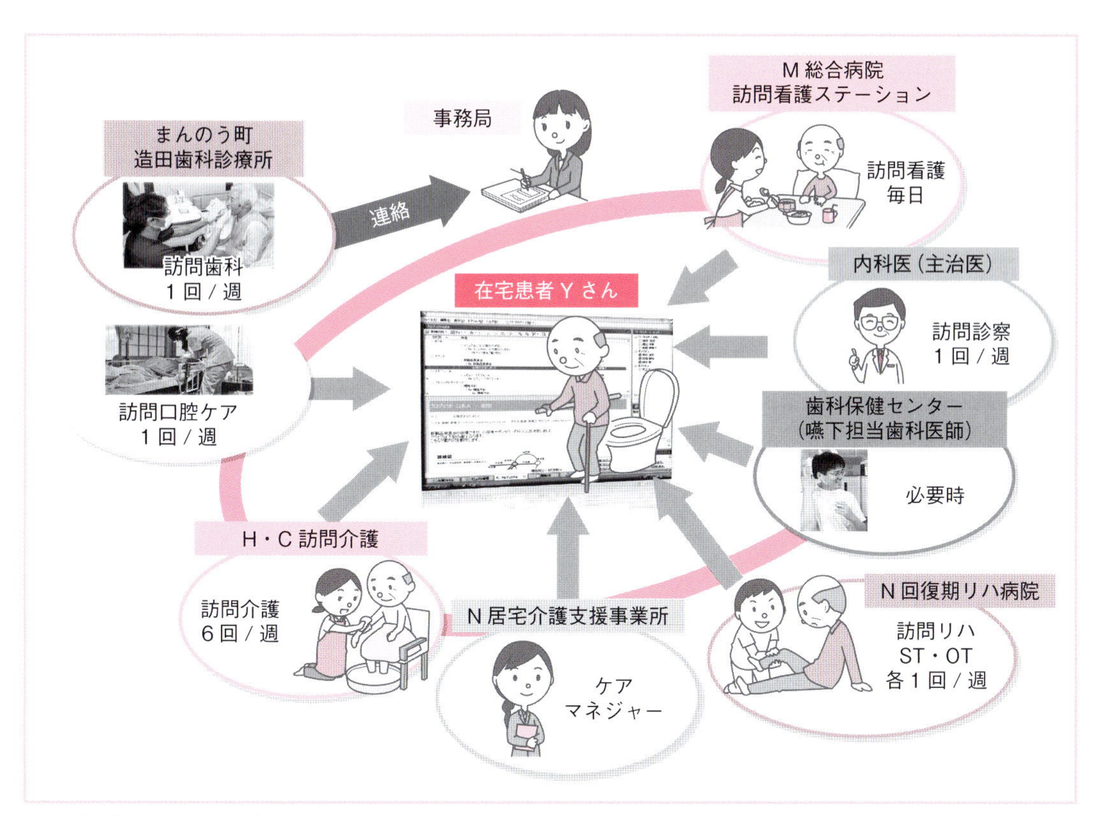

図1　「うどんが食べたい」を支援する多職種連携体制（Interdisciplinary Teamの考え方）

担当者間で情報共有ができていなかった．言語聴覚士が氷水での直接訓練を訪問で実施していたが，担当職種によって食べて良いもの，悪いものの説明が異なるなど意見がばらばらであり，家族が困惑していた．そこで，インターネットを利用した在宅医療・介護の連携ツール「医療介護地域連携クリティカルパス」を活用することとした[1, 2]．

各サービス担当者が訪問するごとに支援内容や利用者の状態，気づきをコンテンツ内の「連絡シート」に入力し，タイムリーに情報交換できるようになった（**図2**）．病院からの書き込みで入院期間中の嚥下造影検査結果など医療情報も得られるようになった．

●当歯科診療所が行った口腔機能管理

介入当初，Yさんの口腔内は著しい口腔乾燥と剝離上皮の付着を認めていた．誤嚥性肺炎の予防のために口腔ケアが重要だと伝えるも，「しんどいけんええわ」と拒否されることもあった．

連絡シートでのやりとりが始まってから，本人は何よりも口から食べることを望んでおり，家族も本人の希望通り熱があっても直接訓練をしてほしいと話していると知った．チーム全員が同じ方向で支援しなければならないということに気づかされた．Yさんに対し，食べる準備のために口の中を清潔にする必要があると伝えると，スムーズに口腔ケアを行えるようになっていった．

日付	平成27年7月7日	平成27年7月8日	平成27年7月21日	平成27年7月22日	平成27年7月22日
時間	13時30分	8時30分	13時30分	16時	10：00～10：20
事業所	N病院	M総合病院	N病院	N病院	N居宅介護支援事業書
記入者	[illegible]	[illegible]D	TO	TA	MI
職種	[illegible]	[illegible]医師	言語聴覚士	理学療法士	ケアマネ
体温	[illegible]	[illegible]	℃	36.6℃	℃
血圧	89/39 mmHg	/ mmHg	79/48 mmHg	83/45 mmHg	/ mmHg
脈拍	81回/分	回/分	83回/分	85回/分	回/分
担当者コメント	訪室すると，やや活気なく，閉眼が多かったです．微熱がありましたが，本人の経口への希望があり，以前娘さんからも微熱があっても本人の希望があれば食べさせてほしいとのことでしたので，5口ほどうどんの汁にとろみをつけたものを飲んで頂きました．味わうように咀嚼し，うまかったと言って頂けましたが，3口目から咽頭残留音あり，なかなかクリアになりませんでした．間接訓練の自主トレメニューを作成し，本人と奥さんに伝えています．また，現時点で食べれるものや食べる[illegible]一緒にプ[illegible]，お伝え[illegible]	いつもお世話になっております．当院入院時の嚥下造影検査の結果をご報告します． ポタージュ状のとろみ水分3ccで，嚥下反射遅延あり喉頭蓋谷・梨状窩に残留がある状態でした． 付着性の弱いゼリーはスライス状で，喉頭蓋谷・梨状窩に少量残留あり繰り返し嚥下・交互嚥下でもクリア困難な状況です． 準備期～口腔期までは動きに大きな問題ありませんでしたが，咽頭期の咽頭収縮が非常に悪い状態です． 今後は口腔内圧を作りやすくするために新義歯を作製した後に（K Dr.），嚥下造影検査で再評価予定です．	朝に37.2℃の微熱があったとのこと．本日は閉眼が続き，発声練習もSTの後を復唱して行いました．覚醒はムラがあり，日による印象が強いです．また本日の口腔内は乾燥はありますが，痰の付着などはなく比較的安定されていました．経口練習では，甘酒に濃いトロミをつけたものを摂取して頂きましたが，粘りもあり「うまない」といわれ，3口で拒否あり中止しました．喉頭挙上は変わらず[illegible]かったです．他に食べたいものを聞いてみましたが，返事が返ってこず，「やっぱりうどんですか」と聞くと「そうやなぁ」「うどんをすすりたいな」と．「甘いのより塩っ辛いの」ともいわれていました．話の途中で牛乳も候補に挙がりましたが，家に無く，見送っています．「何でもいいから食べたい」→「美味しいもの，希望するものが食べたい」と気持ちが変わってきているようであり，食形態に制限がつくことに対して徐々にストレスがかかってきているようです．	20日の振り替えにて本日訪問しています． ご本人は体調”まあまあ”との事ですが，先週訪問時に比べると声量も小さく，発語も聞き取りにくいといった印象でした． ギャッチアップ60°までは血圧変動なく可能です． ご本人の意欲高く端座位まで実施しましたが，やはり血圧（収縮期）70台前半まで低下し，”頭がふらふらする”といった[illegible]状きかれています．様[illegible]みながら進めていけれ[illegible]思います．よろしくお[illegible]します．	Tさんの訪問日と重なりましたが，ケアマネも午前中に訪問しました．ヘルパーさんの訪問中で検温して下さり，37.3度でした．清拭やおむつ交換で全身状態の観察をして下さり，褥瘡や皮膚病変もないようです． ケアマネの訪問時は午前中で体力が温存されているのか，私に良い所をみせようとして下さったのか，大きい声で息も長く，「発声練習しよるけん」「アホみたいに大きい声出しとるで」など，冗談も出ていました． 握手をすると「温い手や」[illegible]をくしゃくしゃにし[illegible]っておられました． [illegible]家の奥様もお疲れので，夜間2時間おき[illegible]引をしていると，苦[illegible]していました．元気[illegible]ったら，奥様の面倒[illegible]てやらないかんと，[illegible]ぼのとした会話をし[illegible]た．
申し送り事項	[illegible]も良いので行っ[illegible]さい． また，熱が続い[illegible]ので，経口摂取[illegible]どうしていくか[illegible]を踏まえて意向[illegible]話し合う必要も[illegible]はと思います．[illegible]討ください．		K先生，うどんの件ありがとうございます．よろしくお願いいたします． M先生，このような難しいケースの中，情報交換ができる場があり，方針や様子などを確認し合うことができ，本当にありがたいです．食べられないではなく，どういう工夫をすれば今の嚥下機能でも満足して食べられるのかもう少し模索したいと思います．また良い案ありましたら教えてください．		[illegible]保険負担割合証が2[illegible]担で届きました．

M総合病院
嚥下担当歯科医：
入院時のＶＦ結果と今後の方針についての記載

言語聴覚士：
うどんの汁にトロミをつけたものを５口ほど飲んでいただきました．味わうように咀嚼しうまかったと言っていただけました．

言語聴覚士：
このような難しいケースの中，情報交換ができる場があり，方針や様子などを確認し合うことができ，本当にありがたいです．食べられないではなく，どういう工夫をすれば今の嚥下機能でも満足して食べられるのかもう少し模索したいと思います．

言語聴覚士：
うどん汁や甘酒に濃いトロミをつけたものは「こんなんうどんもなくて美味ない」「もうええ」「やっぱりうどんですか？」「そやなあ」
「なんでもいいから食べたい」⇒「美味しいもの，希望するものが食べたい」に気持ちが変わってきています．

図2 ITを活用した情報共有システム ―連絡シート―

平成 27 年 7 月 22 日	平成 27 年 7 月 23 日	平成 27 年 7 月 28 日	平成 27 年 7 月 30 日	平成 27 年 7 月 30 日
15：00～15：30	15：00～15：31	13 時 30 分		15 時 30 分
まんのう町国保造田歯科	まんのう町国保造田歯科	N 病院	M 総合病院	まんのう町国保造田歯科
TA	MM	TO	GO	MM
歯科医師	歯科衛生士	言語聴覚士	歯科医師	歯科衛生士
36.6℃	℃	℃	℃	℃
/ mmHg	/ mmHg		/ mmHg	/ mmHg
	回 / 分		回 / 分	回 / 分
…しました．着脱は練習して何とかできるようになりました． 本日，M 総合病院で歯科の G 先生とお話しし，義歯装着に慣れたころに VF 撮影したいとのことです．おおよそ 2W 後くらい，8 月の上旬でしょうか．病院には介護タクシーで受診可能のようです．主治医の Y 先生ともお話し，病院受診は問題ないとのことです．もし，通院が困難な状況でしたら，訪問で嚥下内視鏡実施も可能のようです．	…き込みを見ると，やは…午前中の方が活気があ…ようですね．今回も開…はしているものの開口…が十分できない状態…口腔ケアをするのがやっとです．口腔衛生状態は改善傾向です．義歯は今まで入れたことがないし気持ち悪くて入れれんと言ってると聞いたので，本人様に普段から少しずつ入れて慣らしていきましょうと伝えると，明日から頑張る，と答えてくれました．奥様は，家族だけでおるときに食べさせるのはやっぱり怖いなあとおっしゃっていました．また，うどん以外ならゼリー類，ヨーグルトとかも好きなんよ，と話をされていました．	…の高い…を頂けました．ただ摂取…は伸びず，6 口程度で…了しました．「うどんは…かなか食べさせてくれん しの」との言葉もポロリとこぼれていました．「ハンバーグ味」など他のタイプも試していこうと思います．	…さんからは嚥下造影 OK と連絡いただい…ようですが，娘さん…連れていうのも大変…，他の受診の時にで…否定的な意見が聞か…いるようです．（訪問より） …ご本人・ご家族…見の確認・調整…ただけますでし… …自体は特に急ぐ…ないので，皆さ…が得られた時点…いとは考えていま…お忙しいところ申し…りませんが，よろし…願いします．	変わらず上あごの前方，歯の裏側全体に剥離上皮がかたく付着しています．今日は痰が多いから入れ歯はつけていないが，ヘルパーさんたちの協力もありだいぶ装着することができてきたと奥さまよ…
T 先生，来週訓練時には…義歯装着した場合…した場合で嚥下状…いがあるか確認お…たします．G 先生…査時に「うどん」に…もお願いし…み…検査時の状況…どん行けそうた…ライしてみても…ことです． M 様，介護保険サ…提供表をお送りい…ありがとうござい…	義歯を入れる際には，よ… …リーなは粘ちょう痰を除去するときに，モアブラシは粘膜の清掃にお使いください．家族様にもお伝えしていますが，使い方のイラストを口腔体操の表のところに一緒に入れさせてもらいました．よろしくお願いいたします．	K 先生，6 口程…点で「もう十分…終了となってし…で義歯を外して…出来ませんでし…ません．また来…みます．義歯つ…日の摂取では，…り喉に残った印…しかし，今回…リーがトロミ水…付着性の強いも…その影響も大き…ないかと思います．今度はトロミ水分で比較してみます． M 先生，とてもわかりやすい資料をありがとうございました．参考にさせて頂きます．		いろんな味のゼリーがあるんですね！本人様にそれとなく感想をきくと，最初は美味しいと思ったけれど，おかず味なので少し濃くて飽きがでてきてしまったのかな？と，推測ですが，感じられました．食べられるものが増えたことで，より美味しいものが食べたいと，本人様の希望も大きくなっているんですね．一方で，いろいろなものが食べられることを楽しみにされているような印象もあります．

歯科衛生士：
奥様が，「うどん以外ならゼリー類，ヨーグルトなんかも好きなんよ」とおっしゃってました．

言語聴覚士：
温めるタイプの「すき焼き味」ゼリーを食べていただきました．「美味そうやの」と表情が緩み，実際に食べていただくと「美味いの」と初めて満足度の高い言葉をいただけましたが摂取量は伸びませんでした．
「うどんはなかなか食べさせてくれんしの」との言葉もポロリとこぼれてきました．

歯科衛生士：
いろんな味のゼリーがあるんですね！本人様にそれとなく感想をきくと，最初は美味しいと思ったけれど，おかず味なので少し濃くて飽きがでてきてしまったようでした．
一方で，いろいろなものが食べられることを楽しみにされているような印象もあります．

M総合病院
嚥下担当歯科医
息子さんからは嚥下造影検査 OK と連絡いただいたようですが，娘さんから連れて行くのも大変だしと否定的な意見が聞かれました．
一度ご本人，娘さんの意見の確認・調整をしていただけますか？

M総合病院
嚥下担当歯科医
G 先生には検査時に「うどん」についてもお願いしてみました．検査時の状況により，うどんいけそうだったらトライしてみてもよいとのことです．

担当職種がそれぞれ専門的なアプローチを行う中，歯科衛生士は食べるための口づくりとして口腔衛生管理を担い，家族に保湿の方法や頻度を指導した．ほかの職種には口腔ケア時の吸引ブラシの使用方法などを伝えた．また言語聴覚士から間接訓練の方法を教わり実践するようにもなった．それまでは誤嚥性肺炎を防ぐために口腔をきれいにすることをゴールとして考えていたが，口から美味しく食べるためにはどうすれば良いかを目標としてアプローチをするようになった．

さらに，Yさんはどんなものが好きだったのか？今食べたいものは何か？などの情報を言語聴覚士に伝え，どんな訓練食ならおいしく食べてもらえるかを一緒に考えた．口腔状況の情報提供に限らず，本人が望む生き方を支援する視点から情報交換ができるようになった．

最終的には一番の好物であるうどんを食べることに目標を定め，義歯を使用できるようになった後，自宅で嚥下内視鏡検査を実施するためにチームメンバー，ご家族との連絡調整を行った．検査をした嚥下担当歯科医師からは，麺をペースト状になるまで咀嚼し，うどんの汁をゼリー状に固めたものと交互嚥下するなどの工夫をすればうどんを食べても構わないとアドバイスを受けた．

まとめ

●本人が望む生き方（最期）を支援するために

国は「住み慣れた地域で自分らしい暮らしを人生の最期まで続けること」を推進している[3)]．本ケースを経験したことではじめてその言葉の意味が理解でき，同時に在宅医療・介護の現場で実現することがいかに難しいかを痛感した．

本人の意思が明確でない場合は意思そのものを把握することから始めなければならない．本ケースでは本人は「とにかく口から食べたい」とはっきりと意思表示をしていたが，ご家族としては，やはり誤嚥させることも怖いという気持ちが強く，その不安に配慮することも重要であった．最期は長女の意向により病院で看取ることとなり，あと一歩のところでうどんを食べるという夢は叶わなかった．悔いは残ったが，チーム全体でできる限り本人の望む生き方を支援したことで，家族にとってもある程度納得できる最期となったと考える．

チーム内での緊密な連携による最大のメリットは，日々変化していく本人や家族の気持ちをすばやく把握できたことである．本ケースでは本人の「なんでもいいから口から食べたい」という気持ちが，徐々に「うどんが食べたい」に変化していった．具体的な目標がスムーズに設定でき素早いアプローチに繋げることができたと感じている．

また，適切かつ安全なサービス提供のために医療情報は欠かせない．しかし以前入院していたときの情報は病院に確実にあるにもかかわらず情報がなく困惑するケースも多い．本ケースでは病院の嚥下担当歯科医師との連絡シートによる連携に加え，主治医とは当歯科診療所の歯科医師が直接病院で話をして情報を得るなどの工夫を行った．言語聴覚士とは以前から所属する病院に出向いて話をしたり，研究会などで会う機会もあり顔見知りであったため，連絡シート内でも打ち解けたやりとりができた．地域で開催される医療介護の連絡会など，身近に多職種が集まる場に参加していくことが連携に大いに役立つことだと知った．地域全体でネットワークを構築することは住民がその人らしく暮らすことにつながる．住み慣れた場所で最期を迎えられるようなまちづくりを進めていく必要があると感じている．

参考文献

1) 丸岡三紗ほか：歯科から始まる多職種連携ネットワーク―ITを利用した在宅歯科地域連携パスの運用状況―．老年歯学，29(2)：86-87，2014.
2) 森戸光彦ほか編：老年歯科医学．医歯薬出版，東京，2015，295-297.
3) 厚生労働省：地域包括ケアシステム　1．地域包括ケアの実現に向けて．厚生労働省ホームページ，
http://www.mhlw.go.jp/stf/seisakunitsuite/bunya/hukushi_kaigo/kaigo_koureisha/chiiki-houkatsu/

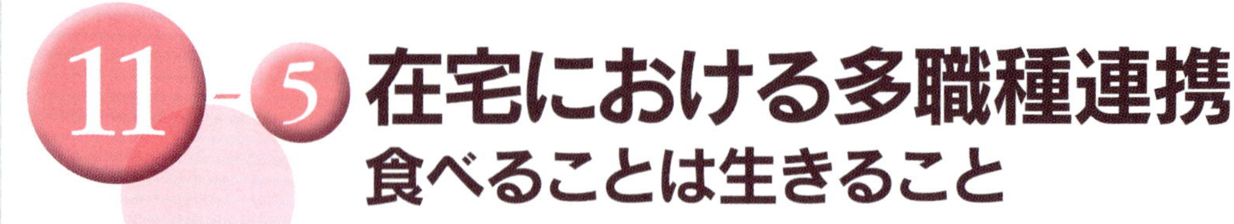

11-5 在宅における多職種連携 食べることは生きること

医療法人香優会比嘉歯科医院 比嘉良喬
元医療法人香優会比嘉歯科医院 嵩原典子

在宅での療養者で脳血管障害をもつ患者は少なくない．その中で，義歯の不具合を主訴に訪問診療の依頼がよくある．今回は，義歯調整から「ペースト食ではなく家族と同じ食事がしたい」と言う本人と家族の思いを引き出し，食べる楽しみを高めた一症例を紹介する．

概要

●患者の既往と状況

76歳女性．肺炎既往なし．

患者は，脳血管障害発症から2年弱が経っていた．既往を**表1**にまとめた．訪問診療開始時の患者の状況は，介護度は「5」であるが，右手の麻痺は軽度であった．日常生活自立度はB2であり，ベッド上での生活が主体であるが，介助により車椅子に移乗し座位を保つことができた．コミュニケーションも可能であり，一部不明瞭だが，発語があった．食事形態は，ペースト食で全介助であったが，栄養状態は良好であり，肺炎の既往はなかった．

経過

●訪問診療（初回）の状況

義歯が外れやすいとの主訴で最初の訪問診療を行った．残存歯数は下顎前歯部6本，齲蝕・歯周疾患・口腔軟組織の疾患は認められなかった．当日の義歯の装着は，比較的安定していた．口腔乾燥はなし，舌可動域は狭く，特に麻痺側の左側へ

表1 患者の既往

2011年 6月	右脳出血で入院（手術なし・抗血栓薬）
2011年 8月	リハビリ病院へ転院
2011年10月	胃瘻造設
2012年 1月	他歯科の訪問診療にて義歯作成
2012年 3月	退院⇒在宅療養へ（経口摂取なし）
2012年11月	VFにて嚥下機能良好の診断⇒ペースト食開始
2013年 4月	当院へ訪問診療依頼（義歯が外れやすい）

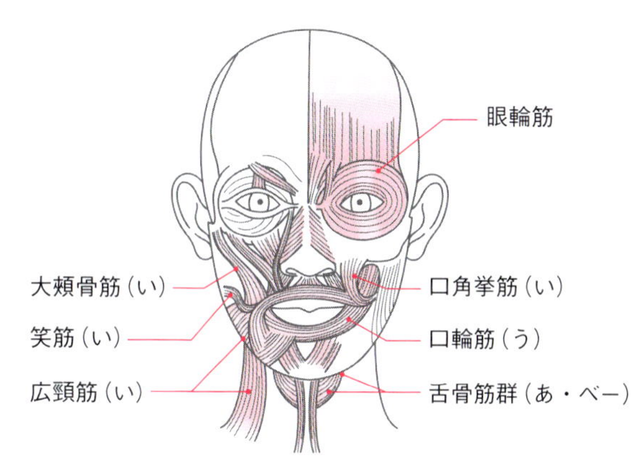

あー　舌の筋肉（舌筋）につく舌骨筋群や，口輪筋を除く口の周囲の多くの筋肉が鍛えられる
いー　笑筋・口角挙筋などの口の周囲の筋肉だけでなく，首の筋肉（広頭筋）まで強化することができる
うー　口を閉じるのに大切な口輪筋が鍛えられる
べー　舌を思いきり出すことで，舌筋が鍛えられる

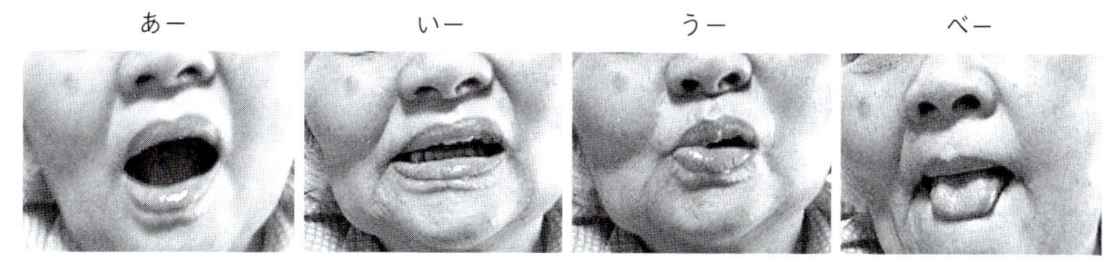

図1　舌・口腔周囲の可動域訓練

の動きは舌尖が口角に少し触れる程度である．義歯は積極的に使用，清掃状況も良好であった．義歯が外れやすい原因は，左麻痺による「舌骨筋群の機能低下」および「咬合状態の変化」であると示された．

食形態を「ペースト」から「刻み」へと上げるためには，現状において課題であった「唾液の性質」，「舌の可動域の狭さ」，「口唇閉鎖力の弱さ」を改善させると同時に，義歯調整による咬合関係の再構築を行うことが必要であった．そこで，歯科医師より歯科衛生士へ，「唾液腺マッサージ」，「舌・口腔周囲の可動域訓練（舌筋強化訓練）」，「筋力負荷訓練」について患者と家族に説明するよう指示があった．

●口腔機能訓練の実際

1）唾液腺マッサージ

唾液の質を粘液性から漿液性へ変えるために唾液腺マッサージを家族に説明した．唾液腺マッサージは，「表情筋マッサージを含めた口腔の外からの大唾液腺マッサージ」および「口腔内から頬粘膜や歯肉を含めた小唾液腺マッサージ」の実施方法を指導した．

2）口唇・頬の伸展運動

義歯の着脱時にバンケード法にて口唇の伸展を，またブラッシング時にぶくぶくうがいの実施方法を指導した．

3）舌・口腔周囲の可動域訓練（図1）

舌・口腔周囲の可動域訓練として「あ・い・う・べ体操」を中心に舌の左右上

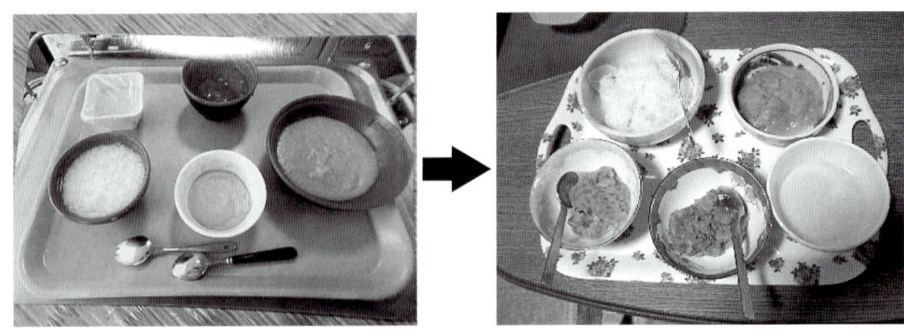

図2　患者の食事形態の変化

下・口唇なめまわし運動の実施方法を指導した．

4）筋力負荷訓練

筋力負荷訓練として口唇閉鎖訓練であるブローイングを依頼した．ブローイングは，コップに水を入れてストローを活用して息を吐きながらぶくぶくする方法を指導した．

1）は食前2）3）4）は時間に余裕のある時，できるだけ毎日継続的に実施するよう指導した．

●患者の変化

5カ月間の訪問診療において，歯科医師による義歯調整を1回，歯科衛生士の口腔機能訓練の介入を11回行った．

最も劇的に変化がみられたのは，唾液の性状だった．糸を引くほど粘調性の高かった唾液が，漿液性に変わった．さらに，舌の可動域が広くなるとともに口腔周囲の動きがスムーズになり会話が増えた．

なお，食事形態も「ペースト」食から「とろみ＋刻み」食へと変化した（**図2**）．

まとめ

5カ月間の訪問診療を通して，①唾液の性状が粘調性から漿液性に変化した．②舌の可動域の拡張と口腔周囲の動きがスムーズになることにより会話が増えた．併せて③食事形態が「ペースト」食から「とろみ＋刻み」食へと変化した．

参考文献

1）米山武義ほか：誤嚥性肺炎を予防する口腔ケア―摂食機能向上により患者のQOLを高める（下巻）．オーラルケア，東京，2008.
2）今井一彰：正しく鼻呼吸すれば病気にならない．河出書房新社，東京，2012.
3）今井一彰：自律神経を整えて病気を治す！　口の体操「あいうべ」．マキノ出版，東京，2015.

11-6 多職種連携・協働の実際

訪問歯科衛生士グループ『元気なお口研究会　まほろば』 渡邊由紀子

認知症により，自分で症状を訴えることができなかったために経鼻栄養となり，その後の歯科介入と多職種連携，協働で経口を再開できた例である．

概要・経過

●老人保健施設から歯科介入依頼

施設介護職員より，摂食時に「口を開けてくれない，食べない」また，「口臭もあり，歯茎から出血の様子もあるので診て欲しい」と歯科介入依頼．施設訪問中の歯科衛生士が受け，緊急対応を要すると判断し，即日，歯科医師に繋ぎ，同時に，施設看護師や介護職員から情報収集を行った．

●多職種情報の収集（図1）

93歳の女性，2年前から老人保健施設入所，認知症の進行はあるものの，余病なく穏やかに安定して過ごしていた．摂食については，軟飯・トロミ食を全介助で毎回ほぼ全量摂取していた．ところが，2週間前から摂取量の低下が続き，同じ頃から，介護職員の口腔ケア時にも開口拒否，ケア拒否が現れた．

体重が直近2カ月で4kg減少，BMIが15.6であり，栄養状態が懸念され，経口摂食困難と判断され3日前，経鼻栄養となり，自己抜管防止のために手指拘束管理された．

●歯科初診時の評価と方針の決定（図2）

原因歯の特定：摂食拒否・開口拒否の原因は，右上7番P3の動揺・疼痛であり

93歳　女性
要介護度：4
ADL：B2
認知症老人の日常生活自立度：Ⅲb
疎通：困難（失語）
疾患：認知症（発症不詳）
服薬：便通改善薬（ヨーデルS糖衣錠－80・ガスモチン錠5mg）
バイタルサイン：安定（128/74 mmHg　69 bpm　36.5℃）
経過：2年前施設入所より安定経過
2週間前より口腔ケア時の開口拒否，摂食量の減少
徐々に体重低下，体力低下，脱水症状がみられる
3日前に経鼻経管栄養となる
摂取量：経鼻 900kcaL＋水分補給 900cc（3日前より）
栄養：血清アルブミン値：3.1g/mL
BMI：体重 36kg/（身長 152cm）^{2}＝15.6（直近2カ月 4kg減）

図1　多職種情報（看護・介護サマリー＆聴き取り）

主訴：口臭・出血があり，口を開けない，食べない
（施設介護職員から依頼）

初診評価
①残存歯：上顎7┘ P_3・動揺度 3，└345 C_4
下顎　無歯
②義歯：無（数年前紛失，以後使用無し）
③口腔粘膜：疾患なく湿潤良好
④口腔機能：要観察事項ではあるが経口摂食回復は可能
口唇閉鎖可・舌圧，舌運動，舌可動域良好・顎運動，顎可動域良好，唾液嚥下良好

摂食拒否・開口拒否の原因は，右上臼歯の動揺・疼痛であり，経口回復のために緊急，歯科医師の診断と要抜歯処置

図2　歯科初診評価

要抜歯と診断．

経口回復予測：RSST等口腔機能精査は不可能であったが，間食時のお茶を湯呑から飲み，また，2週間前まではおおむね摂食時に嚥下の問題がなかったことなどから抜歯後の経口回復は可能であると判断した．

処置の緊急性：認知症の方の「食を守る」ために経口摂食という日常習慣が途切れることを最小限にとどめるために，緊急抜歯が望ましいとした．

●歯科処置（抜歯）に伴う他職種との連携や協働の必要性

一般的には，歯周病による動揺歯の抜歯である．本人が外来受診，病態を認識できる方であれば，リスクの少ない処置になるはずである．

しかし，このケースの場合，認知症で，病態認識が困難であり，状況を自身で判断できない．歯科がデータだけの連携で，単独に処置してしまえば，医療的な侵襲に加え，経口再開が遅れる，介護負担が増すなど生活の侵襲を生じることが多いのである．このことをふまえ，歯科介入は多職種の共通理解，協働のもとに行われる必要がある．そのことが，歯科介入をスムーズにし，介入効果を高め，多職種の信頼を得ることに繋がる．

●他職種との連携における情報交換のポイント（図3）

施設医療職，介護職との連携・協働は，歯科との双方向のやり取りが必要である．歯科から，誰に何を伝え，多職種からどんな情報を引き出し，また，どのような協働が必要なのか．このケースに沿って考えてみる．

まず，施設医療職との連携・協働内容は，

1　歯科医師または指示を受けた歯科衛生士から担当看護師や主治医に歯科の診断と方針を伝える．

たとえば，

開口拒否や摂食拒否は右上の大臼歯が原因であり，歯の状態から抜歯が妥当であること．また，抜歯後には摂食の回復が見込めること．

そして，経口を回復するうえで認知症の日常継続性を考慮すると早急の対処が

■主治医・看護師との連携・協働内容
1 歯科の診断と方針を伝える
2 直近の医療情報（疾患・服薬・検査データ等）入手
3 直近の全身状態の聴き取り
4 歯科術後のメインテナンス，服薬管理などの依頼

■介護職員・ご家族との連携・協働内容
1 歯科の診断と方針を伝える
2 直近の生活情報聴き取り（昨夜の睡眠状態等）
3 処置がストレスとなる異常行動の発現に配慮
- 処置中の拒否
- 夜間せん妄や興奮，不穏の出現
- 術前・術中・術後の協力を依頼する
- 麻酔下の粘膜や口唇の自傷，不潔行為の見守り

図3　医科＆歯科＆介護の連携・協働

望ましいこと，

放置すると該当歯の自然脱落で誤飲リスクが生じること等を伝える．

2　情報収集した医療情報のデータが直近のものであるのかの確認である．

全身状態が安定している場合には，内科の受診機会も少なく，古いデータがサマリー情報として記載，添付されていることがあるので期日などの確認が必要である．

3　昨夜の睡眠状態，経鼻の注入時間などの直近の全身状態，体調を聴き取る．医療スタッフと相談の結果，日延べや見合わせがある場合もある．

4　看護師に，術後のメインテナンス，服薬管理などをお願いする場合もある．

次に，介護職員との協働である．

1　担当，介護職員にも歯科の診断と方針を伝える．

2　今日の精神状態や，昨夜の睡眠など生活面の変化や安定を聴き取る．

3　本人にとってリラックスできる場所，お気に入りの介護職員，家族など，歯科処置中の協働を依頼しておく．事前の生活・介護情報の収集や協働は大変重要である．

認知症の方に歯科処置を実施することは，必要とはいえ大変なストレスにつながることがある．処置中の拒否もあるが，夜間に興奮や不穏を引き起こしたり，局所麻酔部位を掻きむしったり，傷口を不潔な手で触る，などが起こり得ることも想定する．しかしながら，事前に共通認識し，介護職の協働があると乗り切れることもたくさんある．

以上のように，多職種が連携・協働することで医療的侵襲のみならず生活侵襲を最小に抑え，QOLを守ることができることもある．

●術（抜歯）後の経口摂食の回復（図4）

多職種の共通認識と協働の下に無事，抜歯処置は終了した．

そして，3日後のミールラウンドで摂食の確認をした．この時点で，主訴は解決済みであり経鼻チューブも抜管されている．引き続き，摂食を診て欲しいと依頼が

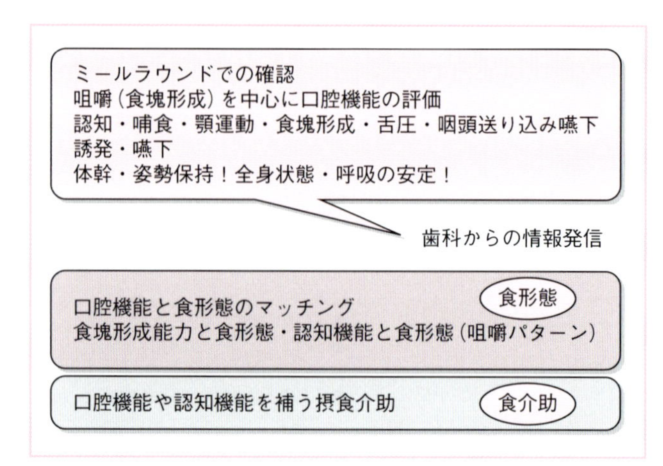

図4　術（抜歯）後の経口回復

あり介入継続となる.

術前にできなかった詳細な口腔状態の診査や口腔機能の評価を改めて行った.ミールラウンドでは多職種と摂食に関する問題を共通認識し，食形態や食事介助の方法を今後模索していくことになる.

まとめ

慢性期の施設や在宅では，なんらかの認知症を患っている方が多い．この症例のように，認知症のために不具合を自分で訴えることができない場合，食形態のランクが安易に落とされ，場合によっては経管栄養に移行することもある.

「摂食支援」は，全身状態や姿勢保持，ADL（日常生活動作）などトータルな支援である．そして，医療的な侵襲を最小限にとどめ，同時に生活に及ぶ侵襲にも配慮すべきである．まず歯科衛生士として，歯科的問題に気づくことからはじまり，かかわる職種の専門性を理解したうえで，支援内容を的確に情報提供し，問題を共通認識し，協働支援に繋げたいものである.

11-7 経口摂取再開への取り組み「在宅での多職種連携」

医療法人芽依美会石川歯科医院　松田奈緒美

生涯健康で最後まで口から美味しく食べることは誰もが望むことだが，病気や事故，また高齢などさまざまな要因で現実にはなかなか難しい．

病気で突然口腔機能が著しく低下した場合でも，適切な時期に機能を評価することや専門家によるリハビリテーション，口腔のケアなどを行うことは非常に大切で，患者本人の意欲を引き出し回復の大きな手助けとなる．また，病気の発症の原因，経過などの正しい知識を有することや病気が回復していく時期に患者にかかわり，他職種と連携できるネットワークを作ることも重要である．今回，脳出血で入院し，入院先にて経口摂取困難と判断された後，在宅での嚥下評価とリハビリテーションにより，3食経口摂取が可能となった例を紹介する．

概要

●症例

患者：76歳男性

2012年5月，第四脳室出血にて入院．入院中に言語聴覚士により摂食機能療法を実施したが，経口摂取は困難と判断された．7月にCVポート（中心静脈アクセス）を設置し，中心静脈栄養とお楽しみ程度のゼリー・ペースト食摂取となり2012年12月に退院となった．

経過

●2013年1月下旬

介護支援専門員を通して訪問診療の依頼があった．訪問前の情報収集を行うと，歯科との連携により経口摂取移行を目標とした依頼であることがわかった．

●初診：2013年2月9日

介護支援専門員が同行したい旨の申し出があり，歯科医師，歯科衛生士，介護支援専門員の3名で訪問した．

主訴：さし歯が取れた．

口腔内の状況：残存歯は下顎3┼3，左下|2前装冠脱離．義歯は使用していない．

本人の状況：167 cm，45 kg（BMI＝16.1）．本人，妻，息子の3人で暮らしている．普段はベッド上で生活しているが車椅子上で座位可能．意思疎通可だが，同

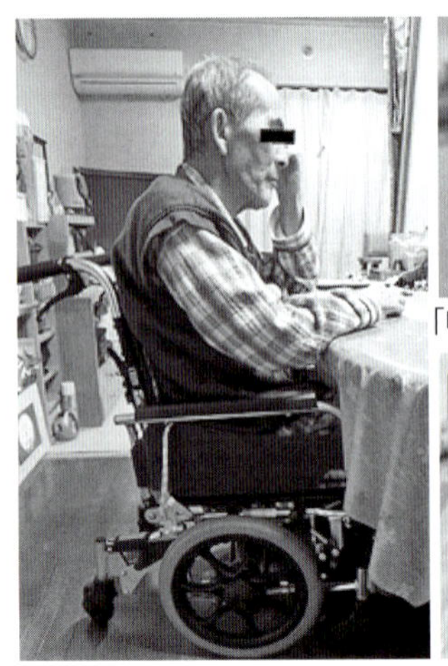

4月27日
嚥下内視鏡検査(VE)検査後
少々疲れがみられる

「吹き戻し」による呼吸リハビリテーション

吹き戻しの先をカットして
吹き続けるようにし，負荷
を大きくした

図1

じ話を何回か繰り返すことがあり認知機能に少し不安がある．食事はCVからエルネオパ2号液を摂取，またゼリー食，ペースト食を併用していた．

担当ケアマネジャーが嚥下障害に関するセミナーを受講し嚥下機能の知識を有していたことで，併せて嚥下評価も希望していた．本人の体調が安定しており主治医の理解も得られていたため，初診日に嚥下内視鏡検査(VE)を実施した．

とろみ2%水，3mL・10mL嚥下可．スライスゼリーも嚥下できる．ペースト食では残留，湿性嗄声．検査開始から15分程度で疲れてきたようなので検査終了とした．

体力がないので無理をしないように，また健康管理として体重の増減も重要視すると話をした．

●2013年3月に入り義歯製作開始

少量のゼリーはひと口量・ペースを守っての摂取をするよう指導した．訪問の都度，食事時の注意，残存歯のブラッシング指導などを行う．

●2013年4月

義歯を使用して食べている．体力が戻ってきていて車椅子への移乗に安定感があった．呼吸リハビリテーションを指導した．

訪問看護師に呼吸リハビリテーションのため「吹き戻し」を勧められ，実施しているとのこと．

20回を1セットとし，朝昼晩の1日3回行うよう指導した(**図1**)．

次の訪問にて．「吹き戻し」のリハビリテーションを頑張っているようだが，使い方に誤りがあった．一度息を吹き込んでから舌で息の流れを遮断していたため，息を吐き続けることがリハビリになることを話し，正しい使い方を確認した．吹き込む息の強さが目で見てわかるように，「吹き戻し」の先端に切り込みを入れた．口腔清掃は車椅子で，うがいは台所で立って行っている．妻が後ろから支えること

2013年9月28日　義歯調整時

家族と同じ食事ができるようになり，家族旅行や趣味の写真を楽しんでいる

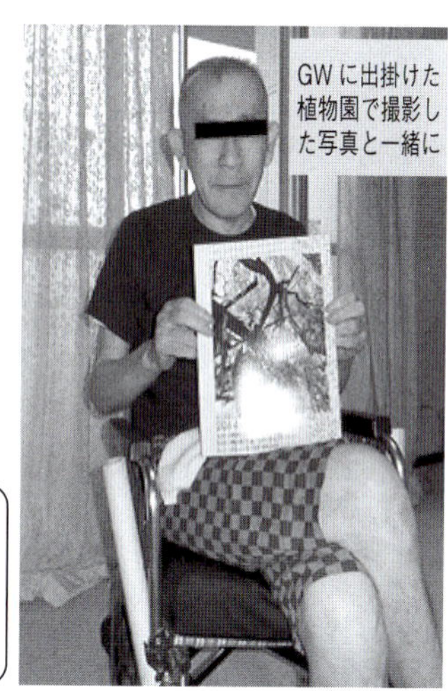

2014年5月30日　義歯調整時

図2

もあるが，自力で数分間立つことができ，ベッドから車椅子にも早く移れるようになっている．

●**2013年4月27日**

体力が回復しペースト食で食事量の増加もみられることから2度目の嚥下内視鏡検査を実施．義歯が入りきちんと噛める状態なので食べ物をしっかりとらえて咀嚼できれば，ほとんどのものは摂取して差し支えない．ひと口量を守り，ばらける食品（焼き魚など）は避け，麺などは10cm程度の長さなら摂取可とした．

●**2013年5月**

体重47.8kg．「もっと食べたい」とのこと．食事のペース，ゆっくりしっかり噛むよう指示．前歯部の歯肉腫脹．ブラッシング法を本人と妻に実地指導．

●**2013年6月中旬**

ケアマネより「6月7日主治医の判断で高カロリー輸液を中止，経口摂取のみになった」と報告あり．体重51kg．嚥下リハビリテーションは継続とする．この頃になるとだいぶ体力が回復し，日中数時間なら家族が不在でも問題なく過ごせるようになったので妻が仕事を再開する．

●**2013年8月**

外出もできるようになった．ときどきむせるとのことだが家族と同じ物を食べており，体重は55.4kgに増加．体力が回復．主治医から，脂質異常症・高血糖を指摘され，この頃から義歯の不具合を訴えはじめる．

その後，歯科医師の指示を受けた歯科衛生士が月に1〜2回訪問し義歯の調整と歯石除去，ブラッシング指導を定期的に行った．真面目な性格で指示や指導をしっかり守って頑張っている．普段の生活では近所に外出する他に，息子の運転で本人，妻の3人で旅行に出かけられるまでになった．旅先で季節の花を写真に収めることが励みになっているようであった（**図2**）．

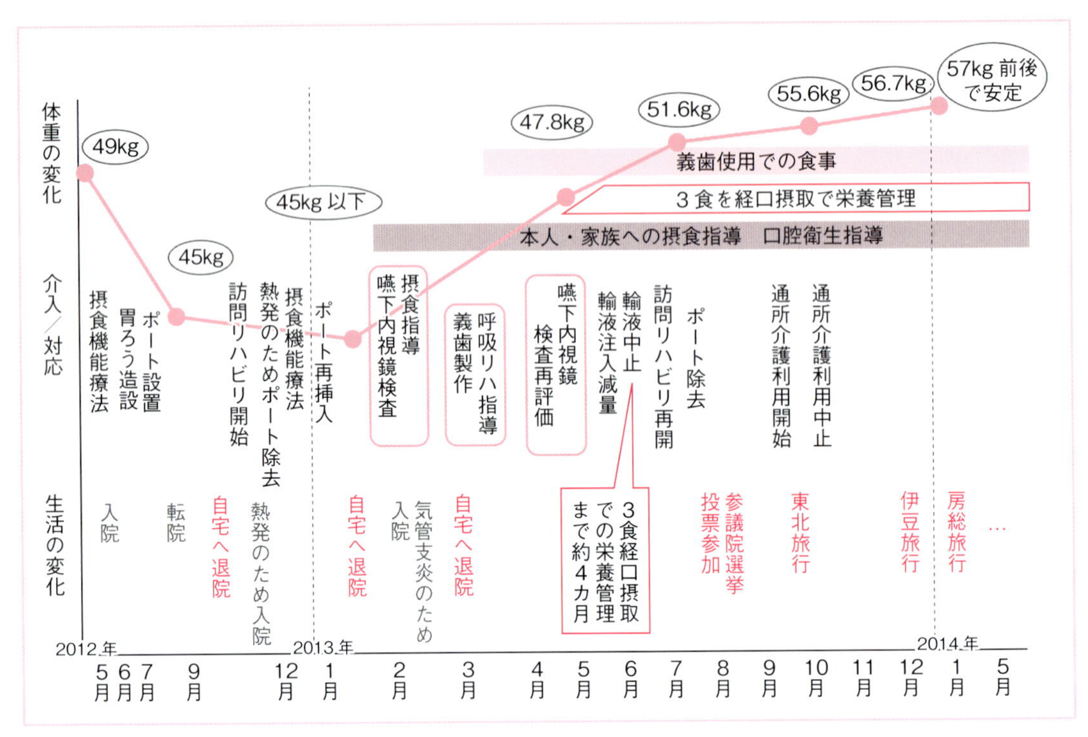

図3　2012年～2014年までの経過

2012年の退院時には経口摂取は困難と判断されたが，一年弱で家族に介助してもらいながら外出できるようになっている．これは本人の頑張りと家族の協力だけではなく，本人を取り巻くいろいろな職種が連携し，継続してかかわっていたことによるものである．特にケアマネジャーが患者本人の希望を汲み取り，歯科に繋いだことが大きいように思う．

毎回，口腔内をチェックするだけでなく，患者の様子（たとえば表情や声の大きさや嗄声の有無，ベッドに寝ているのか車椅子に座っているのか）なども観察する．挨拶から始まって何気ない会話も大切で，私達の「いかがですか」の問いかけにどんな答えが返ってくるかが毎回楽しみである．

12月．義歯の調子は良く，体重も57kgで安定した（**図3**）．

●2014年5月　しばらくぶりの訪問．残存歯にプラークが目立つ．

6月以降ほぼ毎月訪問し，ブラッシング指導と義歯の調整を行っている．

プラークが残る部分が毎回ほぼ同じなのは，手が思うように動かないことに加え認知機能の低下も考えられるので，口腔内の観察とプラークチェックを妻にも依頼している．

現在体調も安定しているので，そろそろ訪問診療は卒業し，医院に通院したいとの希望も出てきている．

まとめ

歯科衛生士ができる口腔機能の向上には，プラークや歯肉の炎症を減らすことはもちろん患者の体調や置かれている状況にも気を配り，楽しく美味しく食事をするためには歯科では何が必要かを考え，そのうえで歯科衛生士の目で見た口腔内の問題点を歯科医と共に考え，口腔ケアやリハビリテーションにもかかわっていくことが重要である．

参考文献

1） 菅武雄監修：口から食べるストラテジー．デンタルダイヤモンド増刊号，39：10，東京，2014．
2） 藤本篤士ほか編：5疾患の口腔ケア．医歯薬出版，東京，2013，70-117．

11-8 訪問における口腔衛生管理

元昭和大学付属烏山病院歯科　日山邦枝

口腔機能管理は，器質的と機能的な口腔状態の維持向上を目的とし，診療室，在宅（居宅）にかかわらず，実施されることが必要である．その目的は，歯科口腔疾患の予防や進行を抑制し，口腔機能の維持回復をはかり機能衰退を防ぐことにある．他に口腔細菌に起因する全身疾患の発症や呼吸器感染および合併症の予防をすることである．

近年の高齢化社会において，高齢者の保持する身体機能や廃用性症候群によるADLの低下，その他疾患等により全身管理上の問題は，診療室から居宅（在宅・施設等）へ歯科診療の場を移行する必要が生じる．訪問診療におけるニーズは，介護者やケアマネジャーからの依頼が対象者からの依頼よりも多く，対象者本人の要求（意思）と異なる場合も多々ある．つまり対象患者の理解と協力が必ずしも得られるわけではない．この場合に対象者でなく介護者に説明と理解を求めることが多いが，伝わらないと思われる場合においても，診療や口腔内の衛生管理，機能管理を行う対象者の意思を確認することが重要である．一方的に進めることは不満や不信感に，さらには拒否につながることも多くなる．

リスクマネジメント

口腔清掃や機能訓練を実施する際には，リスクマネジメントを行うことが必要である．実施前にある程度情報を収集することで回避できる事故もある．①対象者のもつ能力（意思の疎通，理解能力，運動機能）全身疾患等による禁忌事項を把握する．②使用材料によるアレルギーの有無を確認する（歯磨剤や保湿剤の成分など）．③咽頭反射がないのに唾液の分泌がよくなり誤嚥するなど機能回復等によるリスク要因を回避できるようにする．また，口腔清掃用具などの破損や器具による刺傷事故など，さまざまなリスクに対応することも重要である（**図1**）．

対象者の特徴

口腔内状況は劣悪であることが多く，機能低下等による歯科疾患の進行が早い．また，全身疾患や精神疾患などを有することもある．ADLの低下や動作が緩慢であることにより，生活全般に介護を必要とする場合が多い．

心身状態や物理的な問題から通院できない．理解力の低下や拒否により対象者とのコミュニケーションが困難である．

個人の能力 機能の情報	・意思の疎通・運動機能 ・心身状態・禁忌事項
リスク要因	・機能低下（回復によるリスク） ・訓練や口腔清掃によるリスク
起こり得る 事故	・使用器具による刺傷, ・誤嚥，誤飲，窒息

図1　指導や訓練におけるリスク管理

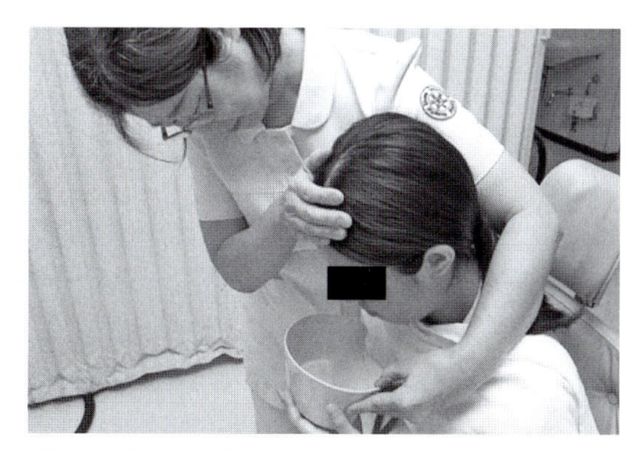

図2　含嗽時のサポート

日常のケア（セルフケア）

日常の口腔衛生管理は対象者本人か介護者が行うことになるが，基本は対象者の自立（自律）を促すことにある．その際，対象者の能力を勘案して口腔衛生指導を行う．介助が必要な場合は，対象者の自立を妨げる介助を避け，本人の保持する能力を引き出せるように指導する．

使用する歯ブラシは把持力を勘案して，日常使用している歯ブラシにさほど問題がなければ，無理に変更することもない．急に変えることで効率や清掃効果が低下する場合がある．歯磨剤も発泡性の低いものや研磨剤の少ないものを選択する．研磨剤は含嗽が上手にできない場合口腔内に残りやすく，特に歯間部に歯石状に固形化することがある．頭頸部の固定ができない場合は含嗽時に頭がぐらつかないようにサポートする．前頭部の手は添える程度で支える（**図2**）．

口腔清掃に必要な能力は，手指や上腕の動作のコントロールである．把持力の抑制，動作のコントロール（運動方向の制御，運動の正確さ，力のコントロール），である．

ブラッシングの細かい振動や歯の表面の凹凸，豊隆に沿わせるなどの微調整が必要であるが，ほとんどの高齢者には困難であると思われる．そこで必要なのは専門家による定期的な口腔衛生管理である．

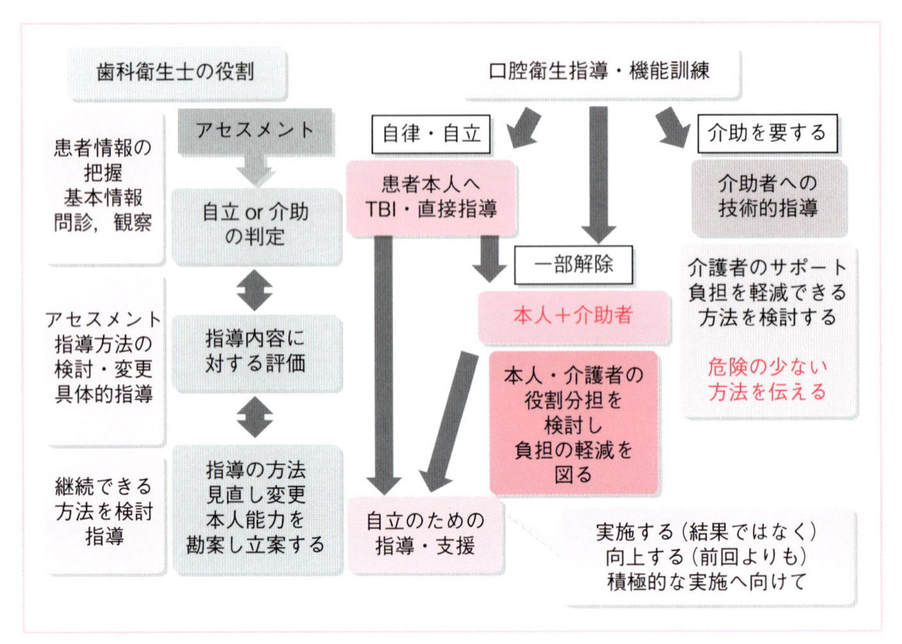

図3　口腔衛生管理（指導の流れ）

専門的口腔衛生管理（図3）

対象者や介助者に日常のセルフケアの方法や機能訓練の方法について指導する．

使用している口腔清掃用具の確認，選択や交換時期等のアドバイスをし，補助用具（タフトブラシ・歯間ブラシ・舌ブラシなど）についても同様に指導する．

●①実施時の注意

器質的機能的ケアにかかわらず，対象者の心身の状態に注意する．発熱が2日〜3日前にあった場合は中止するか，様子をみながら早めに終了する．拒否が強い場合には強引に行うことは避ける．特に初回はできる範囲にとどめ，徐々に進める．状況判断力や理解力の低下している対象者の不安を取り除くことが口腔機能管理の成果に繋がる．

対象者が自立している場合には，直接本人に具体的方法を指導し，介助者にはチェックや後磨きを指導する．

頭頸部や体幹の保持が困難な場合は，座位では体幹の傾倒や椅子からの滑り落ちを防ぐために，クッションやタオルなどで体幹の固定を行い（**図4**），仰臥位では麻痺や拘縮などを確認したうえで頭頸部のギャッジアップや補整を行う．機能が低下している場合，口腔清掃や機能訓練により誤嚥や誤飲の危険を伴うことが多く頭頸部が後屈しないように注意する．

●②口腔清掃の実施（口腔衛生管理）

口腔乾燥がある場合は，保湿剤やマウスウオッシュ等で湿らせてから口腔ケアを行う．

乾燥は口唇，舌背面，口蓋に顕著に表れる（**図5**）．

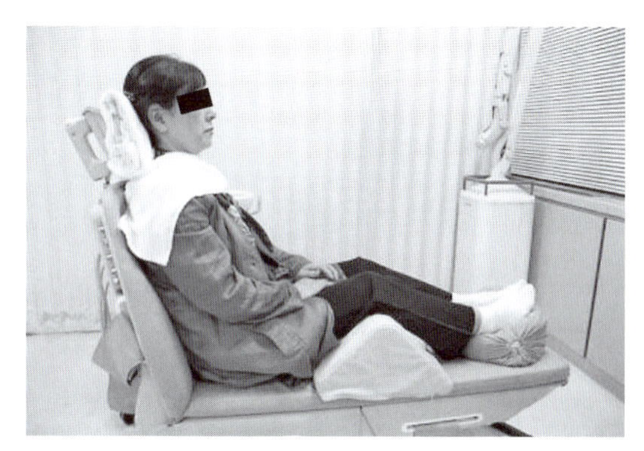

図4　座る位置を安定させてから補正を行う

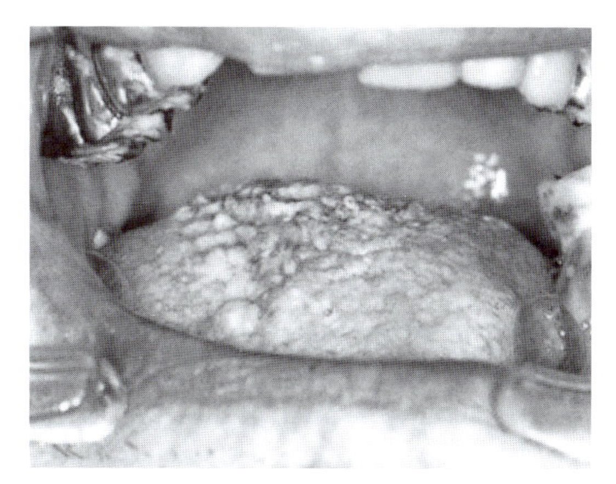

図5　舌の運動機能低下により舌苔が付着している．経口摂取もほとんどなく発語もない

痰や付着物が付着しやすい部位は，口腔前提，歯肉頬移行部，奥舌の舌下部，上顎前歯部である．流涎がひどい場合やムセがある場合には，吸引または水分をスポンジで除去してから実施する．スポンジは必ず1度湿らせたあとに，よく絞り水分を排除してから使用する．少しでも残っていると，スポンジから絞られた水分を誤嚥した場合に上気道感染のリスクになる．咽頭部の反射が弱く口蓋垂などに痰が付着している場合は，口腔清掃時に誤嚥させないよう注意する．

また，除去した付着物を咽頭部に落とさないように奥舌部から前歯部に向けて実施する．口腔清掃時に使用する歯ブラシ，舌ブラシ等すべてにおいて同様に行う．

含嗽ができる場合にはムセの有無を確認し行う．誤嚥の危険がある場合には含嗽は控え，ブラッシング後にスポンジブラシ等で清拭し汚れと水分を除去する．

●③口腔機能管理

機能訓練が必要な場合においても，心身状態を確認したうえで実施する．回数や頻度についても，対象者の能力と介助者の介護力を見きわめて指導する．

機能訓練は口腔内の汚れや余分な水分を排除してから実施する．また，覚醒状態にあるか確認することもリスク回避のうえで重要になる．対象者の能力や体力を

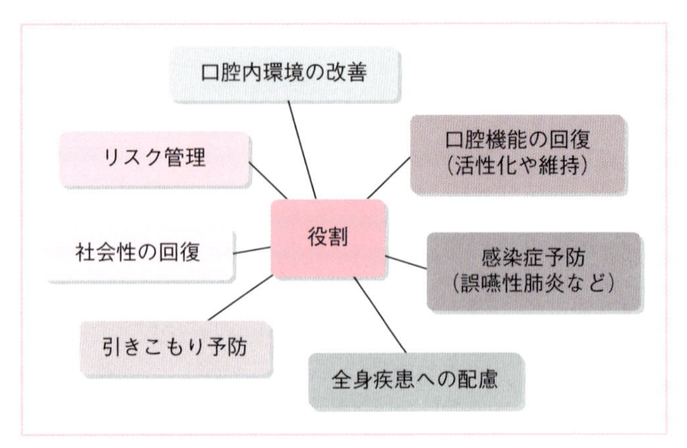

図6　在宅訪問での歯科衛生士の役割

考慮し機能訓練を行う．誤嚥性肺炎などの既往がある場合は間接訓練を主体に行い，終了時にも口腔内の余分な水分の除去を行う．

まとめ

在宅訪問における歯科衛生士の役割は，危機管理を常に念頭に置き，対象者の口腔機能管理や歯科保健指導等を通じて，口腔内環境を改善し，機能向上や維持をはかる．また，日常生活において介護者の抱えている問題に耳を傾け，他職種と協働し生活環境の改善や介護の負担軽減の一助となるようこころがけることも必要である（**図6**）．

参考文献

1）全国歯科衛生士教育協議会監修：障害者歯科　第2版．医歯薬出版，東京，2013．
2）弘中祥司編：小児の摂食・嚥下リハビリテーションにおける連携医療（MB MEDICAL REHABILITATION No122）．全日本病院出版，東京，2010．

在宅療養者への口腔機能管理の取り組み
—“食べる”ことへの医療連携—

米山歯科クリニック　杉山総子

PRACTICE

概要

地域の回復期リハビリテーション病院のソーシャルワーカーより，「依頼したい患者の“退院前カンファレンス”を開くので出席して欲しい」と連絡がある．在宅カンファレンスもこのような場合も，平日の日中行われるため，歯科医師の出席は難しく，相談のうえ，歯科衛生士が参加している．

Yさん66歳男性．65歳の3月，くも膜下出血発症，急性期病院にて開頭手術．経過中，肺炎や合併症を伴い，5カ月後の8月，やっと地域のリハ病院に転院．中心静脈栄養を経て胃瘻造設してからも問題が生じ，安定して経管栄養を使っていけたのは12月末．翌1月より少量の嚥下食を始めているが，「熱が出ては中止し」の繰り返しであるとのこと．2月18日退院予定に向け16日カンファレンスとなる．

経過

カンファレンスの参加者は病院側から，担当のリハ医，看護師，言語聴覚士，理学療法士，ソーシャルワーカーが出席．退院後の在宅生活を支える側から，家族，ケアマネジャー，訪問看護師，ヘルパー，訪問入浴会社，福祉用具会社，デイサービスに通うことを前提に施設職員，そして口腔管理を託される私だった．

入院中の経過について，そして退院後の医療注意事項等の伝達が行われる．歯科としては，リハ医や言語聴覚士に口腔機能訓練内容，摂食嚥下の現状を聞き，在宅で引き継ぐこととなる．それから病室の本人への面会となる．

●入院生活時の観察

私にはこの初対面がとても貴重で，ベッド上の姿勢，口腔内の状態をサッと見取る．尊敬するリハ医に，“よろしくお願いします”と言っていただくと，心地良い緊張感と未知なるかかわりについて思いが膨らむ．「これからお付き合いしていただく杉山です」と握手を求めると，右手は麻痺あり，左手が出てきて「よろしくお願いします」と力強く握り返してくださったが声は痰がらみであった．首の伸展がやっとここまで改善したのだというものの，常時，開口の要因であることを強く感じた．口腔内はちょっと見ると歯は揃っているように見えるが実は，上顎両臼歯部欠損で，舌の乾燥した厚い汚れを見取り，歯科医師との初回訪問を約束した．

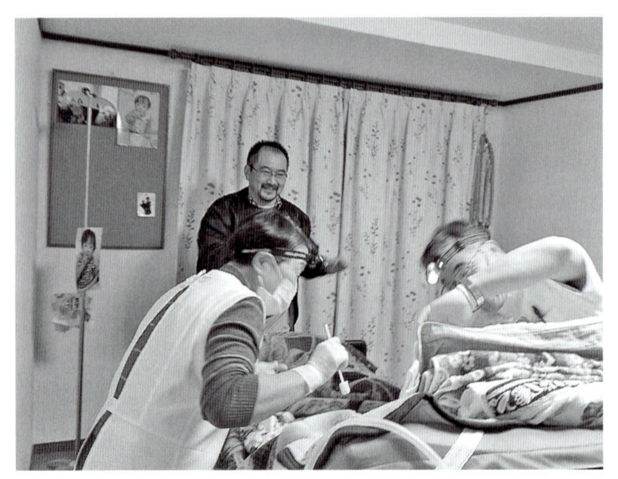

図1　主治医に見守られての抜歯．一番心強かったのはＹさん

●食べることへの挑戦と歯科のかかわり

その一瞬前まで元気に話していたＹさんが，意識のない日々が２カ月，もうろうとした状態が数カ月続いた．そんなＹさんを高次脳機能障害を残しながらも，１年ぶりに家に迎えられた奥様にとって，信じて良いのかと思うほど嬉しくて，絶対に主人を食べられるように，歩けるようにするんだ，との意気込みが強かった．歯科に課せられた“食べる”ことのかかわりは，一歩一歩，慎重に進めていった．入院中のリハ医が月一度主治医として訪問されており，必要に応じて同席し，摂食について相談できたこと，そして奥様が絶対失敗したくない！と，私達のお伝えすることを忠実に守ってくださることが，安心して進めていける大きな要因だった．

歯科としてのかかわりは，まず入院時に気になった首の伸展の改善．閉じることを忘れた口への，口唇閉鎖，鼻呼吸の習慣化への訓練．そして臼歯部欠損への義歯作製．それにより咬合咀嚼嚥下ができる状態をつくることが，安全な摂食可能に向けての第一条件であることを説明した．66歳であるＹさんに，しっかりした口腔環境を整えることがいかに大切であるかを，お嫁さんを交えた３人に納得していただいた．義歯作製の前に，動揺疼痛有の |5 を抜歯することになり，主治医に了解を得る．歯科医師と抜歯の予定で訪問すると，なんとそこには主治医が待っていてくださった．退院１カ月後でまだまだ吸引が頻繁な時期，主治医の吸引のもと抜歯できたのは，心強いことだった．主治医は在宅での抜歯に初めて立ち合い，よい経験だったと言ってくださった（**図１**）．

●はじめての義歯

はじめての義歯装着に向け，口腔粘膜へのストレッチをしながらその時を迎えた．765|567 |67 の義歯に予想通り違和感を訴え，まずは１時間でも，それから半日でも，できれば夜も装着してくださいと順を追ってお願いしていった．本人の希望の“かつ丼”が食べれるための大切な義歯だからと，Ｙさんの目をじっと見つめ，私の心を伝えた．義歯を触ったことのない奥さんも常に前向きに励ましてくだ

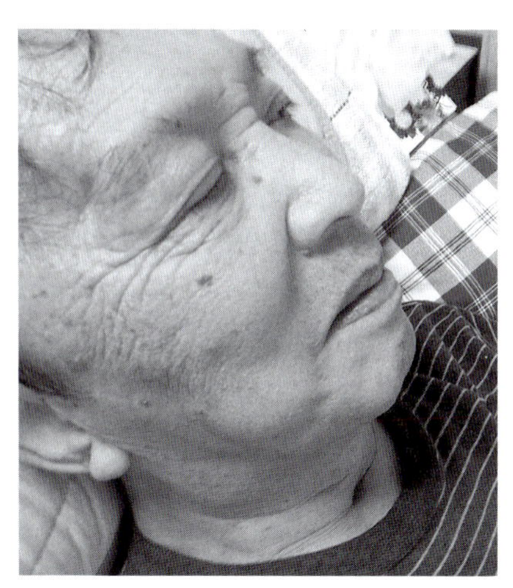

図2　口唇閉鎖．鼻呼吸が上手になる．初めの頃から咽頭の気管切開部から少量の汁が出ていたがいつのまにかしっかりふさがり出なくなる
（写真はご本人の了解を得て掲載しています）

さり，義歯はYさんの体の一部となった．

安定して咬合できる臼歯部がなく，まして常に開口状態だったYさんは，正しい咬合を忘れてしまっていた．義歯が入り臼歯部咬合位が定まることにより，日ごとに正しい位置に歯が合わさるようになった．そうなると口唇閉鎖もしやすくなり，鼻呼吸の訓練効果も出てきた．口唇閉鎖し意識して鼻呼吸で10数える，次に20数える，そして50数える．意識しなくても，常時口唇閉鎖鼻呼吸が習慣化したのは，介入をはじめて5カ月が過ぎてからだった（**図2**）．

●いざ“食べること”

食べたい，食べさせたい思いに対し，吸引の必要性が多いことが気になり，「在宅では病院のように熱を出しながら食べる訓練はできないので」と説得していた．そして私の訪問時のみ氷のかけらをなめることから始め，果物の汁，ゼラチンのお茶ゼリー，コーヒーゼリーで飲み込み訓練をしていった．日々の口腔機能訓練として5本の巻き笛，口腔体操を自主的にしていてくださり，徐々にゼラチンゼリー，アイスクリーム等を奥様と日常的にも心配なく食べてもらえるようになった．

次へ進めていきたいことを主治医に相談．8月，病院でVFとVEの検査をしてくださった．軟食なら大丈夫という評価が得られ主治医を驚かせた．

奥様は，主人が食べれるようになるためならどんな準備でもします，と，嚥下食の本を買い熱心に勉強してくださっている．食べる前後の口腔清掃，吸引を約束事とし，ゼラチンお茶ゼリーを交互嚥下，食後の咽頭ケアに用いることの意味を御夫婦で理解してくださったので私の訪問日のみ～を離れ日常的に，1日1回楽しんで食事ができるようになった．

カレーが食べたい，ウナギが食べたい，妻のつくるシフォンケーキが食べたい等の要望に奥様は答えながら，いつしか，高次脳機能障害のYさんではなく，一家の大黒柱である意識を強くもたれ，お互いをいたわり合う御夫婦のあたりまえの生活がなされている様子がうかがえ胸が熱くなる．

在宅生活に入り8カ月経った現在，Yさんは熱を出すこともなく，月1度のショートステイ，週2回のデイサービスに通い歩く練習に励んでいる．

歯科医師は月一度口腔の管理，摂食の確認，歯科衛生士としては，月4回，専門的口腔清掃，口腔機能低下予防への機能訓練，摂食状況確認，ご夫婦の元気さチェックにうかがう．

まとめ

歯科診療所の歯科医師や歯科衛生士が訪問歯科医療を担当する場合“食べること”を全くのゼロから“食べられる”まで進めていくのは難しい．Yさんがここまでこれたのは，入院中のリハ病院との連携・協働が得られたからこそ．そして専門的立場から器質面，機能面をしっかり口腔環境として整えられたこと．そして何よりご夫婦が“食べたい思い”に正しく向き合ってくださった成果と思う．

「うまい！胃袋にジワーッとおいしさが流れていくのを感じる！」とおっしゃるYさんの満面の笑顔に，私達の歓声が部屋からあふれる．

追伸

私たち地域の歯科医療職が，在宅療養者への口腔機能管理として取り組んだ場合，その方との終了の形はいろいろである．命の旅立ちであったり，病院や施設への入所，または介入の目的が達成しての終了等がある．

今年で8年目の介入が続くYさん．歯科医師3カ月に一度，歯科衛生士は月に一度，口腔管理として訪問している現在．一日3食安全においしく経口摂取できるようになり，胃瘻装置は外されたYさん．四点杖で歩行訓練も行う．一日の終わりに「愛してるよ」と奥様に伝えるYさんの人生の物語はこれからも続く．私たちは，その物語の仲間入りをし，口腔機能管理を続けさせていただき，自分の物語をも作っていく．

11-10 特別養護老人ホームにおける歯科の取り組み—Oral Assessment Guide(OAG)と口腔内状況の変化—

医療法人社団豊生会東苗穂にじいろ歯科クリニック
佐藤さと子
赤沼正康

高齢者における日常看護および介護でよくみられる唾液分泌低下は，口腔乾燥が起こり感染症をしばしば誘発する．口腔ケアにより口腔清掃状態，嚥下反射，唾液分泌などといった口腔機能の回復が促進されることから，高齢者の肺炎対策としての効果が明らかになってきている[1)]．しかしながら，看護・介護の現場の中では，統一したプロトコールがなく口腔ケアが十分に行き届いていないのが現状である．そこで当医院では，特別養護老人ホームにおける歯科介入によるOral Assessment Guide (OAG) と口腔内状況の変化を検討した．

評価方法

特別養護老人ホームAの入居者80名に調査協力を依頼し，介入前の口腔内検査を実施した．口腔内検査ではEilersが開発したOAGを使用した．8項目(声，嚥下，口唇，舌，唾液，粘膜，歯周，歯および義歯の接触部の歯垢や残渣)について，健康であればスコアが1，中間を2，不健康は3と点数化される．また，口腔内の細菌数を細菌カウンタ®(パナソニックヘルスケア)を使用し測定した．検査後，歯科医師および歯科衛生士による入居者および看護師・介護職員への口腔清掃方法の指導を行った．入居者へは口腔ケア時に指導を行った．看護師・介護職員へは各フロアごとに実際の口腔ケアを見学してもらい，使用器具や口腔清掃の手順，口腔ケアの重要性について指導した．介入後，再度口腔内検査実施し，56名(70.0%)の協力を得た．

介入前後のOAG合計点数と口腔内総菌数，菌数レベルを比較し，口腔内状況の変化について比較・検討を行った．分析方法は，基本統計量，Wilcoxonの符号付順位検定を行った．有意水準を5%とした(IBM SPSS Statistics22)．本研究は倫理審査会の承認を得て実施した．

結果および考察

対象者の背景は，男性11名，女性45名であった．介入前後でのOAGを比較した結果，4項目(舌，唾液，歯周，歯および義歯の接触部の歯垢や残渣)において介入後にスコアが有意に減少し(**図1**)，それに伴いOAG合計点数も減少した(**図**

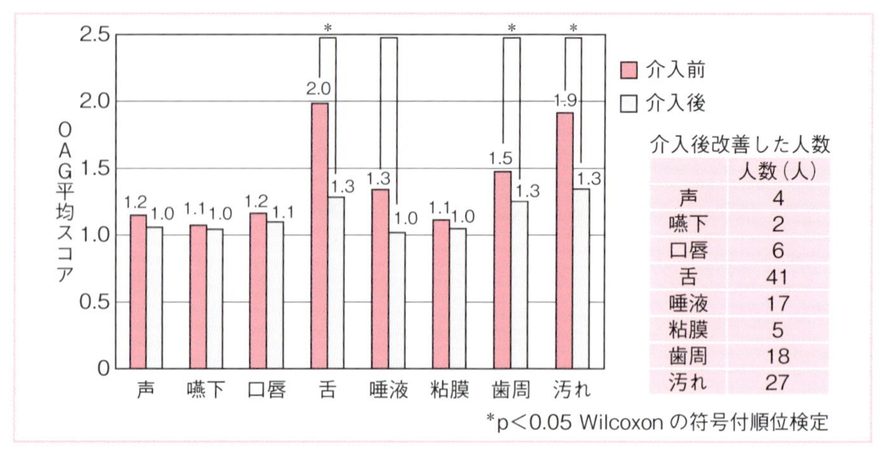

	人数（人）
声	4
嚥下	2
口唇	6
舌	41
唾液	17
粘膜	5
歯周	18
汚れ	27

図1　OAGの比較

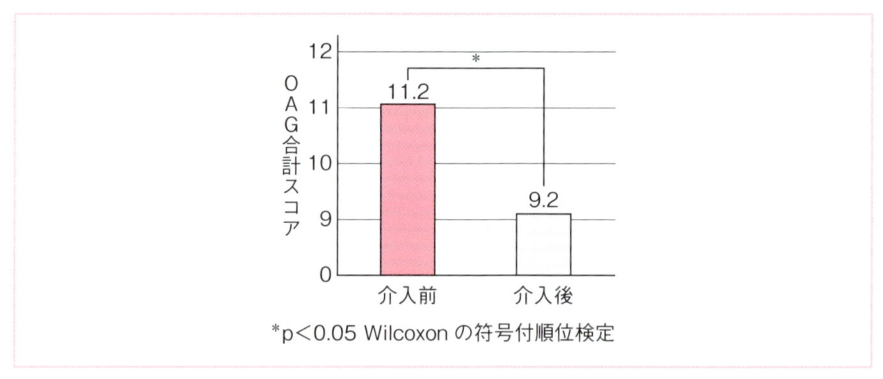

図2　OAG合計の比較

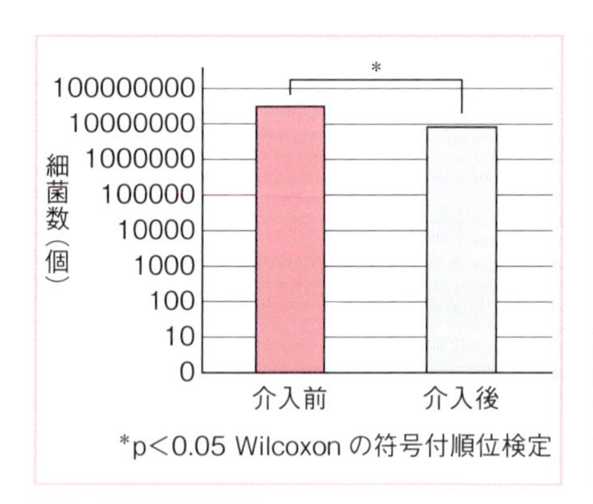

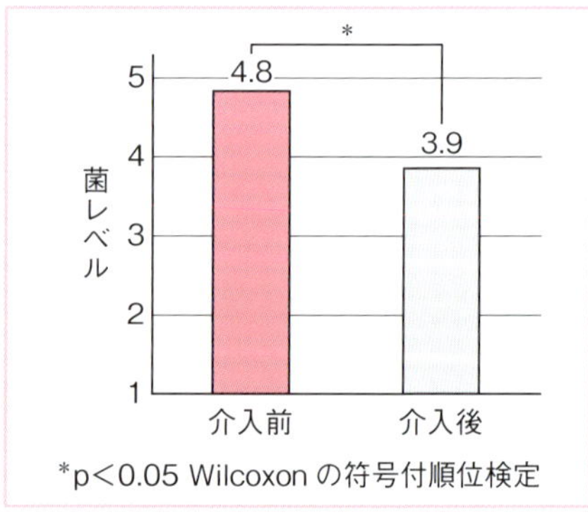

図3　総菌数の比較　　　　菌レベルの比較

2）．口腔内総菌数および菌レベルを比較した結果，介入後では有意に総菌数および菌レベルが減少した（**図3**）．

これらの結果から，歯科の介入により日常的に行われている看護師・介護職員による口腔清掃への意識や技術が向上したものと考えられた．また，入居者の舌や唾液状態の改善や総菌数が減少したことから，口腔内自浄作用などの口腔機能が向上したと考えられた．

まとめ

歯科の介入により，入居者の口腔内環境を改善することができた．今後は，さらに口腔ケアの知識・技術の向上を図るとともに，統一したプロトコールを作成する必要がある．

参考文献

1）米山武義ほか：要介護高齢者に対する口腔衛生の誤嚥性肺炎予防効果に関する研究．日歯医学会誌，20：58-68，2001．

2）Eilers J, Berger A, Petersen M. Development, testing, and application of the oral assessment guide. Oncol Nurs Forum, 15 (3)：325-330, 1988.

11-11 歯科クリニックにおける口腔機能向上プログラム

元みほ歯科医院 岩﨑妙子

通院中の患者より，「家族の飲み込みが悪くなった」との相談を受けた．そこで，家族と本人の希望により，要介護状態にならないことを目的とした口腔機能向上を歯科診療所にて行った．

概要

●症例

患者背景：70歳（当時）男性，妻と2人暮らし

既 往 歴：ヘバーデン結節，脳出血，その後内科受診後調剤薬局で救急搬送された経験有

現　　症：全身的な皮下出血，軽度の発語障害，歩行障害あり

検査所見：心電図・胸部エックス線・血液・生化学検査―正常範囲内

自 立 度：日常生活にはほとんど支障ないが一部妻の介助が必要

口腔所見：残存歯27本，義歯無し，口腔衛生状態良好

服薬状況：（**表1**）

経過

●事前アセスメント―アセスメント票（表2）

年の離れた妻は，今まで常勤で働いていた．一方，患者は日中1人でテレビと留守番．声を出すこともほとんどなく，あまり動かない生活を送っていた．

しかし，妻の退職とともに夫婦で一緒に過ごす時間が増え，「声が出にくい，む

表1　服薬状況

アントブロンLカプセル45＊	気管支拡張剤
ムコスタ錠100，ファモチジン錠20，酸化マグネシウム，アジャストAコーワ錠	抗潰瘍剤，健胃剤，便秘治療剤
ポララミン錠2mg＊，アレロック錠5＊	抗ヒスタミン剤，抗アレルギー剤
バイアスピリン錠100mg	抗血小板剤
バップフォー錠10＊	前立腺肥大，頻尿改善剤
ケラチナミンコーワ軟膏，マイザークリーム0.05%	角質化改善，ステロイド外用剤

＊添付文書に口渇の記載あり

表2　アセスメント票

アセスメント票

氏名

実施日　平成　　年 4 月　　日

1.　回目

No.		
1	体重歴	1. 安定　2. 減量　③ここ数年増
2	食欲	①ある・ふつう　2. あまりないが食べている　3. 食欲なし　あめ おやつ（羊かん・ビスケット・コーヒー＝クリーム＋砂糖）
3	好きな食物	・濃い味・油っぽいもの・カツ・
4	お酒	1. 飲む（　　）　②飲まない
5	たばこ	1. 吸う（　　本）　②吸わない
6	口腔内の衛生状態	①良好　2. 不良
7	口臭	①なし　2. 少しあり　3. 強い
8	RSST	1. 3回以上　②3回未満（1回）
9	うがい	1. ブクブクうがいをする　②水を口に含む程度
10	舌苔	①なし　2. あり
11	ここ1カ月の発熱の有無	（　0　）/月
12	オーラルディアドコキネシス	パ（3.3）回/秒　タ（3.5）回/秒　カ（1.7）回/秒
13	頬の膨らまし	1. 左右充分可能　②やや不十分　3. 不十分
14	舌運動	1. 可能　②（やや）不完全　3. 不可能
15	発声機能	1. 明瞭　②一部不明瞭　3. 聞き取り難

備考　・ポケット内にノンシュガーのあめ常備・　・塩分のあるもの→むせる
・[illegible]痛くて噛めない。いつも左のみで噛む・　・芋・かぼちゃの時にはよく水飲む
・食物残渣が [illegible] 残るので外食できなくなった。
・下唇をかむくせあり…　ストレス？（工事の振動から始まった）

せる，飲み込みが悪くなった」と患者の変化に気づきはじめた．

頬の膨らまし：やや不十分，**舌の動き**：やや不完全，**発声機能**：一部不明瞭，

（頬の動きは「両頬同時」「左頬のみ」「右頬のみ」を膨らませることができるかどうかを，舌の動きは舌を「上」「下」「左」「右」に動かすことができるかを視診で判定[1]）

オーラルディアドコキネシス：パ（3.3）回/秒，タ（3.5）回/秒，カ（1.7）回/秒，

（60歳以上の男性健常者と比較すると明らかに「カ」が減少（**図1**））

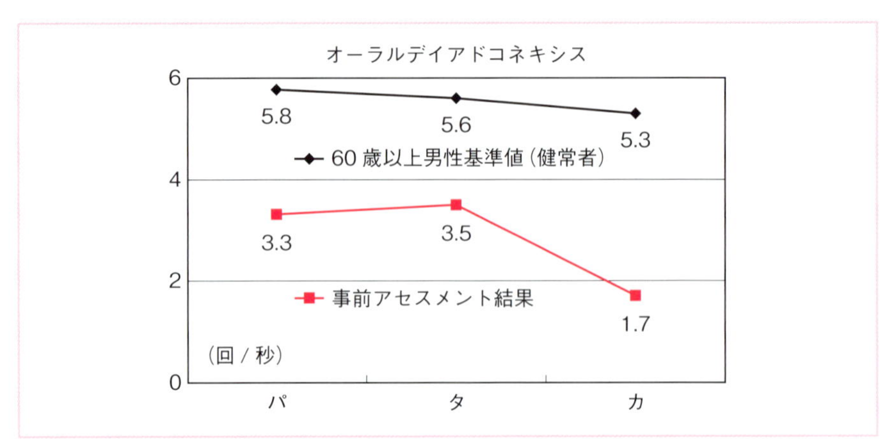

図1　オーラルディアドコキネシス（60歳以上男性基準値（健常者）は西尾，2007[3]より）

表3　計画表

1	4/10	事前アセスメント	6	5/29	糖分摂取・間食
2	4/15	顔面体操	7	6/12	嚥下のしくみ
3	4/22	舌	8	6/26	パ・タ・カ・ラ
4	5/ 1	唾液	9	7/ 1	細菌の話・まとめ
5	5/15	嚙む	10	7/15	事後アセスメント

反復唾液嚥下テスト（RSST）：事前30秒以内に1回のみ
中間1回目（18秒）2回目（40秒）3回目（60秒）
（※中間においては空嚥下に要する時間）
（文献2）により判定した）

間食：ようかん，ビスケット，コーヒー（砂糖ミルク入り），ノンシュガーの飴は常備

●問題点

1. 唾液が少なく舌，頬，口唇等の筋力が低下している．
2. 「食べる，呼吸をする」以外にも声を出さないので表情がとぼしい．
3. 室内で過ごすことが多いと「間食」の機会も増えている．

●目標

夫婦で外食をし，大好きなフランスパンを食べること．

●計画─計画表（表3）

1. 薬の影響もあり唾液が増えるよう唾液腺マッサージや嚙む回数を増やすなどの工夫をする．
2. 口を動かすよう心がけ舌や頬，口唇の体操，声を出す．
3. 食べる時は正しい姿勢で食事ができるよう嚥下の仕組みを理解し，それに伴う筋力もつける．
4. 糖分の摂取（間食の食べ方）や水分補給に気をつけ生活スタイルを見直し外出し

図2　顔じゃんけんの「うちわ」

レクリエーション・パズル　答え

名前＿＿＿＿＿＿

	1 ウ	16 ガ	イ		2 カ	ネ			25 カ
17 シ		ッ		3 シ	タ		4 ネ	18 サ	ゲ
ヨ		5 カ	26 ジ		6 ギ	ヨ	ル	イ	
ク		7 セ	カ	19 ス			8 マ	キ	バ
9 ゴ	20 エ	ン	セ	イ	21 ハ	イ	エ	ン	
	ン		ン		ブ				22 ボ
10 ダ	シ				11 ラ	23 イ	24 ト	バ	ン
エ		12 ア	ゴ		13 シ	セ	キ		サ
14 キ	ノ	ウ				イ		15 コ	イ

図3　クロスワードパズル

て気分転換を心がける．

各回ごとにテーマを決め，ワンポイントの指導・実技を交えながら「口腔機能向上の大切さ」が理解できるように計画を立てた．おおよそ3カ月の期間，経過をみながら，無理なく継続できるよう10日から2週間に1度の来院を予定してもらった．

●歯科クリニックで行う利点と欠点

1. 口腔衛生が管理されており全身状態を把握しているので体調の変化に気づきやすい．
2. 慣れた環境であり，緊急時の対応も準備できており安心して受け入れてもらえる．
3. 個別対応のため比較対象がいないと，苦手なものや嫌いなものは継続困難となる．
4. 改善策として，妻の協力により2人で参加することで競い合ってモチベーションを高めてもらった（妻の運転により車で通院のためいつも同行）．
5. 個人情報の問題もあるので，他の患者と一緒にならないよう配慮し，まずは待合室で体操や話を聞いてもらいその後は診察室へ移動した．

●指導媒体

1人では長続きしなかった体操だが，体操の意義や嚥下のしくみが理解できると，夫婦2人で顔ジャンケンなども楽しく参加してくれた．また，耳下腺・舌下腺・顎下腺など唾液腺についての理解度を確認するために，自作したクロスワードパズルに取り組んだ．このようにモチベーションを高め，継続できるように媒体を使用し工夫した（**図2**，**図3**）．

●結果

1. はじめのうちは仕方なく「やらされている」感じが強く表情も硬い様子だった．
2. 「お口の体操」をすることにより，唾液が増えて口の中が潤ってきた．
3. よく噛んで食べるようになり薄味でもよくなり，食べこぼしをしなくなった．
4. また，夫婦で共通の楽しみが増え，会話がはずみ，話す機会が増えた．

5. しかし，「油断して何もしないと以前の状態に戻ってしまう」と日々の積み重ねが必要だと実感した．
6. 残念ながら，体調を崩し7回で中止となってしまったが，本人や家族は体調が戻りしだいの再開を希望している．

まとめ

フレイルの予防のためにも口腔機能向上に関する知識は必要である．たとえ現時点で「口腔機能低下症」にかかわることができる環境がなくても，いつでも対応できるよう，スキルアップを心がけるべきと考える．

参考文献

1) 高橋美砂子ほか：介護通所施設利用者における口腔機能低下予防体操の効果(3) ~6ヵ月間の介入によるQOL，口腔機能の変化~．北関東医学，60：243-249，2010.
2) 植田耕一郎ほか：口腔機能の向上マニュアル．厚生労働省口腔機能の向上についてのマニュアル研究班，2006，75-96.
3) 西尾正輝：標準ディサースリア検査 第4版．インテルナ出版，東京，2007，23-56.

11-12 歯科医院における高齢者の口腔機能を高める歯科保健指導の実際

医療法人香優会比嘉歯科医院 比嘉良喬／元医療法人香優会比嘉歯科医院 嵩原典子
元公益財団法人ライオン歯科衛生研究所 武井典子

超高齢社会を迎え高齢者人口が増大する中，歯科医院においても介護予防の役割が求められている．そこで，沖縄県歯科医師会では，歯科医院に来院する高齢者に対し，介護予防の視点から「食べる・話す」等につながる口腔機能を高める歯科保健指導を積極的に行い，フレイル（虚弱）や介護予防に貢献できるか否かを検討することにした．そこで今年度からは，これまでの齲蝕や歯周病の予防が中心であった歯科保健指導に，口腔機能を高める歯科保健指導を追加した．今回は，定期検診受診者に行った口腔機能を高める歯科保健指導の実際を紹介する．

概要―口腔機能を高める歯科保健指導内容

●歯科医院で簡単にできる口腔機能を高める歯科保健指導教材の開発

高齢者が，①口腔機能の低下を自覚（口腔を４つのカテゴリーに分けて検査）し，②低下した機能を高めるプログラムを実践，③数カ月後にその効果を確認できる一連のシステム[1]を用いた小冊子を開発した（**図１**）．

実践

●歯科医院での定期健診時に口腔機能を高める歯科保健指導を実践

STEP①：口腔機能の低下に気づく

最初に小冊子「口の元気度」チェックシートを活用して，口腔を４つのカテゴリー（『口の周り』『噛む力』『飲み込む力』『口の清潔度』の元気度）に分けて調査または検査する．

カテゴリー毎に調査のみでなく客観的な指標を用いて検査を行う．『口の周り』は「頬の膨らまし検査」[2]，『噛む力』は「咀嚼力判定ガムによる咀嚼力の判定」[3]および「口の渇き検査」，『飲み込む力』は「反復唾液嚥下テスト（RSST）」[4]，『口の清潔度』は洗口吐出液の「濁度検査」等である．

STEP②：口腔機能の低下している部分に対応したプログラムを紹介する

小冊子の裏側には，４つのカテゴリーに対応した口腔機能向上プログラムを掲載した．

「口の元気度」チェックシート

それぞれの項目で★が1つでもあった場合には、
該当する項目の「健口美」体操をがんばりましょう!

1 「口の周り」の元気度

Q1.左右の頬が、両方ともふくらみますか?
「ふくらむ」 「ふくらまない」…★

Q2.食べこぼすことがありますか?
「いいえ」 「はい」…★

★の個数 個

2 「かむ力」の元気度

Q3.半年前に比べ、
固い物が食べにくくなりましたか?
「いいえ」 「はい」…★

Q4.口が渇きやすいですか?
「いいえ」 「はい」…★

★の個数 個

3 「飲み込む力」の元気度

Q5.お茶や汁物などで、むせることがありますか?
「いいえ」 「はい」…★

Q6.30秒間で3回以上つばを飲み込めますか?注1)
「飲み込める」 「飲み込めない」…★

注1) つばを1回飲み込んでから始めてください。

★の個数 個

4 「口の清潔度」

Q7.1日の口の清掃回数は何回ですか?注2)
「3回以上」 「2回以下」…★

Q8.自分の口臭が気になりますか?
「いいえ」 「はい」…★

注2) 入れ歯の清掃を含みます。

★の個数 個

-2-

図1　歯科保健指導教材（公益財団法人ライオン歯科衛生研究所編）

『口の周り』は，「ウイ」体操や「頬の膨らまし」体操，『噛む力』は「咀嚼の勧め」や「唾液腺マッサージ」，『飲み込む力』は「開口体操」「舌突出嚥下訓練」「頭部挙上訓練」，『口の清潔度』は，口腔清掃や義歯清掃である（小冊子）．

STEP③：プログラム実施数カ月後に口腔機能が高まったことを確認する

数カ月後に小冊子「口の元気度」チェックシートを活用して初回と同様の調査と検査を行い，口腔機能が改善したかどうかを確認することが大切である．この時点で，さらなる課題を明確にして，日常の場で実践する口腔機能向上プログラムを再度確認していくようにする．

●定期健診受信者の最初の口腔および口腔機能の状態

今回，歯科医院の定期健診受診者の中から65歳以上の高齢者12名（平均年齢

表1　口腔状態

平均残存歯数	15.6±7.22本	義歯：有9名　無3名	インプラント：無
歯垢付着量	少ない4名	普通6名	多い2名
舌苔スコアー	1/3未満7名	2/3未満5名	2/3以上5名
口臭（官能）	無10名	弱い2名	

表2　口の元気度（調査）

口の周り	頬の膨らまし	両方膨らむ12名	膨らまない0名
	食べこぼし	無10名	有2名
噛む力	硬い物が食べにくい	いいえ6名	食べにくい6名
	口が渇きやすい	いいえ7名	乾きやすい5名
飲み込む力	むせることがある	ない10名	ある2名
30秒間で⇒	3回つばが飲み込める	はい9名	飲み込めない3名
口腔の清潔度	口腔清掃習慣	3回以上4名，2回7名	1回以下1名
	口臭が気になる	いいえ10名	はい2名

表3　口腔機能検査結果（歯科衛生士による検査）

口の周り	頬の膨らまし	両方12名	片方0名	膨らまない0名	
噛む力	口の渇き検査（崩壊錠）	30秒未満で崩れた2名	30～59秒で崩れた6名	60秒以上で崩れた5名	
	咀嚼力判定ガム	ピンク2名	薄いピンク5名	黄色3名	緑2名
飲み込む力	RSST	3回以上9名	2回3名	1回0名	0回0名

表4　定期健診受診者の全身の状況

既往歴（重複）	高血圧11名	心臓病3名	糖尿病1名	呼吸器系疾患1名	
介護認定	受けていない11名	受けている1人（要介護度2）			
身体の疲れ（この1カ月間）	とくにない8名	体重の減少0名	疲れやすくなった2名	筋力が衰えた2名	歩くのが遅くなった1名
健康状態（この1カ月間）	非常に健康3名	まあ健康6名	あまり健康でない2名	健康でない1名	
指輪っか検査（**図2**）※	囲めない4名	ちょうど囲める5名	指があまる3名		

※指輪っかの検査：ふくらはぎの最も太い部分を両手の親指と人差し指で囲めるか否か（フレイルのスクリーニングに向けて検討されている検査法の1つ）

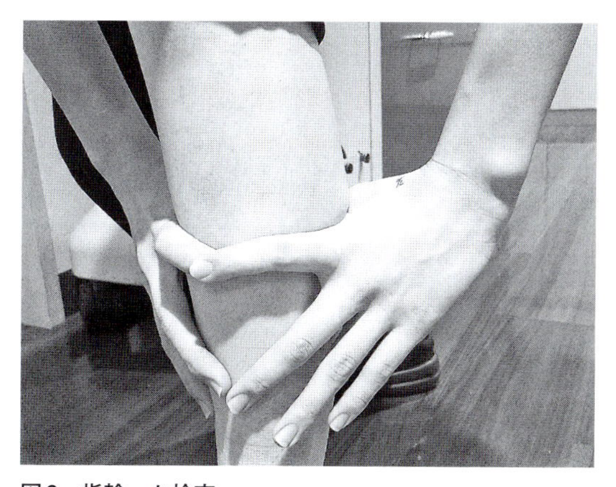

図2　指輪っか検査

76.3±6.66歳）の口腔機能を調査および検査し，プログラムの紹介を行った．初回の調査・検査で以下の状況がわかり，定期健診を活用した，口腔機能を高める歯科保健指導の必要性が示唆された（**表1～4**．色文字は対応が必要である項目）．

●受診者が実施する口腔機能向上プログラム（重複有り）（図3）

受診者が実施すると選択した口腔機能向上プログラムは口唇引き（ウイ）体操3人，頬の膨らまし4人，咀嚼（よく噛んで食べる）5人，唾液腺マッサージ[5]7人，舌突出嚥下訓練2人，開口訓練[6]2人　口腔清掃の強化7人であった．

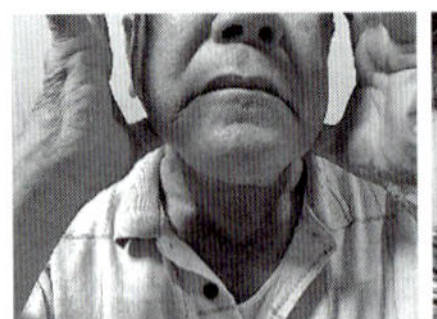
唾液腺マッサージ[5)]

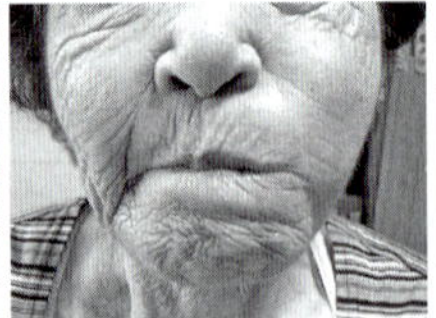
頬の膨らまし[2)]

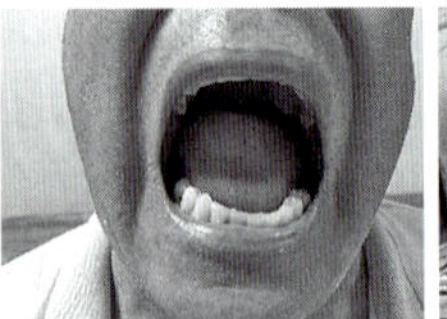
開口訓練[6)]

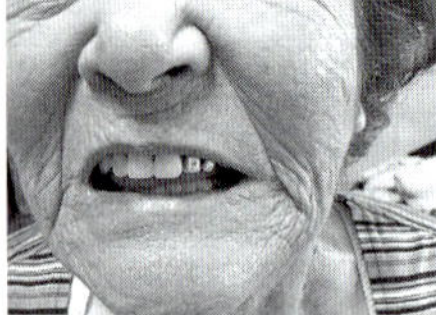
口唇引き（ウイ）体操

図3　口腔機能向上プログラム

まとめ

今回の定期健診受診者は12名全員が，3～4カ月毎に定期健診を受診している．要介護度2の受診者は家族の付き添いのもと，車いすにて通院しているが，他の11名は徒歩での通院である．

これまで定期健診を受診している受診者であるため，12名中11名が1日2回以上の口腔清掃をしており，10名が口臭を感じていなかった．口臭を感じる2名は歯垢の付着や舌苔によるものと考えられた．また，口腔機能に関しては，定期健診受診者は，残存歯数が多く，2/3が義歯を装着しているが，咀嚼力判定ガムの結果，5名に対しては義歯適合性等の確認と咀嚼訓練が必要と思われた．さらに，RSSTにおいて30秒間で3回以上飲み込めない受診者が3名，口腔が乾燥しやすい受診者が5名と口腔機能向上プログラムの実施の必要性が認められた．また，フレイルの調査において，「疲れやすくなった」「筋力が衰えた」「歩くのが遅くなった」に該当する受診者もおり，あまり健康ではない・健康ではないと回答した受診者が3名，指輪っか検査で指があまる受診者が3名おり，積極的なフレイル（虚弱）・介護予防の必要性が認められた．

今後，歯科医院においても定期健診等の機会を活用した歯科保健指導を通して，より積極的に口腔機能を高める支援を行っていく必要があり，できるだけ長期間，歯科診療所に通っていただけるよう，口腔を通したフレイル（虚弱）・介護予防の必要性が示唆された．

引用文献

1) 武井典子ほか：高齢者の口腔機能の評価と管理のシステム化に関する研究 第1報 自立者の総合的な検査法，改善法，効果の評価法ついて，老年歯科医学，23(4)，384-396，2009.
2) 厚生労働省「口腔機能の向上についてのマニュアル研究班」(主任研究者：植田耕一郎)，口腔機能の向上マニュアル，東京，厚生労働省，2006，75-96.
3) 平野圭ほか：新しい発色法を用いた色変わりチューインガムによる咀嚼能力の測定に関する研究，補綴誌，46，103-109，2002.
4) 小口和代ほか：機能的嚥下障害スクリーニングテスト「反復唾液嚥下テスト」(the Repetitive Saliva Swalowing Test：RSST) の検討 (1) 正常値の検討，リハ医学，37，378-382，2000.
5) Egyetem, S., et al.：The effect of heat stimulation and mechanical stress (massage) of salivary glands on the secretory parameters of salivary Hsp70. A pilot study, Fogory Sz., 97 (5)：204-210, 2004.
6) Satoko Wada., et al：Jaw Opening Exercise for Insufficient Opening of Upper Esophageal Sphincter, Archives of Physical Medicine and Rehabilitation, 93, 1995-1999, 2012.

11-13 脳血管疾患を患い，その後遺症に悩む患者さんへの歯科医院での取り組み

Nao デンタルクリニック　鈴木里保

高齢者人口が増大するなか，診療室においても広い視野と知識・技術をもって対応していかなければならないケースが増えてきている．口腔機能に関する問題もその１つである．

“高齢の患者がその人らしく生き生きと生活していくために，歯科衛生士として常に悩みながらも取り組んでいくことが必要である．

概要

患者　68歳男性

平成19年10月に脳梗塞を発症，急性期病院に２週間，回復期病院に３カ月入院後，在宅に帰り通院しながらリハビリテーションを行っていた．口腔の麻痺で右口角からのよだれ，ご飯でむせる，ご飯が口の中に残る，水は飲み込みにくい，思うようにしゃべれない，物を持てない等の症状が後遺症として残っているため，ケアマネジャーより当院を紹介され娘さんを伴って来院された．

家庭では奥さんと二人暮らしであるが，奥さん自身が持病をもちご主人の支援まで手が回らないという．

●初診時における歯科医師の診断（平成20年6月）

・主訴：口腔の麻痺，右口角のよだれ，水は飲み込みにくい，ご飯でむせる，思うようにしゃべれない，物を持てない

・既往歴：胃潰瘍

・現病歴：高血圧，糖尿病，脳血管障害（右側片麻痺）

・服　薬：バイアスピリン（抗血小板薬），ブロプレス（降圧薬・ARB），グリコラン（経口糖尿病用薬）

・残存歯：あり（4mm以上のポケット多数存在）

（残存歯）8 5−2 | / | 2−6，10本　全体的に歯肉増殖あり

（⑧76⑤| はBr　|6 は残根状態）

・義歯の使用：あり（上下部分床義歯）

・口腔機能の状態：カーテン徴候，口からお茶などがもれる，構音機能障害，唾液量の減少，口腔衛生の状態：不良，著しい義歯の汚れ，口臭

(強い)，舌苔付着，お茶や味噌汁がうまく飲み込めない，ごはんでむせる(口の中に残る)．RSST1～2回/30秒

・その他の状態・様子：表情乏しく硬い．顔面麻痺もみられる．
全身状態の不具合に加え，口腔にも障害が出ている現状に戸惑っている．
娘さんより，「(以前より) 会話が少なくなった」とのこと (ご本人は，会話がスムーズにいかないことに苛立っているとのこと)

・治療方針：口腔衛生および口腔機能としては，特に軟口蓋・舌・口唇の機能の問題が強く出ていると考えられることから，日常生活に支障のある口腔機能の問題の改善に向け，歯周病の改善と合わせ摂食機能療法を行う．
(2回/月の診療室でのリハビリと，自宅で行う毎日のホームリハビリ等) ご家族にも無理のない範囲でご協力いただく．
定期的に機能検査も行う．

・実施するリハビリ内容等：深呼吸，咳嗽，首・肩・唾液線マッサージ，口唇・舌運動，発声等の基本的な運動 (**図1**)
ピークフロー，オーラルディアドコキネシス，巻き笛 (吹き戻し)，アイスマッサージ，姿勢調整 (うなずき嚥下)，食形態の改善と指導，食事の一口量指導 (スプーンの変更等) 等

経過

患者さんは，当院での取り組みをはじめてからわずか数カ月の時点で，著しい体重の減少 (体重43kg，BMI 18.3) 等，全身状態に異変が現れたため，内科受診を勧めたところ，その原因は他の疾患 (甲状腺機能亢進症) であることがわかり，すぐに内科的治療へ繋げることができた．

ご飯は食べるのに困難を伴う，とろみをつけたものやゼリーなら食べられる，タンパク質が補えない，とのことであり，食事指導では必要エネルギー不足を補うためカロリーメイトゼリー3本/日の補食を勧めた．

甲状腺の治療開始から数カ月ほどで体調は回復し，体重，栄養状態も改善し，当初予定していた口腔機能リハビリテーションについても意欲的に行うことができるようになってきた．体重は50kg台にアップした (目標体重51.5kg=BMI22)

口腔清掃状態は不良　PCR：94%，舌苔中等度 (ブリッジあり，義歯使用，利き手とは逆の左手でのブラッシング，口腔機能の低下等が影響しているものと思われる)．セルフケアは，とにかく使える道具で，できる範囲で行っていただくようにし，歯頸部，歯間部へのアプローチについてはご本人に合った方法を試行錯誤し

図1　口腔リハビリテーションのメニュー

ながら少しずつ繰り返し指導を行った．

●初診から約1年後

患者さんは，脳梗塞の後遺症による不自由さに，もどかしさや苛立ちを感じ，愚痴をこぼされるようになってきた．話に耳を傾け，リハビリの大切さや前向きな見方について話し励ます．また，モチベーションを上げるためにホームリハビリの課題も出した．

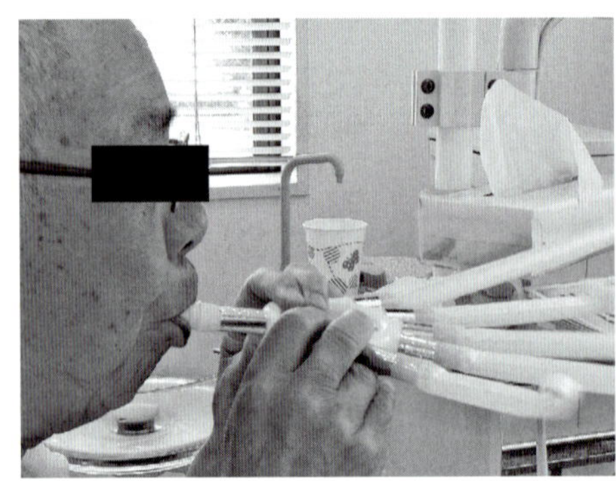
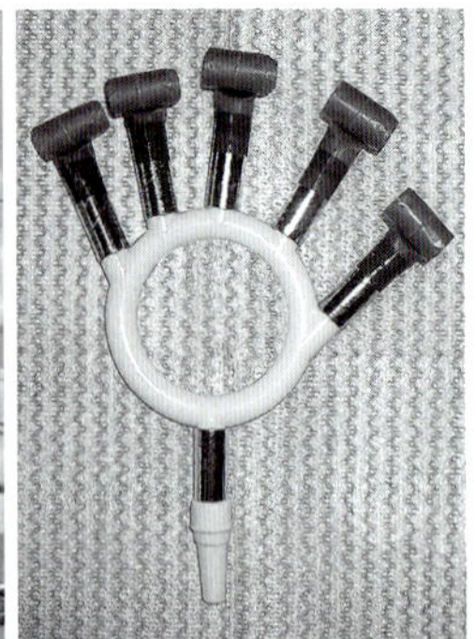

図2　追加した5本巻き笛（吹き戻し）

<ホームリハビリの課題>

・「口腔機能リハビリテーション」のメニュー（特に舌や口唇の項目を重点的に）

・ブローイング

・発声練習

〈この間，来院は月2回を約3カ月間ほど継続し，その後，次の来院まで約3カ月間隔を開けるというペースでかかわっていった〉.

●初診から約2年後

口腔機能に少し改善がみえた．嚥下音，口唇からの水漏れ，発音に改善がみえた，舌尖は前より上にあがるようになり，舌の力もついてきた．RSST：2回/30秒　ブローイング：10秒以上

さらに，これに伴ってプラークコントロールも改善傾向になってきた．

これは，全体にモチベーションがあがってきたことと，口腔機能の改善が口腔衛生状態と相まって，良い方向に働いているものと思われる．

ホームリハビリについては，さらなるモチベーションの一環として5本巻き笛（吹き戻し）（**図2**）を追加した．

●初診から約2年6カ月後

体重が安定．口腔機能はさらに改善，飲水時のむせは減少，舌の動きは良くなり，口も大きく開けることができるようになってきた．軟口蓋の挙上もでき，発音も前より少し良くなってきた．

ホームリハビリの中で，スプーンでの舌の抵抗運動を追加し，発音に関しては「パ・タ・カ・ラ」について力を入れてやっていただくようお伝えした．

●初診から約2年7カ月後

口腔機能全体に改善傾向．RSST：2.5回/30秒（複数回の平均値）

“昔，歌うことが好きだった”ことを口にされる．手よりもまず，口のほうが早く良くなりたいと意欲をみせてくださった．

●初診から約3年後

甲状腺治療が終了したところで，ややスランプに陥る．

体調不良，気力低下，RSST・ピークフロー測定値（**図3**）・オーラルディアドコ

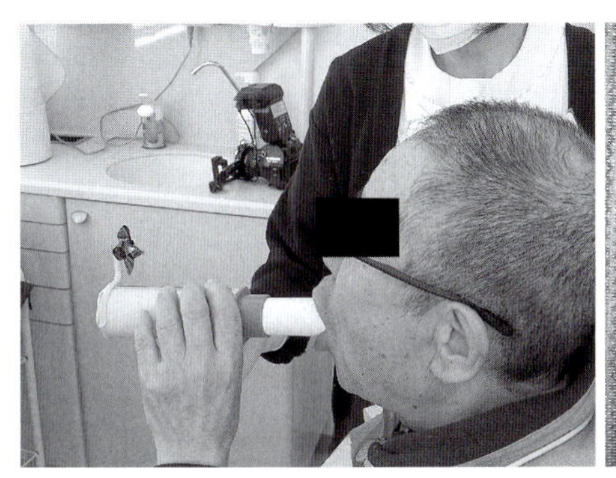
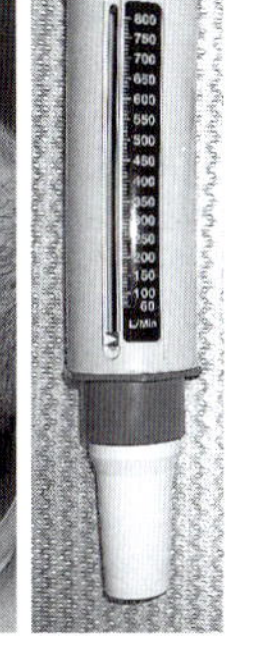

図3　ピークフロー測定

図4　オーラルディアドコキネシスの記録

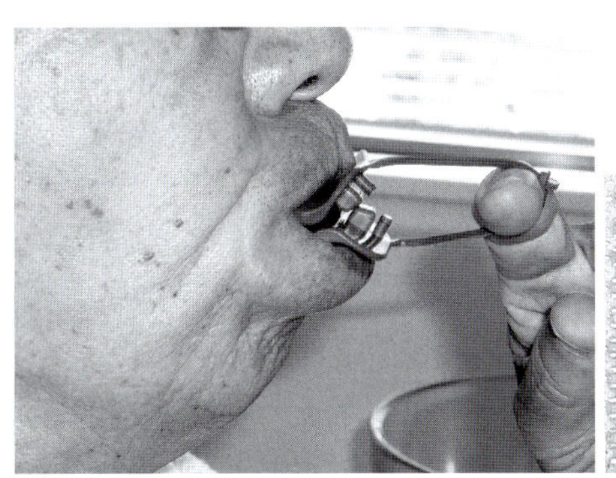

図5　メディカルパタカラ

キネシス（**図4**）に少し低下がみられた．

そこで，もっと的を絞ってより意識を集中できるよう，口唇力・舌圧・軟口蓋挙上力に重点を置いた新しいリハビリ メニューを提案し勇気づけた．（口唇力強化には，‘メディカルパタカラ’（**図5**）を取り入れて，定期的に口唇力測定（**図6**）も行っていくようにした．定期的な口腔機能検査記録の一例（**表1**）

ホームリハビリ メニューについては，書き込み式カレンダーにしてモチベーションに繋げるよう試みた．

●初診から約3年3カ月～4年目

口唇から息は漏れなくなってきた．

ホームリハビリは，書き込み式カレンダーに沿って非常に熱心に取り組み，通院も，予約通り欠かさず来てくださる．

時折，愚痴や弱気な発言もみられるが，脳梗塞から4年も経つと，劇的な変化への期待は減るが，「とにかく現状維持が大切ですから，少し上を向く感じで続けていきましょう」と励まし続けた．

●初診から約4年後

状態はおおむね維持されているため，今後，通院回数を4カ月に1回に減らし，ホームリハビリにウェートを置いてみていくことにした．

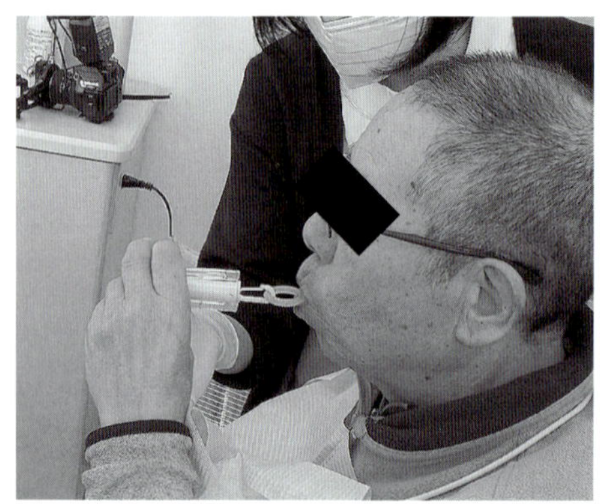
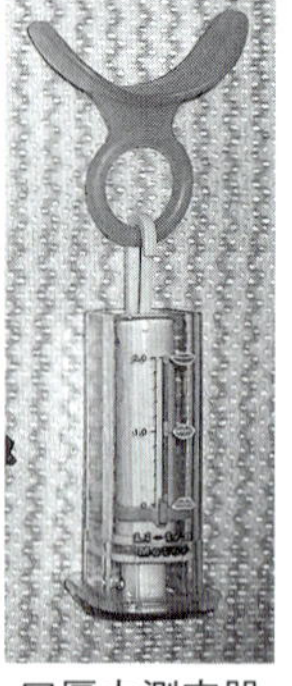
口唇力測定器

図6　口唇力の測定

表1　口腔機能検査記録の一例　　平成23年11月

RSST(回/30秒)	2(回/30秒)
オーラルディアドコキネシス(回/秒)	パ：3.1，タ：3.6，カ：3.0
ピークフロー検査(リットル/分)	211(リットル/分)
ブローイング検査(秒)	10秒以上　〈18秒〉

●初診から約5年後

身の周りに変化(ご兄弟の死，奥様の心臓の手術)があり，これが口腔機能にも影響．ご家族のことも含め良くお話を伺ったうえで，無理なく可能なところでの対応策を提案．

水でときどきむせることについては，水を飲むときにはストローを使用していただき，食事中や食後の痰がらみについては，食事の際の複数回嚥下を勧めた．

●初診から5年6カ月後

しゃべりにくい，しゃべるのがおっくうとの訴えあり

このとき，上顎義歯の破損を発見，新たに製作したところ，発音が改善．

義歯の適合性も良くなければ，リハビリも上手くいかないことを実感した．

オーラルディアドコキネシスでは，「タ」「カ」が前回より下がっており，左右の舌の厚みにも左右差があることから，舌の力をつけるため‘ペコぱんだ®’(**図7**)を家でも使っていただくようお渡しした．舌圧：26.8kPa(**図8**)

●初診から約6年6カ月

身の周りに変化(奥様が認知症になり，夜の徘徊をするようになった)があり，奥さんの世話が大変でホームリハビリがあまりできなかったとのこと．

今後も，定期的に来院してくださるとのことだが，リハビリについては，あまり負担になるようなことは避け，今後の生活においての気分転換にでもなればという考えのもとに行っていただくこととした．

●初診から約7年目

体重：55kg，5本巻き笛：5本を7～9秒，ホームリハビリはときどきやってい

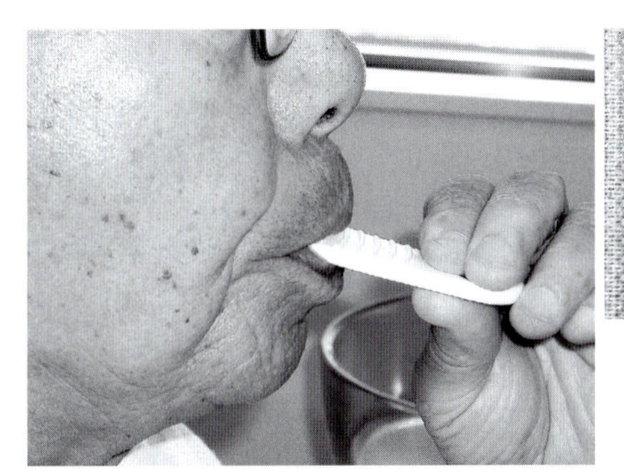
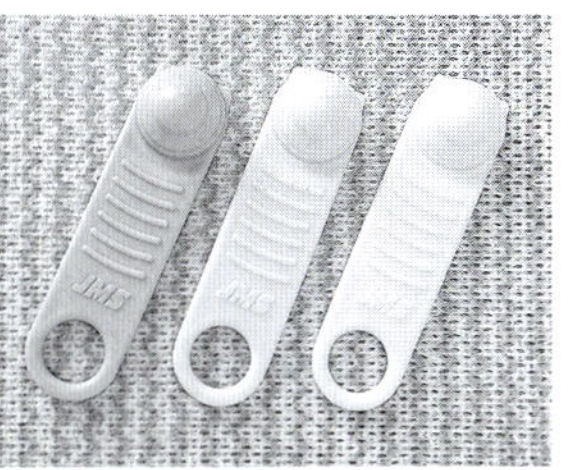

ペコぱんだ®

図7　ペコぱんだ®による訓練

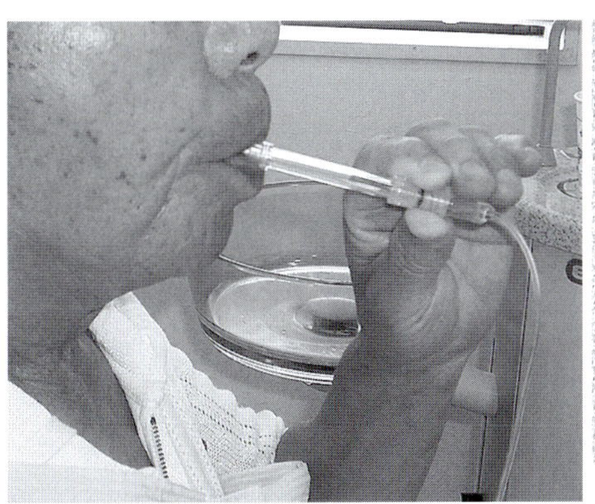

JMS 舌圧測定器®

図8　舌圧測定

る程度，舌圧：34.65 kPa（前回より力がついている）

本日は，ピンとしたチェック柄の素敵なシャツを着ていらっしゃった．

「今日は，素敵なシャツをお召しですね」といったら

「たまに来るから，少しおしゃれしなくちゃ」と，少し嬉しそうな表情をみせてくださった．

表情も明るく，何となくお顔も口元も引き締まっているようにみえた．

今日のリハビリも少し楽しみながらやってくださっていたように感じられた．

一つ一つのメニューをやる中で，どれも前より少し力強く行えているように感じられた

考察

本症例は，7年もの間，口腔機能を通してかかわってきた例であり，この機会に沢山のことを学ばせていただいた．

まず心にとどめておきたいことは，人生の大先輩である患者さんとかかわっていくには，誠実で謙虚な気持ちがなければ，すぐに見抜かれ，励ますときも心から励まさなければ伝わらず，受け入れられないということである．さらに，かかわっ

表2　口腔ケアプラン表の一例　　平成23年11月〜

問題点	リハ目標と項目	リハビリテーションの実施法			評価
		いつ	どこで	どのように	
・RSST：3回未満（2回） ・ピークフロー：211　低い ・オーラルディアドコキネシス ：パ3.1，タ3.6，カ3.0 基準値より低い ・口唇力：弱い（上昇傾向） ・軟口蓋：右がやや下がっている ・深呼吸：口から吐く時，後半少し鼻から漏れる ・舌：奥舌の厚みに左右差あり	・RSST：3回を目指す ・ピークフロー：250目指す ・口唇力，舌挙上力つける ・軟口蓋挙上力強化（息が漏れないように） ・発音発声の更なる改善 より聞きやすく，音を前へ，メリハリのある音を出せるように ・発声持続訓練	定期	診療室	・ブローイング・巻き笛 ・深呼吸 ・アー音何秒続けて出せるか ・口唇突出 ・舌突出 ・開口訓練 ・舌抵抗運動 ・発音発声練習 ・舌・頬・唇マッサージ ・メディカルパタカラ	・RSSTが伸びない ・口唇力：弱いが少しずつアップしてきている ・オーラルディアドコキネシス：「カ」が伸びない ・ピークフロー：低いがやや上向き（250はまだまだ） ・鼻からの息漏れは，意識すればだいぶ少なくできる ・右舌の力はまだ弱い ・発音発声頑張っている ※今後： 呼気力，嚥下力，軟口蓋挙上力，右奥舌の力の強化に力を入れる
		毎日	自宅	・メディカルパタカラ3回/日 ・巻き笛，深呼吸，アー音の持続 ・舌抵抗運動 ・発音・発声練習	

＊初診より約3年後の口腔機能の評価とプランニング内容

ていくには，かなりのパワーとバイタリティー，ときに，忍耐が必要になるということである．

次に，診療室に来られる患者さんへの取り組みとしては，やはり低下した口腔機能を少しでも向上させてそれを維持していくこと．また，何もしなければ下がっていく口腔機能を，下がらないように維持していくことである．これを行っていくためには，口腔機能に関する問診や検査がまず必要になり，必要に応じその他の情報も収集し，それをもとに診断・分析，具体的対策の検討・プランニング，実践，継続，再評価，次のプランへとつなげていく流れとなる．（プランニングの一例（**表2**））

まとめ

本症例では，何といっても，定期的な通院と毎日のホームリハビリがカギとなっている．

モチベーションを上げるための工夫もいろいろと考えてきた，リハビリグッズの使用，記入式のホームリハビリ表，数字で表せるものは数字で記録，定期的な口腔機能検査などである．これらは，リハビリを継続していくうえでのスパイスとして効果的であり，また実際に口腔機能の向上にも有効に働いた．

さらには，全身状態も変化するため，その変化を見落とさないようにすることが大切であることを今回学んだ．あらゆる面で細かな変化を見逃がさずフォローしていくことが大切である．

高齢者は，いろいろな悩みを抱えている．たとえば，身体，経済，家族内の人間関係，心等，しかも深刻で切実であることが多い．そして，それが口腔機能に大きく影響することが分かった．また，その逆もある．そのことをよく理解したうえで私たちは患者さんを励まし，その人に合った無理なく続けられるホームリハビリ，ホームケアの方法を提案し，それがより良い形で継続していけるよう，一緒に考え，支援していくことが大切だといえる．

歯科は，治療やメインテナンスのたびに，患者さんとある程度まとまった時間を共有できるという，他科にはない特性がある．だからこそ，高齢の患者さんを生き生きとさせ得る可能性がある．

診療室に来院される患者さんの口腔機能の変化に気づき，力になれる一番身近な職種は私たち歯科衛生士ではないだろうか．

参考文献

1）菊谷武：図解 介護のための口腔ケア（介護ライブラリー）．講談社，東京，2008.
2）秋広良昭ほか：くちびるを鍛えるだけで健康と美が手に入る．マガジンハウス，東京，2010.

11-14 60歳以上の高齢者を対象とした口腔機能向上教室の取り組み

三ノ輪口腔ケアセンター 清水けふ子

台東区三ノ輪口腔ケアセンターは，2009年4月に開設された．2011年から社会福祉協議会より東京都台東区歯科医師会・浅草歯科医師会に委託された介護予防事業を歯科医師・歯科衛生士で実施してきたが，2016年からは，栄養士も加わり，また介護保険の見直し，地域包括ケアシステムにより，2017年には，運動または水泳と口腔機能向上と栄養というように複合型の介護予防事業も新たに加わり，多職種と連携した介護予防事業が多くなった．2018年に実施された老人福祉館のお口元気度アップ教室のプログラムおよび2021年度の実施について報告する．

概要

●対象および方法

60歳以上の区民で1施設定員20名を4つの老人福祉館で3カ月を1クールとし10回コースで実施している．

プログラムの内容は，①口腔機能向上の必要性についての教育，②口腔清掃の自立支援，③摂食嚥下機能の向上支援，新たに，④高齢者の食事についての4つを軸に考えたプログラム内容となっている．**表1**は2018年度に実施されたプログラム内容である．

1回目と9回目に口腔機能評価を実施している．事前口腔内チエックは，2名の歯科医師が行い，歯科衛生士は，口腔機能評価項目として，反復唾液嚥下テスト，頬の膨らまし，オーラルディアドコキネシス（健口くん®：**図1**），施設職員は，胸囲差測定・アンケート調査担当している．7回目の講話の中で指輪っか検査行い，低栄養をより理解してもらう．咀嚼判定チェックガムは8回目の講話の中で使用し，咀嚼筋の話の教材として使用している．

2回目以降，穴埋め形式のテキストを使用しての講話である．年度の開始前にテキストは見やすくわかりやすいようにと改良を重ねている．現在のテキストの一例を**図2**に示す．栄養士が7回目の「低栄養について」の講話時に使用するテキストの一例である（**図3**）．講話の中で，参加者に食べたメニューを記入してもらい，9回目の事後の口腔機能評価の際，待ち時間に個別にワンポイントアドバイスを行っている．

表1　お口元気度アップ講座のプログラム（2018年）

回	内容	配布物・準備物	体操
第1回　4/18 （水曜日） 10：00～12：00 DH 3名	オリエンテーション 歯科健診　口腔機能評価 オーラルディアドコキネシス（DH） 胸囲差　アンケート調査（施設職員） 講話「お口元気度アップ講座」開催の意義 　介護予防についての話 　呼吸の大切さ（安全に食べるために必要なこと） 体操	・事前アンケート ・テキスト ・呼吸リズム体操 ・発声資料 ・出席簿（回収してDHが管理）	呼吸リズム体操 舌体操 口すぼめ呼吸
第2回　4/25 10：00～11：00 DH 1名	講話「お口とそれぞれの器官のはたらき」 体操 吹き戻し（巻き笛）	吹き戻し	呼吸リズム体操 「う・い」「あ・ん」 口すぼめ呼吸
第3回　5/2 10：00～11：00 DH 1名 栄養士	講話「高齢者の食事」（栄養士）　20分 「舌・唾液のはたらき」　40分 体操 吹き戻し		呼吸リズム体操 舌体操 唾液腺マッサージ 口すぼめ呼吸
第4回　5/9 10：00～11：00 DH 1名	講話「食べること飲み込むことの話」実習 体操 吹き戻し	カットコップ かっぱえびせん等	呼吸リズム体操 舌の体操　頸・肩の体操 口すぼめ呼吸
第5回　5/16 10：00～11：00 DH 1名	講話「おいしく安全にお食事しましょう～窒息について」 体操　吹き戻し	記入用メニュー表 （回収して栄養士に渡す）	呼吸リズム体操 舌体操　咳払い 口すぼめ呼吸
第6回　5/23 10：00～11：00 DH 1名	講話「汚れが招くお口のトラブル　パート１」 歯磨き実習　うがいの練習 体操　吹き戻し	はぶらし・コップ 夜のブラッシング　ポスター	呼吸リズム体操 あぷっぷ体操 口すぼめ呼吸
第7回　5/30 10：00～11：00 DH 1名 栄養士	講話「汚れが招くお口のトラブル　パート2 　～肺炎について～」　指輪っかテスト フレイルチェック　20分 「低栄養について」（栄養士）　20分 体操　吹き戻し　20分		呼吸リズム体操 舌体操 咳払い 口すぼめ呼吸
第8回　6/6 10：00～11：00 DH 1名	講話「笑顔が素敵なあなたに」 　～咀嚼判定ガムを使って～ 体操　吹き戻し	咀嚼判定ガム 用紙	呼吸リズム体操 あいうべ体操 口すぼめ呼吸
第9回　6/13 10：00～12：00 DH 2名 栄養士	口腔機能評価　ディアドコ（DH） 胸囲差・アンケート（施設職員） 講話の総復習　体操総復習　吹き戻し 第5回のメニューへのワンポイントアドバイス（待ち時間に結果返し）	事後アンケート ・メニューにコメントを入れて返却（個別）	呼吸リズム体操 お口の体操全部
第10回　6/20 10：00～11：00 DH 1名 栄養士	修了式　結果返し 　（栄養士）まとめ　15分 　まとめと体操総復習（時間あれば参加者の感想）	・結果表 ・終了証	呼吸リズム体操 時間配分をみながら 体操

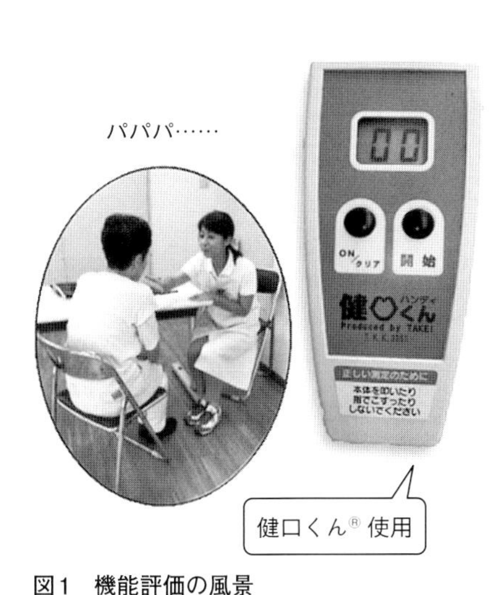

図1　機能評価の風景

第４回　食べること飲み込むことの話

【人は、どのように食べ物を食べているのでしょう？】

1）口に入れる前に目で見て
（①　　）や（②　　）を判断しています。

2）食べ物は（③　　）に触れてから歯で
かじりとります。

3）口に入った食べ物は、よく歯で噛み（④　　）を使って
（⑤　　）と混ぜ合わせます。
噛んでいる時には、（③　　）は閉じています。

4）口の中で、まとまった食べ物の塊は（④　　）を
使って喉へ送り、ゴックンと飲み込みます。
ゴックンの瞬間（⑤　　）は止まっています。

硬さ　唇　大きさ　唾液　呼吸　舌

空気の通り道
食べ物の通り道
ゴックン

宿題　口すぼめ深呼吸・舌体操・首肩の体操・
吹き戻し（　　）秒で（　　）回

4

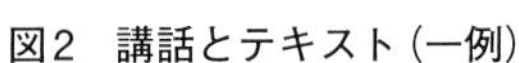

図2　講話とテキスト（一例）

口腔機能訓練においては，口腔体操以外に，呼吸を意識した呼吸リズム体操も2014年から取り入れている呼吸リズム体操（**図4**），吹き戻し（巻き笛）（**図5**）歌唱（馴染みの歌いやすいもの），発声練習をお口の体操（**図6**）をともに実施している．

第7回『低栄養について』

◆低栄養とは（健康な体を維持し、活動するのに必要な栄養素が足りない状態です。エネルギーとたんぱく質が欠乏した状態です。）

◆低栄養であると・・

病気にかかりやすい／風邪をひきやすい／傷の回復が遅くなる／筋肉・筋力の低下がすすむ／免疫能が低下する……誤嚥性肺炎にかかりやすい！

◆低栄養の危険度チェック

- □ひとり暮らしである
- □精神的に不安定である
- □下痢や風邪など感染症にかかった
- □介護に疲れている
- □食べ物の好き嫌いが多い
- □単品の食事ばかりで済ませている
- □食欲がない
- □やせてきた
- □食べる機能の低下がある

よくむせる／痰がからみやすい／うまく噛めない／せきの力が弱い／口からよくこぼれる

◆低栄養を予防するためには・・

たんぱく質を中心に、バランスの良い献立を心がけましょう！

→詳しくは、第3回「高齢者の食事」をご覧ください。

◆低栄養が予防できると・・

食事がおいしく食べられる → 病気や筋肉をすこやかに保てる → しっかり立ったり歩いたりできる → 体を動かすことが大変でなくなる

◆体重を測る習慣をつけましょう！

体重は、栄養状態や体の健康状態をみる大切なバロメーターです。

☆あなたの適正体重は？　身長 × 身長 × 20～25 ＝ 適正体重

（　m）×（　m）× 22 ＝　kg

例：身長150cmの方・・（1.5）×（1.5）× 20～25 ＝ 45～56kg

図3　栄養士の講話とテキスト

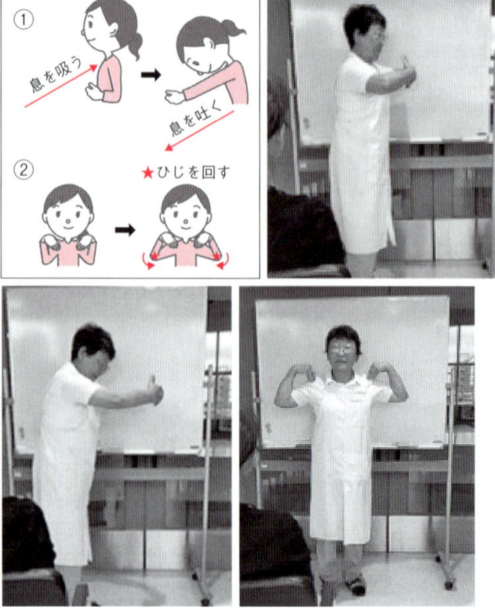

図4　呼吸リズム体操

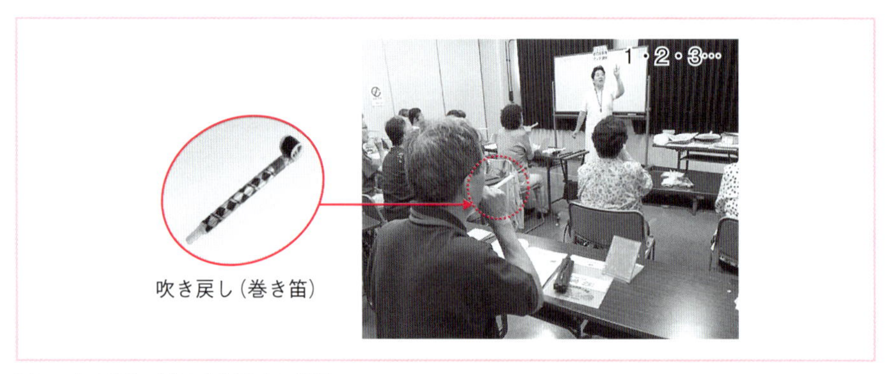

図5　吹き戻し（巻き笛）訓練の様子

図7は2014年から2016年までに2コース以上参加した11名のオーラルディアドコキネシスの数値結果である．嚥下時に重要とされる呼吸を意識した訓練を行ったことで，呼吸機能が維持向上し，オーラルディアドコキネシスの際の息継ぎもみられず，結果として機能の維持につながったと考える．

●新型コロナウイルス感染症拡大下における実施

新型コロナウイルス感染症の拡大により，介護予防事業の開催も2019年から開催が難しくなっている．その中で，2021年は2箇所の老人福祉館開催を実現した．老人福祉館のスタッフからの要望は，感染対策を考えながら「楽しくやってほしい」「歯科のみにこだわらず，外に出るっていいね」と感じてほしいとの要望であった．

実施にあたり次のような対策を行った（開催後感染者は出ていない）．

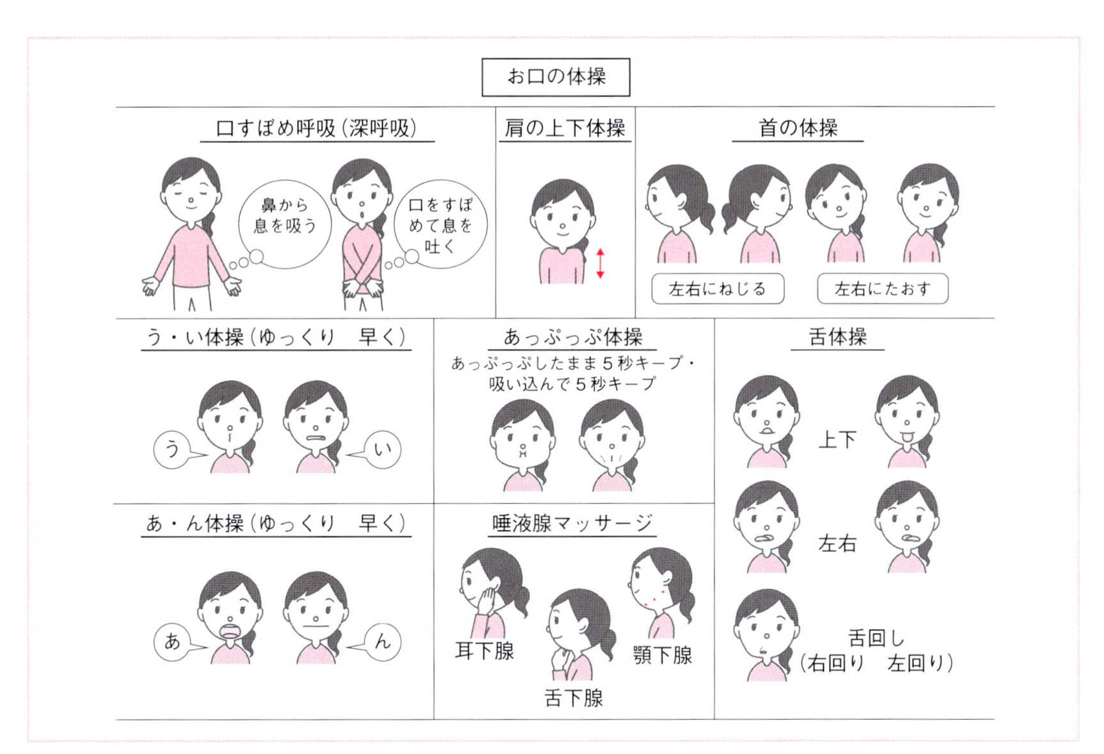

図6　お口の体操

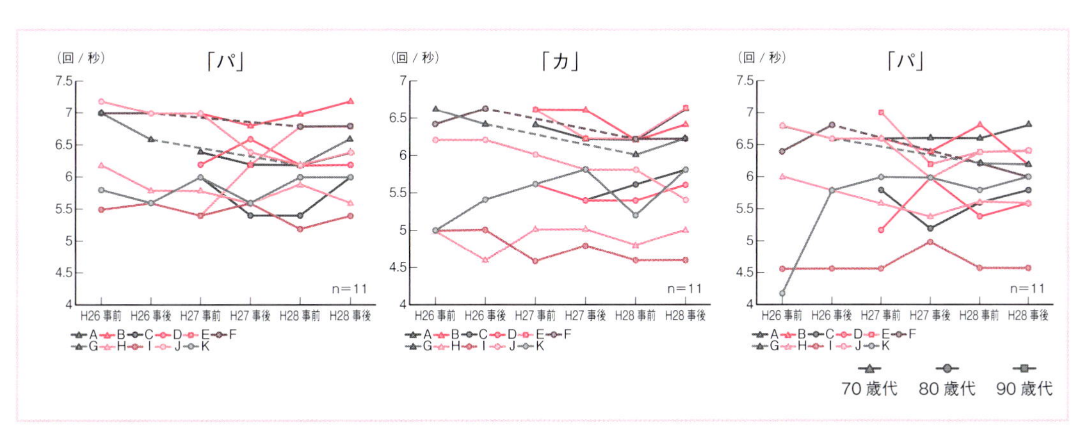

図7　オーラルディアドコキネシスの推移

①感染対策

・参加者の定員を半分に減少20名➡10名にする（長机に参加者１名）

・開催時間の縮小60分➡40分【講和20分，休憩10分（換気）体操20分】

・換気を行う（開催中も窓や出入口も開けた状態で開催する）できない施設は，休憩時間に換気を行う

・体温・健康チェックの記載，参加者マスク着用

・発声の際はマスク・フェイスシールド着用（歌唱は禁止）

②講話内容の追加

・コロナウイルスへの感染対策とオーラルフレイルについての講話を取り入れた

・歯磨きの前後はうがいで始めるが，水は少なめに含み，吐き出しは排水溝のそばでやさしく吐き出す．
・歯磨きはなるべく口閉じて磨く，歯の内側を磨くときは片方の手で口を被いながら行う．
・歯磨剤は共有しない．
・保管の際，家族の歯ブラシの毛先がくっつかないように，コップも一人一人別のものを使う．
・口を閉じた舌体操，家では舌を口唇より外へ出し行う．
・参加者は，毎回最後に体を動かすことを目的に，当センターの歯科衛生士がモデルとなり，マーチの曲に合わせて，動画を撮影したものを使用し，全身体操を行い終了とした．

●まとめ

高齢者が，口腔機能を維持・向上するためにも，「口腔の虚弱」つまり，オーラルフレイルに気づいてもらうことが重要といえる．健康寿命の延命のためにも，介護予防教室でわかりやすく高齢者に理解してもらうことができ，また，在宅で継続できる口腔体操を広めていくよう努めていきたい．

参考文献

1） 厚生労働省：介護予防マニュアル（改訂版）平成24年3月．
http://www.mhlw.go.jp/topics/2009/05/dl/tp0501-1_1.pdf
2） 北海道保健福祉部高齢者支援局高齢者保健福祉課：栄養改善・口腔機能向上プログラム．
http://www.pref.hokkaido.lg.jp/hf/khf/eiyoukoukuu.htm
3） 菊谷武：介護予防のための口腔機能向上マニュアル．建帛社，東京，2006.

11-15 地域在住自立高齢者における口腔機能の低下からみたフレイル予防

梅花女子大学看護保健学部口腔保健学科　泉野裕美

大阪北摂地区で開催されているシニア健康講座では，地域の自治会と大阪YMCA研究所，大学（梅花女子大学，神戸常盤大学，新潟大学大学院）が連携し，運動（ラジオ体操やウォーキングの実践）・栄養（適正な栄養摂取と口腔機能の維持向上）・社会参加（地域活動への参加）の習慣化を目指して，地域在住自立高齢者のフレイル予防を支援している．フレイルは多要因症候群であるため，多方面からの検討が必要である．今回は栄養摂取の入り口である口腔に注目し，高齢者の口腔機能低下症と身体機能との関連を調査した．

概要

①調査期間

2019.01.～2020.02

②講座の構成

対象者は65歳以上の地域在住自立高齢者．定員は約60名（午前：30名，午後：30名）．

- 第一回　講義（加齢との上手な付き合い方など）
- 第二回　体力と口腔機能の測定①
- 第三回　体力と口腔機能の測定②（3カ月の健口プログラム実施後）（**図1**）
- 第四回　振り返りと評価（測定結果の解説と対策について）

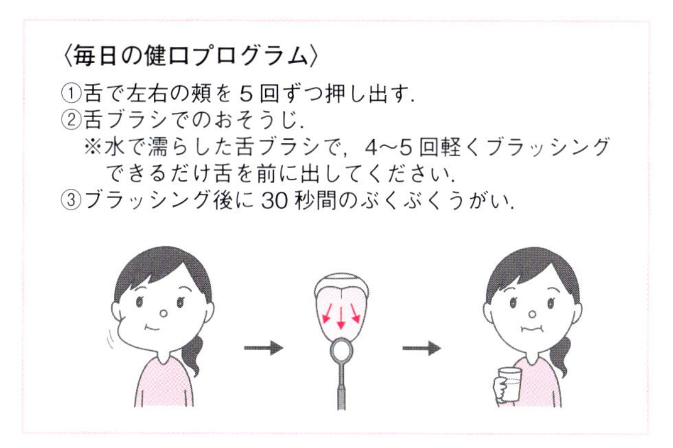

図1　健口プログラム

表1　体力測定項目

測定項目	測定方法
1. 開眼片足立ち保持時間（秒）	開眼片足立ちでの持続時間を測定．測定上限は60秒（**図2**）
2. 長座体位前屈（cm）	長座位の初期姿勢から最大前屈時の装置移動距離
3. ファンクショナルリーチテスト（cm）	立位で上肢を最大限に前方へ伸ばしたときの最大移動距離
4. 最大握力	軽く開脚した立位でスメドレー式握力計を用いて測定．左右の平均を評価
5. タイムドアップ&ゴーテスト（秒）	椅子から立ち上がり，3m先のコーンを回って戻るまでの時間
6. 30秒椅子立ち上がりテスト（回/30秒）	30秒間の起立-椅子への着座回数

表2　口腔機能測定項目（口腔機能低下症診断項目）

検査項目	検査機器	評価基準
1. 口腔不潔	細菌カウンタ（パナソニックヘルスケア製）	レベル4：3.16×10^6（CHU/mL）以上
2. 口腔乾燥	口腔水分計ムーカス（ライフ社製）	27未満
3. 咬合力低下（N）	デンタルプレスケールⅡ（GC社製）	500N未満
4. 舌口唇運動機能低下（回/秒）	健口くんハンディタイプ（竹井機器工業社製）	/pa/,/ta/,ka/いずれかの1秒あたりの回数が6回未満（**図3**）
5. 低舌圧（kPa）	舌圧測定器（JMS社製）	30kPa未満
6. 咀嚼機能低下	咀嚼能率測定用グミゼリー（UHA味覚糖社製）	スコア0，1，2（咀嚼能率スコア法）
7. 嚥下機能低下	EAT10	合計点数が3点以上

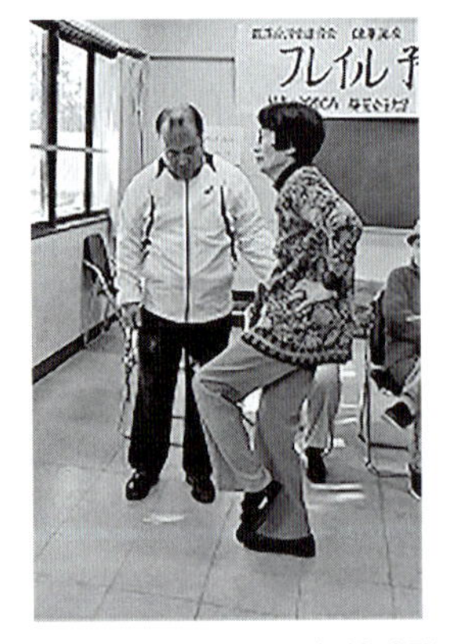

図2　開眼片足立ち保持時間

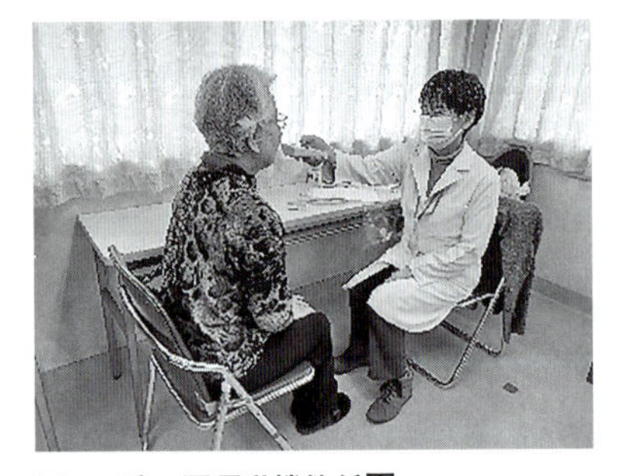

図3　舌口唇運動機能低下

③測定項目と内容

表1，**2**の項目のほか，歯科医師が残存歯数を確認

④人員

・口腔機能測定…歯科医師1名，歯科衛生士6名

・体力測定…大阪YMCA研究所職員2～3名

・M地区自治会役員…4～5名

⑤タイムスケジュール

10：00～　開会挨拶，記録用紙配布，測定会の趣旨と測定項目の説明，血圧測定，現病歴・服薬・喫煙・運動習慣・義歯の使用状況等に関するアンケート，GOHAI日本語版，EAT10の記入

10：15～　ストレッチ体操

10：20～　口腔機能測定グループと体力測定グループの2つに分けて測定開始．交替

11：45～　次回測定会日程のお知らせ，記録用紙回収

12：00　閉会

※午後の部も同様

解説

高齢者の口腔機能を維持することは適正な栄養摂取の維持に繋がり，健康寿命の延伸に大きな役割を果たしている．一方，加齢を背景とする身体機能の低下には，精神心理的，社会的側面などが複合的に関連し，フレイルから要介護状態へと陥る過程をたどる．

今回，大阪北摂地区の「シニア健康講座」参加者69名（男性26名，女性43名，平均年齢75.5歳±5.3歳）を対象者として分析した結果，69名中48名（69.6%）が口腔機能低下症と診断された．参加者ごとの該当項目数は，0項目0名（0%），1項目5名（7.2%），2項目16名（23.2%），3項目20名（29.0%），4項目20名（29.0%），5項目5名（7.2%），6項目3名（4.3%），7項目0名（0%）であった（**図4**）．口腔機能低下症評価項目の該当割合は口腔衛生状態不良（92.8%）が最も高く，次いで口腔乾燥（72.5%）であった（**図5**）．前期高齢者と比較して後期高

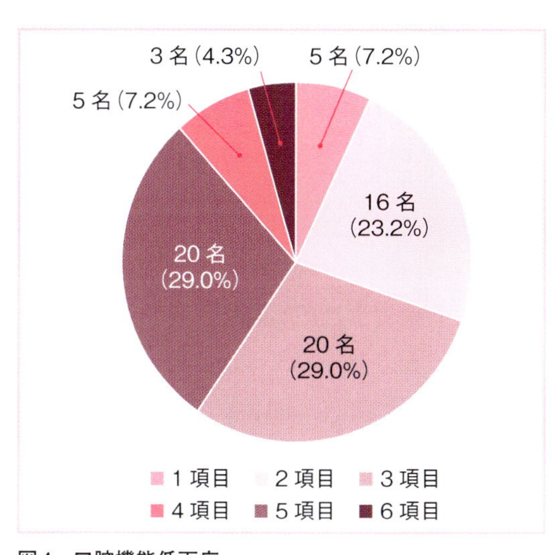

**図4　口腔機能低下症
該当項目数の割合 n=69**

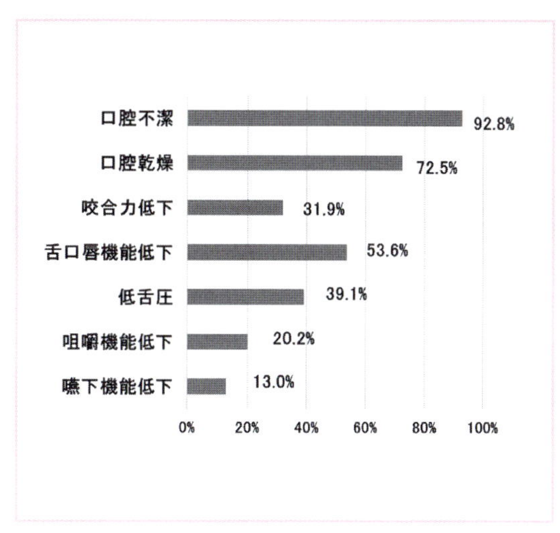

図5　口腔機能低下症評価項目別の該当率 n=69

表3　口腔内の下位症状と年齢との関係 n=69

	前期高齢者（n=31）	後期高齢者（n=38）	p
口腔不潔	30（100%）	33（86.8%）	0.05
口腔乾燥	22（71.0%）	28（73.7%）	0.80
咬合力低下	18（58.1%）	30（78.9%）	0.06
舌口唇機能低下	13（41.9%）	24（63.2%）	0.08
低舌圧	9（29.0%）	17（44.7%）	0.18
咀嚼機能低下	5（16.1%）	9（23.7%）	0.44
嚥下機能低下	1（3.2%）	8（21.1%）	0.03

$p<0.05$ X^2test

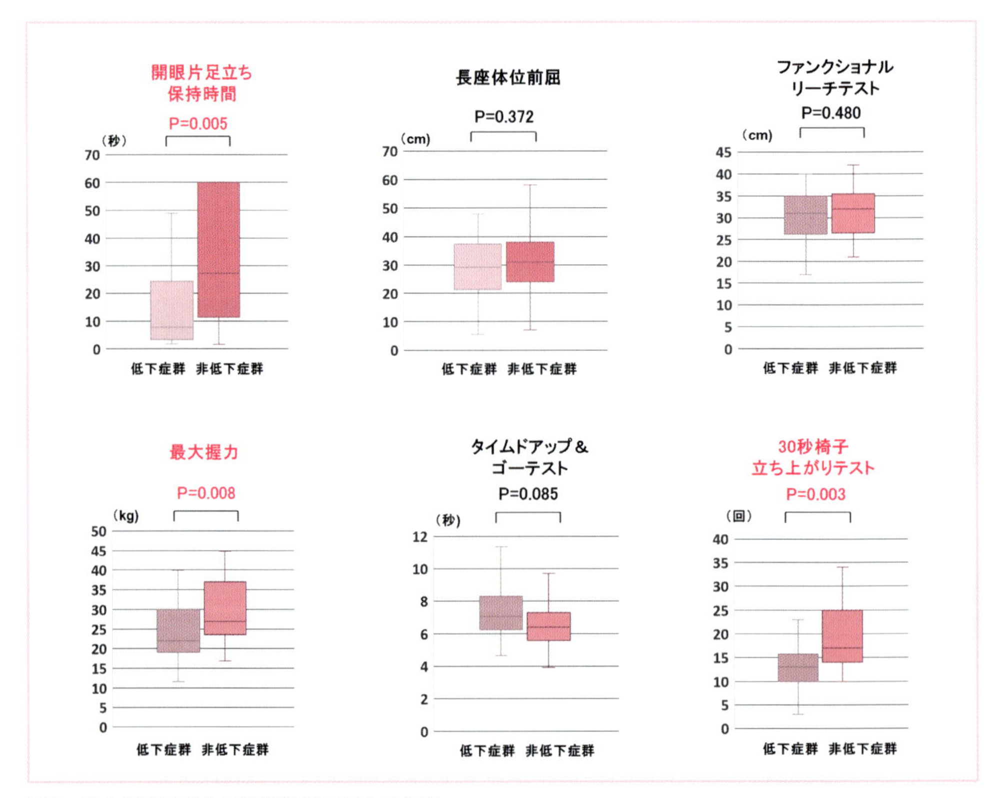

図6　体力測定結果と口腔機能低下症との比較
低下症群48名，非低下症群21名

齢者は，口腔機能低下症の割合が高い傾向がみられ（前期高齢者：18名（56.3%），後期高齢者：30名（81.1%））（p＝0.06），嚥下機能低下の項目で有意差が認められた（p＝0.03）（**表3**）．さらに，口腔機能低下症と各身体機能測定結果との関連では，口腔機能低下症と診断された群で開眼片足立ち保持時間が有意に短く，30秒椅子立ち上がり回数および最大握力が有意に低値を示した（p<0.01）（**図6**）．

これらの結果より，高齢者のバランス能力や全身の筋力低下は口腔機能低下症と関連する可能性が示唆された．「シニア健康講座」に自ら進んで参加する高齢者は健康意識が高いと推察されるが，約7割が口腔機能低下症と診断された．口腔機能や身体機能の低下の自覚のない高齢者に対して，身近な地域の場での実測を定期的に行い，客観的なデータをもとに自らの機能に対する気づきを促すことは，高齢者の意識や行動変容に繋がる効果が期待できると考える．また，フレイルには口腔機能や身体機能の低下のほか，心理的，社会的な側面など多様な背景が存在するため，多職種と連携した包括的なアプローチが不可欠である．

今後，新型コロナウイルス感染症の収束後には「シニア健康講座」を再開し，日常生活の中で実施可能な「健口プログラム」の有効性や，口腔機能と身体機能との関連を継続して検討する予定である．口腔機能の低下がフレイル進行へと繋がらないよう注意を払うとともに，多職種と連携し自治体や地域住民が主体となった健康づくりの展開にも積極的にかかわっていきたいと考えている．

なお，本研究の一部は，日本老年歯科医学会第31回学術大会においてポスター発表した[5]．

参考文献

1） 日本歯科医学会：口腔機能低下症に関する基本的な考え方．2018.
2） 松尾浩一郎：口腔機能低下症への対応と今後の方向性．老年歯学，304-311，2018.
3） 日本老年医学会：フレイルに関する日本老年医学会からのステートメント．2014.
4） 鈴木隆雄：フレイルの臨床的・社会的意義を考える．日本老年医学会，52：329-335，2015.
5） 福田昌代，泉野裕美，堀　一浩，澤田美佐緒，畑山千賀子，氏橋貴子，重信直人，小野高裕：地域在住高齢者の口腔機能低下症と口腔関連QOLとの関連性からの検討．老年歯医，講演抄録集，35(4)：360-361，2021.

11-16 自立高齢者への口腔機能向上を目的とした教育プログラムの展開とその効果

仙台歯科医師会在宅訪問・障害者：休日歯科診療所　小原由紀

キーワードは健康増進

疾患や機能障害により生活上の不具合が顕在化し，要介護状態となる前段階での口腔機能管理では，高齢者本人が口腔保健の重要性を理解し，機能の維持・向上のための行動に働きかける健康教育が主体となる．そのため，より歯科衛生士は良い口腔の健康状態を目指す【健康増進】のための健康教育プログラムを展開する非常に重要な役割を果たすことになる．そこで，今回歯科衛生士が健康教育を実施したグループと実施しなかったグループの３カ月後の変化を比較した結果を示しながら，教育的介入がもたらす効果について概説する．

プログラムの概要

このプログラムは，歯科衛生士の健康教育の効果を検証する研究目的[1]で行ったものである．参加者は，老年症候群の早期発見・早期対処を目的とした健康調査事業に参加した65歳以上の地域在住高齢者894名のうち，特に口腔乾燥感を自覚する142名を無作為に抽出し，研究への参加協力が得られた47名であった．ランダムに歯科衛生士が健康教育を行うグループ（介入群）と，行わないグループ（対照群）にあらかじめ振り分けた．介入群には，２週間ごとに１回90分の歯科衛生士による健康教育プログラムを３カ月間行い，スタート時と３カ月後の変化を，介入群と対照群それぞれについて同じ評価項目で評価をした．途中体調不良等の理由によりプログラムを完遂できなかった９名分のデータは分析から除外した（**図1**）．

実際のプログラムでは，歯科衛生士による口腔保健の重要性に関する講話や，口腔衛生指導，口腔機能を高める訓練など自宅で実施できる具体的方法の提案，吹き矢ダーツ，早口言葉大会などのリクレエーションも取り入れ，対象者が主体的に行える内容になるように工夫をした（**図2**）．

評価は生活者の視点で

健康教育による効果を評価する際には，「生活者の視点」で，いかに変化を「視える化」するかが重要である．特に健康教育による介入の場合は，長期にわたって学

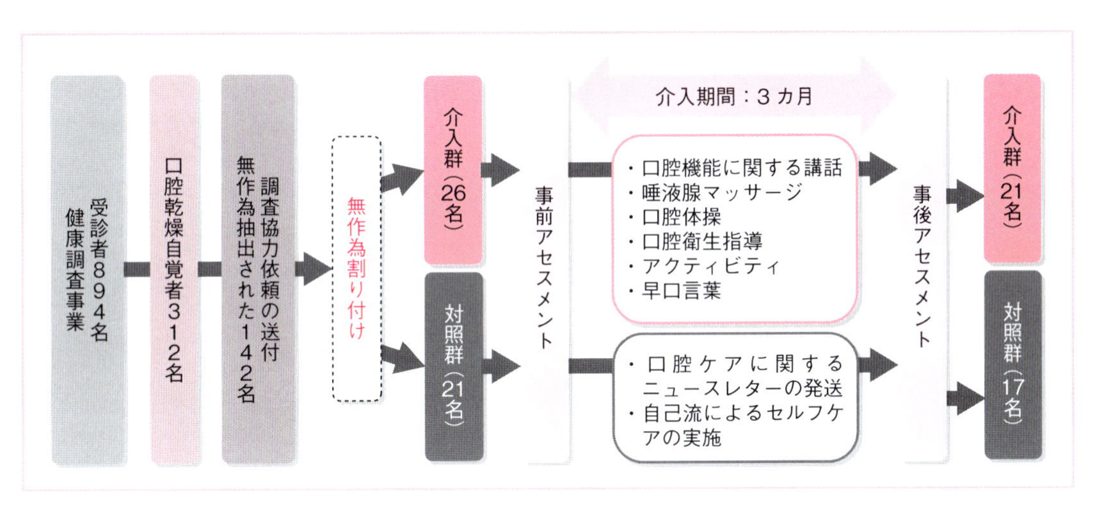

図1　プログラム対象者選定の流れ

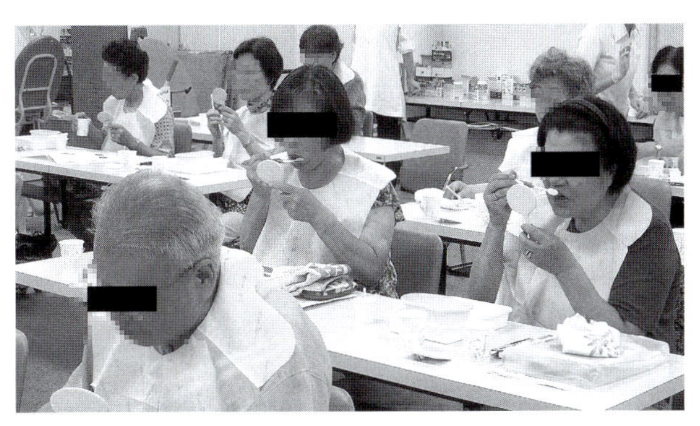

図2　口腔衛生指導

・唾液分泌機能
　→安静時唾液分泌量（5分間・吐唾法）
・咀嚼機能
　→咬合圧，食品25項目の咀嚼能力自己評価
・嚥下機能
　→反復唾液嚥下テスト（RSST）
・舌口唇運動機能
　→オーラルディアドコキネシス
・味覚機能
　→全口腔法（5基本味：塩味，甘味，苦味，酸味，うま味）

図3　評価に用いた指標（一部）

んだことが対象者に定着し，身につけた行動が習慣化することが重要になる．そのためには，高齢者自身が，その意義や目的を理解し，その効果を十分に実感できることが必要である．そこでプログラムでは，できる限り数値化でき，かつ口腔機能の中でも食べる楽しみや人とのかかわりに直結する評価指標を用いることとした（**図3**）．

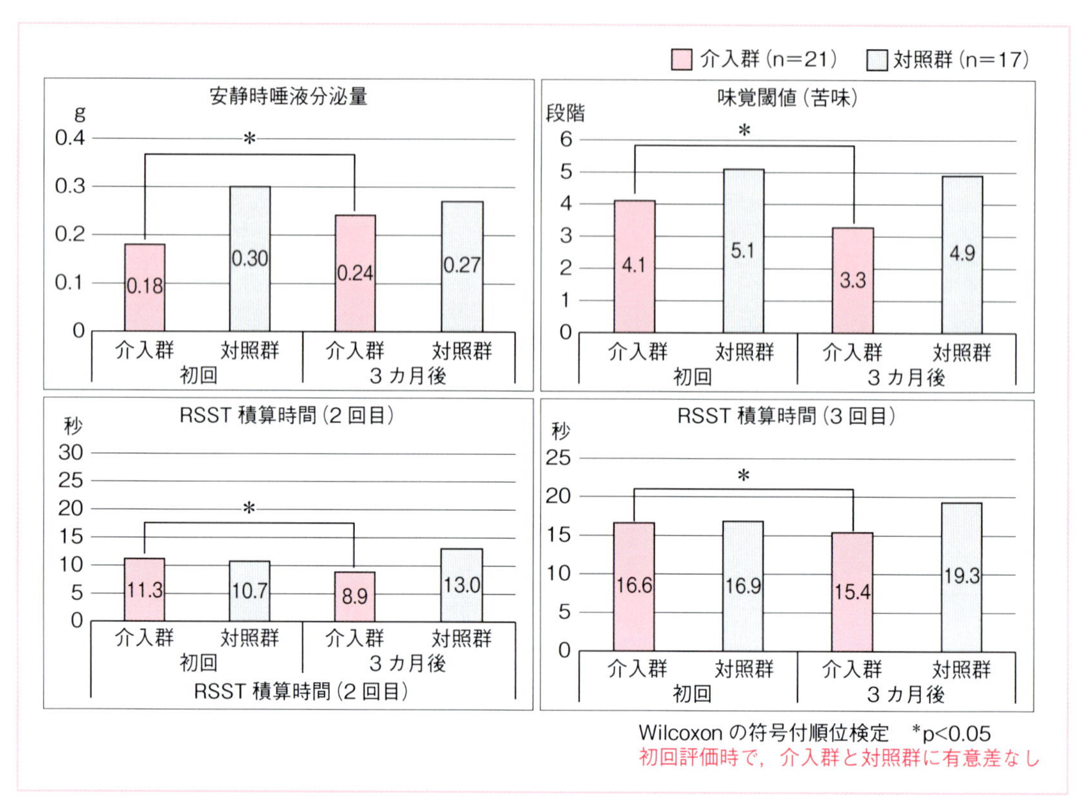

図4　3カ月の介入による変化

介入によって得られた効果

3カ月間の介入の結果，介入群では，安静時唾液分泌量，味覚閾値（苦味），反復唾液嚥下テストの2回目，3回目嚥下惹起時間で有意な改善がみられたが，対照群では目立った改善はなかった（**図4**）．

本プログラムの参加者方からは，「年のせいだとあきらめていたが，今からでもできることがあるとわかってよかった」，「もっと多くの人がこういったプログラムに参加できればよい」，「口の機能の大切さがわかった，これからも気をつけていきたい」等の意見が寄せられた．課題としては，継続的なフォローアップを行っていないため，獲得した行動が習慣化したかどうかや，長期にわたって効果が持続しているかが評価できなかった点である．モチベーションの変化などを見える形で評価ができれば，よりいっそう歯科衛生士としての介入の効果がわかりやすく提示できた可能性があり，今後の検討課題であるといえる．

まとめ

今回の取組みは，介入をしなかった対照群との比較を行うことで，歯科衛生士による健康教育の効果を具体的に提示することができた．研究目的での取り組みだったため，研究のデザイン設定や倫理委員会への審査申請などのプロセスを経る必要があり，実施から最終的な評価までには1年近くの時間を要した．通常の口腔機能向上プログラムでは，対照群を設けることは困難なために，介入によって改善したのか，実は介入してもしなくても改善するものなのかを客観的に判断することができない．だが，たとえ対照群との比較ができなくても，介入による効果を検証，発信することによって，歯科衛生士による健康教育の有効性が社会に広く認知されることになる．より根拠あるデータを打ち出すことと，参加者が変化を実感できる評価でその効果を提示すること，その両者が求められるといえる．

自立高齢者の口腔機能管理では，セルフケアの確立と習慣化のウェイトが重くなるため，セルフケアの遂行を歯科衛生士は，「縁の下の力持ち」となってサポートするという位置づけである．要介護状態におちいる前の，より早期から，本人による健康管理の後方支援をしていく予防的アプローチとして健康教育を行い，その効果を検証し，広く発信していくことがこれからの歯科衛生士には求められている．

※基盤研究（C）2010-2012年　課題番号：22592329（研究代表者：杉本久美子）

参考文献

1）Yuki Ohara., et al. Effectiveness of an oral health educational program on community-dwelling older people with xerostomia. Geriatr Gerontol Int, 15（4）：481-489, 2015.

11-17 介護予防事業への取り組み

首都医校歯科医療学部歯科衛生学科　榎本亜弥子

介護予防事業は，健康寿命を延伸し要介護期間を短くすること，さらにはQOLを高めていくことを目的として行われている．2015年（平成27年）から新サービスとして歩みだした『総合事業（介護予防・日常生活支援総合事業）』にも，歯科関連では，「口腔機能の向上」が含まれている．地域に在住する65歳以上のすべての高齢者を対象として行われる一次予防事業に対し，要支援・要介護状態に陥るリスクが高い高齢者の早期発見・早期対応することが二次予防事業だったのに対し，総合型介護予防として行われてきた（**図1**）．

ここでは，千葉県F市における2011年（平成23年度）から実施された二次介護予防事業（通所型介護予防事業）と，2016年（平成28年3月）から始まった新サービスとしての介護予防・日常生活支援総合事業（総合事業）について，変更点と歯科衛生士のかかわり，事業の分析結果等を紹介する．

予防事業の内容とプログラム

F市の二次介護予防事業には，市の包括支援課が直接行う二次介護予防教室（市内2か所）と民間企業への委託事業による二次介護予防教室が十数か所で実施されていた．従来の郵送により配布・回収された「基本チェックリスト（**表1**）」の結果から対象者を決定するものから，市の広報誌やホームページに掲載された募集に対し，参加希望者本人が各教室の開始1週間前までに連絡をする形式になった．65歳以上の全日参加できる方で，各コースは先着順となっている．各コースの参加人数は**表2**の通りである．

二次介護予防事業のプログラムの実施期間は3カ月間で，週に1回のペースで合計12回行われる．「口腔機能向上のプログラム」は隔週とし歯科衛生士が担当していた．

これに対し現在は8回型2カ月間での開催となり，「口腔機能向上のプログラム」は隔週で4回実施である．「栄養改善プログラム」は管理栄養士が担当し，口腔機能向上のプログラムと交互に行われる．「運動器の機能向上プログラム」は，高齢者に精通したスポーツインストラクターが担当し，毎週実施される．このように複合プログラムを行うことで，対象者はスポーツジムなどに通うような感覚で，全プログラムを通いきることができる．プログラム提供者は，各分野間での情報を共有し，必要に応じてカンファレンスが行われる．記録を共有することで，口腔機能だけではなく他の機能との関連を把握することが可能となる．

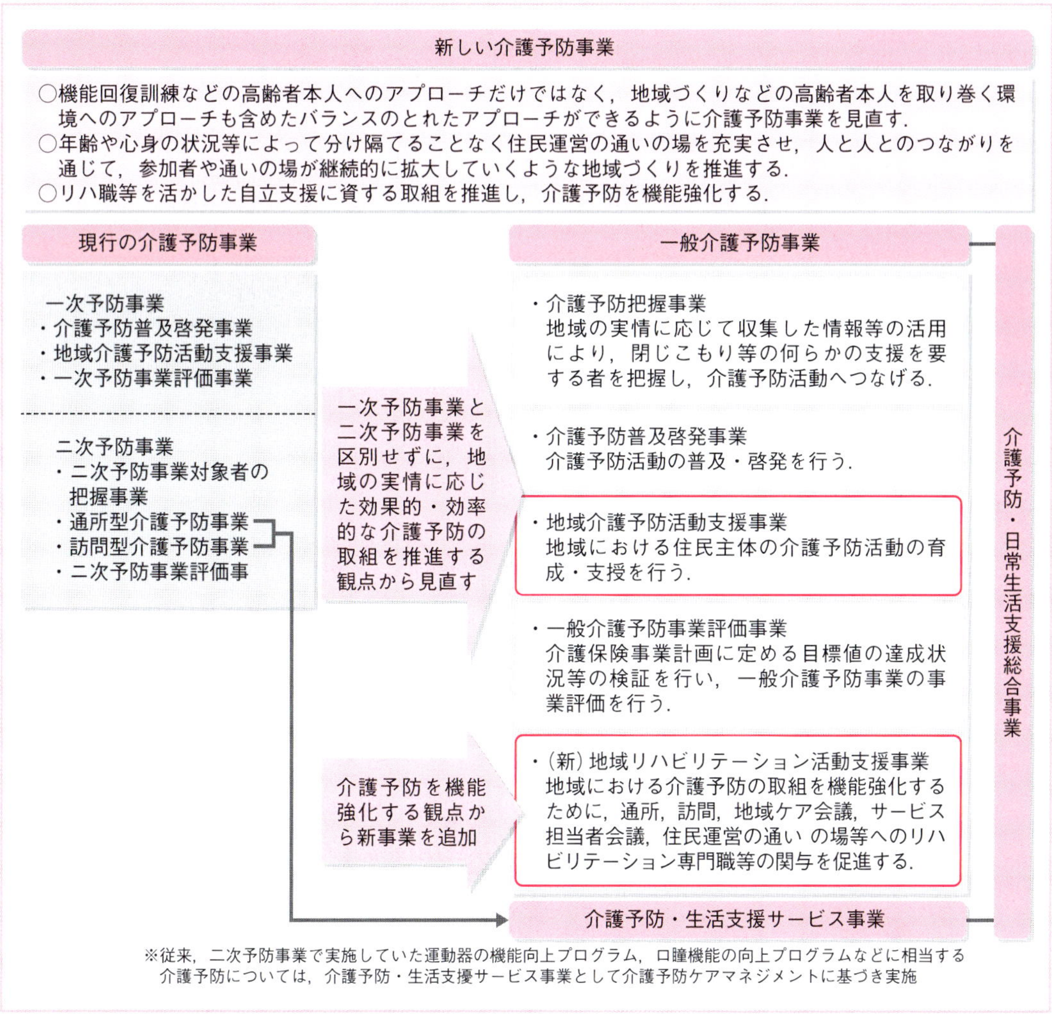

新しい介護予防事業

○機能回復訓練などの高齢者本人へのアプローチだけではなく，地域づくりなどの高齢者本人を取り巻く環境へのアプローチも含めたバランスのとれたアプローチができるように介護予防事業を見直す．
○年齢や心身の状況等によって分け隔てることなく住民運営の通いの場を充実させ，人と人とのつながりを通じて，参加者や通いの場が継続的に拡大していくような地域づくりを推進する．
○リハ職等を活かした自立支援に資する取組を推進し，介護予防を機能強化する．

現行の介護予防事業

一次予防事業
・介護予防普及啓発事業
・地域介護予防活動支援事業
・一次予防事業評価事業

二次予防事業
・二次予防事業対象者の把握事業
・通所型介護予防事業
・訪問型介護予防事業
・二次予防事業評価事

一次予防事業と二次予防事業を区別せずに，地域の実情に応じた効果的・効率的な介護予防の取組を推進する観点から見直す

介護予防を機能強化する観点から新事業を追加

一般介護予防事業

・介護予防把握事業
地域の実情に応じて収集した情報等の活用により，閉じこもり等の何らかの支援を要する者を把握し，介護予防活動へつなげる．

・介護予防普及啓発事業
介護予防活動の普及・啓発を行う．

・地域介護予防活動支援事業
地域における住民主体の介護予防活動の育成・支援を行う．

・一般介護予防事業評価事業
介護保険事業計画に定める目標値の達成状況等の検証を行い，一般介護予防事業の事業評価を行う．

・(新) 地域リハビリテーション活動支援事業
地域における介護予防の取組を機能強化するために，通所，訪問，地域ケア会議，サービス担当者会議，住民運営の通いの場等へのリハビリテーション専門職等の関与を促進する．

介護予防・生活支援サービス事業

介護予防・日常生活支援総合事業

※従来，二次予防事業で実施していた運動器の機能向上プログラム，口腔機能の向上プログラムなどに相当する介護予防については，介護予防・生活支援サービス事業として介護予防ケアマネジメントに基づき実施

図1　新しい介護予防事業（厚生労働省老健局振興課より）

《プログラム内容》第１日目：プログラムの内容説明，事前アセスメント
第２日目：食べること，話すことと口について
第３日目：むし歯と歯周病，入れ歯について
第４日目：事後アセスメント，講評，これからの毎日のために

実施時間は，各回ともに１時間である．実施者は，事前事後ともアセスメントの回は歯科衛生士３人，他の回は歯科衛生士１人と施設職員１人で行う．

第１回目と第４回目に行うアセスメントの検査項目は**表３**のとおりである．

個別に行う項目として，歯や義歯の汚れ（口腔の清掃状態），舌の汚れ（舌苔の有無），歯磨き習慣，オーラルディアドコキネシス（パタカ），RSST（反復唾液嚥下テスト），頬の膨らまし（口唇，舌，頬など口腔機能の協調性）がある．位相差顕微鏡による口腔内細菌の観察も行う（**図２**）．集団で行う項目として，ガムによる咀嚼能力（混合能力）テストを行う．

表1　基本チェックリストとアンケート項目(例)

				1	2	3	4	5	6
生活スタイル	1	1	日中，1人になる事がありますか	よくある	たまにある	ない			
	2	2	1週間に外出する頻度(通院以外)	3回以上	1～2回	あまり外出しない			
	3	3	1週間に友人が来る頻度	3回以上	1～2回	あまり外出しない			
	4	4	物につかまって歩いたり，杖を使用したりしてますか	はい	—	いいえ			
	5	5	1日の食事回数は何回ですか	【回数】					
	6	6	食事の準備をしてますか	はい	—	いいえ			
	7	7	生活に必要なものを自分で買いに行けますか	はい	—	いいえ			
精神面	8	1	身の回りの乱れや汚れを気にしなくなってきましたか	はい	—	いいえ			
	9	2	外出や食事の準備が難しくなってきましたか(億劫になってきましたか)	はい	—	いいえ			
	10	3	金銭管理(日々の支払行為を含む)が難しくなってきましたか	はい	—	いいえ			
	11	4	情緒が不安定になる事が増えてきましたか	はい	—	いいえ			
	12	5	1人きりになる(している)ことが不安ですか	はい	—	いいえ			
全身疾患	13	1	主観的健康観	よい	まあよい	ふつう	あまりよくない	よくない	不明
	14	2	この3カ月間で1週間以上にわたる入院をしましたか	はい	—	いいえ			
	15	3	この6カ月以内に心臓発作(不整脈，心不全，狭心症，心筋梗塞等)を起こしましたか	はい	—	いいえ			
	16	4	この6カ月以内に脳卒中(脳出血，脳梗塞，くも膜下出血)を起こしましたか	はい	—	いいえ			
	17	5	重い高血圧がありますか	はい	わからない	いいえ			
	18	6	糖尿病で目が見えにくくなったり，腎機能が低下，あるいは低血糖発作などがあると指摘されていますか	はい	わからない	いいえ			
	19	7	この1年間で心電図に異常があると言われましたか	はい	—	いいえ			
	20	8	家事や買い物あるいは散歩などでひどく息切れを感じたり，呼吸器疾患などがありますか	はい	—	いいえ			
	21	9	この1カ月以内に急性な腰痛，膝痛などの痛みは発生し，今も続いていますか．また，骨粗鬆症や骨折による痛みがありますか	はい	—	いいえ			
	22	10	2～9以外の理由で医師から「運動を含む日常生活を制限」されている	はい	—	いいえ			
教室でのアンケート	23	1	バランスの良い食事をしていますか	はい	—	いいえ			
	24	2	食事が2食の日がありますか	はい	週3～4	いいえ			
	25	3	主食(ご飯など)や主菜(肉，魚などおかず)を食べる量が減ってきましたか	はい	どちらともいえない	いいえ			
	26	4	食事は小さくしたり，きざんだりしないと食べられませんか	はい	ときどき	いいえ			
	27	5	食事中に食べこぼしてしまうことはありませんか	はい	ときどき	いいえ			
	28	6	お茶などでむせることがありますか	はい	ときどき	いいえ			
	29	7	口の乾きが気になりますか	はい	ときどき	いいえ			
	30	8	口の中や歯の状態で不満なところはありますか	はい	—	いいえ			
	31	9	友人や家族と一緒に食事をする機会はありますか	はい	ときどき	いいえ			
	32	10	食べ物を買いに行ったり，食事の支度をするのに不自由を感じていますか	はい	ときどき	いいえ			
	33	11	食事がおいしく，食べるのが楽しみですか	はい	ときどき	いいえ			
	34	12	排便は規則的にありますか	はい	—	いいえ			
	35	13	意識してからだを動かすようにしていますか	はい	—	いいえ			
	36	14	散歩や趣味などのために外出することはありますか	はい	週1～2	いいえ			
口腔アセスメント	37	1	義歯の使用の有無	あり	—	なし			
	38	2	歯や義歯の汚れの程度	なし・少量	中程度	多量			
	39	3	舌の汚れの程度	なし・少量	中程度	多量			
	40	4	RSST(唾液嚥下テスト)	【回数】					
	41	5	オーラルディアドコキネス「パ」	【回数】					
	42	6	オーラルディアドコキネス「タ」	【回数】					
	43	7	オーラルディアドコキネス「カ」	【回数】					
	44	8	唾液の分泌量測定	3cm以上	1～2cm	1cm未満			
	45	9	頰の膨らまし	十分できる	十分できない	できない			
	46	10	歯磨きの実施回数(/日)	【回数】					
	47	11	かかりつけ歯科医院の有無	あり	—	なし			

表2 平成29年度 一般介護予防事業対象者予防事業

	コース数	参加人数
総合型 介護予防事業(5回)	51	563
総合型 介護予防事業(8回)	84	660
柔道整復師運動型(8回)	20	124
合 計	155	1347

表3 アセスメント票

1. オーラルディアドコキネシス

1回目	パ 回・タ 回・カ 回(息継 ＋・－)
2回目	パ 回・タ 回・カ 回(息継 ＋・－)

2. 咬合力判定ガム

1回目	弱 1・2・3・4・5 強	2回目	弱 1・2・3・4・5 強

3. 頬の膨らまし

1回目	2回目
1. 十分できる 2. 不十分(左・右・上・下)	1. 十分できる 2. 不十分(左・右・上・下)

4. 位相差顕微鏡

細菌量	少 ・ 中 ・ 多	活動性	停 ・ 中 ・ 活

5. 舌の動き

1回目	良好 ・ 不十分	2回目	良好 ・ 不十分

【特記事項】

事前アセスメント時には，①対象者選出時の基本チェックリストの項目，②聞き取りから得た全身状態(現病歴，既病歴，服薬状況など)や日常生活での様子などの情報，③歯科衛生士が実施したアセスメントの検査項目からの評価，などを基に，「プログラム終了時に『自分が』どのようになっていたいか」という，短期目標を一緒に立てる．事後アセスメントでは，事前と同じ項目を行うとともに，第4日目にその結果と変化，目標達成度と合わせて講評を書面にてお渡しする(**図3**)．同時に今後の日常生活の中で，どのようなセルフケアを行っていくとよいかを一緒に考え，長期目標を立てるようにしている．また，セルフケアの習慣づけを行うため，実施期間中に唾液腺マッサージ，お口のトレーニングなどを指導している(**図4**)．

まとめ

毎年，この事業の開催を心待ちにしている参加者が多くいる一方，まだまだ周知がなされていないのが現状である．プログラムへの参加率向上と合わせ，地域住民のニーズに合った効果的な事業を行っていくこと，ますますのプログラムの充実

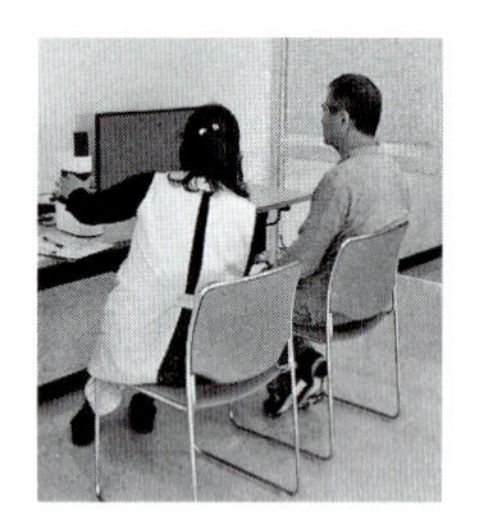

図2　位相差顕微鏡による観察

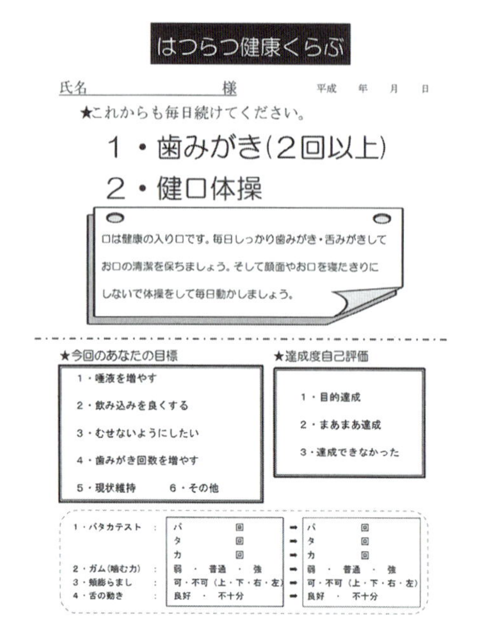

はつらつ健康くらぶ

氏名　　　　　　　様　　　　平成　年　月　日

★これからも毎日続けてください。

1・歯みがき(2回以上)

2・健口体操

口は健康の入り口です。毎日しっかり歯みがき・舌みがきしてお口の清潔を保ちましょう。そして顔面やお口を寝たきりにしないで体操をして毎日動かしましょう。

★今回のあなたの目標

1・唾液を増やす
2・飲み込みを良くする
3・むせないようにしたい
4・歯みがき回数を増やす
5・現状維持　　6・その他

★達成度自己評価

1・目的達成
2・まあまあ達成
3・達成できなかった

1・パタカテスト	：	パ　　回	➡	パ　　回
		タ　　回	➡	タ　　回
		カ　　回	➡	カ　　回
2・ガム(噛む力)	：	弱・普通・強	➡	弱・普通・強
3・頬膨らまし	：	可・不可（上・下・右・左）	➡	可・不可（上・下・右・左）
4・舌の動き	：	良好・不十分	➡	良好・不十分

図3　事後アセスメント表

図4　お口のトレーニング

が課題である．併せて，プログラム参加者の終了後のフォローアップをどこまで，どのように実施していくのかという点が，この事業の本来の目的達成への大きな課題といえよう．

参考文献

1）平野浩彦ほか：実践！介護予防　口腔機能向上マニュアル．財団法人　東京都高齢者研究・福祉振興財団，東京，2006，56-83．
2）戸原　玄ほか：最新歯科衛生士教本 高齢者歯科．医歯薬出版，東京，158．
3）渡邉　誠ほか：歯科衛生士のための高齢者歯科学．永末書店，東京，79-89．
4）厚生労働省：介護予防事業ガイドライン

11-18 高齢患者の周術期口腔機能管理の実際

神戸市立医療センター中央市民病院　石井美和

周術期等口腔機能管理とは，がんの治療や心臓血管外科等の周術期において，治療による副作用の軽減，術後合併症の予防を目的に，医科との連携のもと歯科医師が周術期等口腔機能管理計画を策定し，包括的に口腔機能を管理するシステムである．歯科衛生士は歯科医師の指示を受け，口腔衛生指導および専門的口腔衛生処置を実施する．

概要：周術期等口腔機能管理の実践例　Aさん　～心臓血管外科との連携～

●患者背景

年齢：68歳　女性　既往歴：虫垂炎　常用薬：なし

疾患名：大動脈弁狭窄症　手術名：大動脈弁置換術（生体弁）

かかりつけ歯科：あり（最終受診1年前，歯石除去は10年以上受けていない）

口腔清掃習慣：歯磨き2～3回/日（主に朝食後，就寝前）　清掃用具：歯ブラシ

経過

●当院の歯科口腔外科初診時の口腔内の状態（手術8日前）

残存歯の状態

上顎義歯あり	C4		C4	C4	C4	C4	C3	C4		
	6	4	3	2	1	2	3	4		
下顎義歯なし	7		3	1	1	2	3	4	5	7
	C3								C4	In

清掃状態不良（**図1**）．下顎前歯舌側と唇側は多量の歯石沈着あり（**図2**）．

臼歯は肥厚した歯垢が付着している（**図3**）．

Aさん「歯はボロボロでむし歯もたくさんあります．歯医者は痛くなったら行きます」．歯の状態は悪いと自覚しているが，日常生活への支障がないため未治療であった．

●歯科医師による周術期等口腔機能管理計画

目標：口腔への関心を高め，術後肺炎と感染性心内膜炎を予防する

・手術までの期間が短くすべての歯の処置は困難なため，抜歯は退院後に行う

・セルフケアを見直し，口腔内細菌の減少をはかる

・入院後，手術の前日に抗菌薬投与下にて歯石除去を行う

●歯科医師の指示による初診時の口腔衛生指導

・口腔内細菌と術後肺炎・感染性心内膜炎の関連について説明

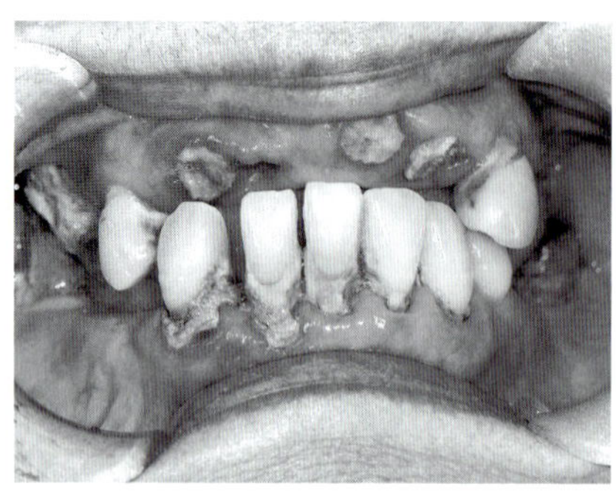

図1　初診時　正面

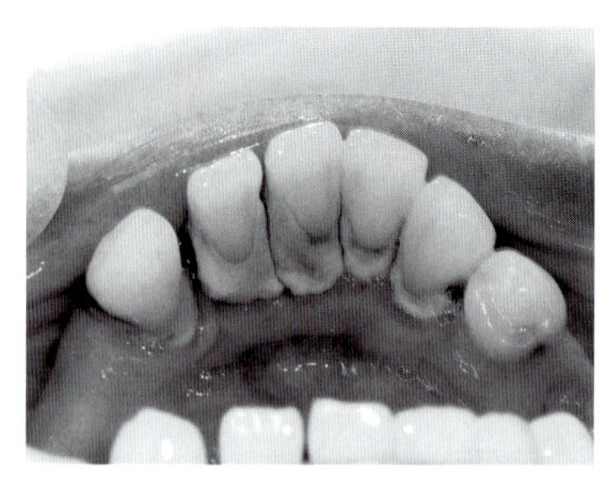

図2　初診時　下顎舌側

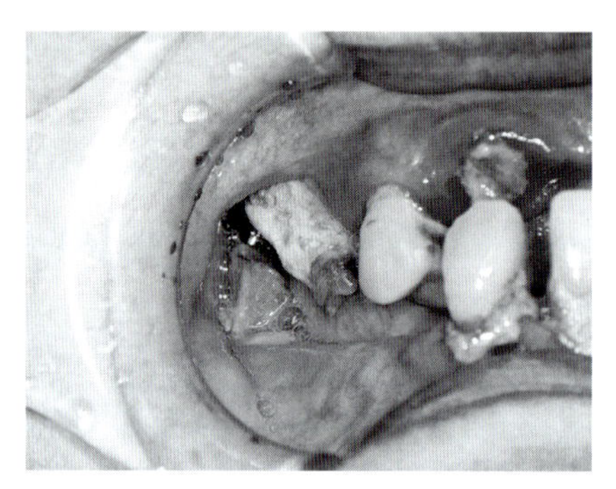

図3　初診時　臼歯

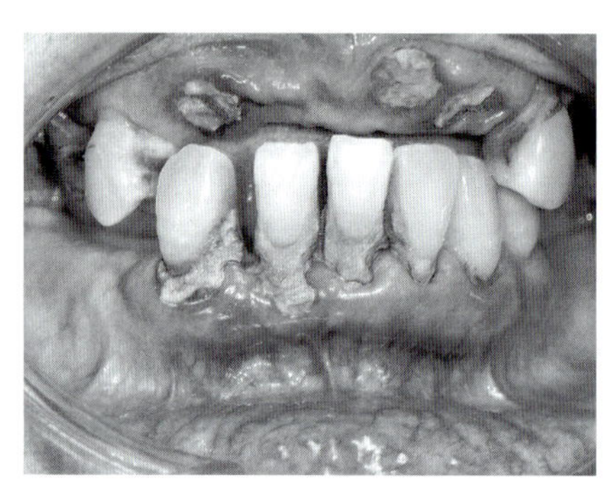

図4　術前　歯石除去前

・セルフケア指導（バス法，歯間ブラシ使用方法，義歯の管理と清掃方法）

＊歯を磨くときは鏡を見る習慣をつける

高齢者のセルフケア支援のポイント：患者が自分でできることを分析し，どのようにすれば能力が発揮できるのかという視点でアセスメントする．患者が学ぶセルフケアの知識やスキルは必要最小限であることが推奨されている[1)]．個々の運動機能，理解力，社会的支援の有無などを評価するとともに，手術を控えている心理面への配慮も必要である．

●周術期等口腔機能管理：入院後・術前（手術前日）

Aさん「頑張って磨いています．歯間ブラシは毎日使っています．歯磨きの時に詰め物が取れました」．

充塡物が脱離した歯に鋭縁があり，術中・術後に舌や頬粘膜を傷つける危険性がある．初診時に口腔衛生指導を受けたことで，意欲的にセルフケアを行っている．そのため，清掃状態は改善し，下顎歯肉の歯肉の発赤と腫脹は軽減した（**図4**）．しかし，術後は創部痛や挿入物（ドレーンなど）による体動時の痛みにより歯磨きを怠りがちになるため，術後でも実施可能なセルフケアについて指導が必要である．

処置　歯科医師：左下7，右上6の鋭縁を削合　歯科衛生士：歯石除去・歯面研磨

＊歯科処置の1時間前にペニシリン系抗菌薬（サワシリンCP®250 mg×2）内服

指導内容

・手術当日は絶食だが手術室入室までに歯磨きを行う

・手術後，洗面所までの移動が困難な時期はベッド上で歯磨きや含嗽を行う

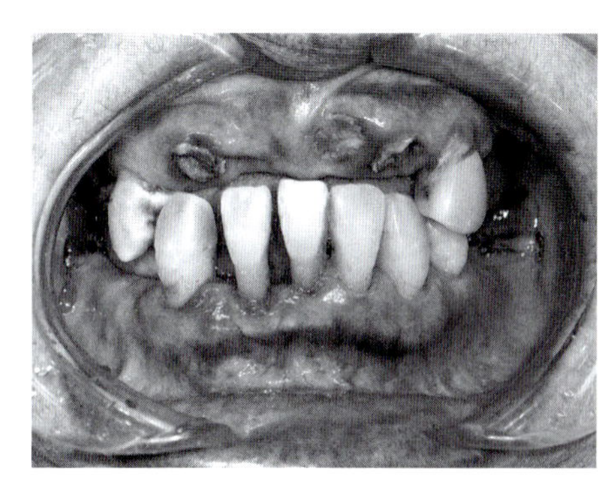

図5　術後　11日目

術前の処置・指導のポイント：処置による痛みや体勢（頸部や腰部の疲労）に配慮し，ストレスをかけないよう留意する．術後は洗面所に移動しなくてもセルフケアができる環境であることを伝え，口腔保清への意欲が低下しないよう支援することが大切である．

術後は看護師との連携が重要：高齢者は創部痛や点滴，廃液ドレーンなどの挿入物によるADLの阻害や睡眠障害から，認知症ではなくてもせん妄が生じやすいため，注意力障害にてセルフケアが不十分になることが多い[2)]．術後の日常的なセルフケア支援（清掃用具の準備・声かけなど）は看護師の協力が不可欠である．

●周術期等口腔機能管理：退院前（手術後11日目）

Aさん「きれいにしてもらってすっきりしました．手術の次の日から歯間ブラシ使いました．お口の手入れは大事やね．」術後も意欲的にセルフケアを行っていた（**図5**）．退院後，かかりつけ歯科や心臓血管外科と連携し，かかりつけ歯科医院で抜歯を行う予定である．

まとめ

本症例は，今回の周術期等口腔機能管理により，口腔への関心が高まり，口腔保健行動も改善した．退院後の感染性心内膜炎の予防に繋がると期待できる．

高齢者の口腔環境は，加齢による喪失歯の増加，多数の補綴物，内服薬による唾液分泌低下，腕や手の運動機能の低下などさまざまな問題が生じるため，口腔衛生状態が不良になりやすい[3)]．そのため，周術期等口腔機能管理において歯科衛生士の役割は，全身疾患や高齢者特有の口腔環境の理解を深め，患者の心理面も配慮しながら疾病の治療が完遂できるよう患者を支援していくことである．

参考文献

1）田墨惠子：化学療法を受ける高齢がん患者のセルフケア．がん看護，20(2)：249-253，2015.
2）小川朝生：せん妄を知る．がん看護，20(5)：499-502，2015.
3）森戸光彦他：最新歯科衛生士教本高齢者歯科第1版．医歯薬出版，東京，2011，78.

在宅医療の現場に歯科衛生士が同行することで何ができるのか？

医療法人財団千葉健愛会あおぞら診療所　**山口朱見**

口腔に問題を抱える在宅療養者を拾い出す

訪問診療，訪問診療のニーズは多く，今後はさらに高まることが予想される．

対象となる在宅療養者の多くが口腔に問題をもつ．しかし，口腔の問題は置き去りになっていることが多い．

在宅療養中いつかはセルフケアが困難になる．当然ながら口腔内の環境が悪くなる．齲蝕，歯周疾患が悪化する．嚥下機能が低下する．食事が摂りにくい，摂れない．そして放置！

在宅医療に歯科衛生士が入りこむことで，口腔にも目が向けられる．

すっかり抜け落ちている口腔の問題が明確にとらえられる．

気になるけれどそのままにしていた口腔．気がつかないまま実は身体状態をも悪化させている口腔．在宅医療の現場で歯科衛生士が口腔の問題を拾い出すことで対応が可能となる．

口腔に問題を抱える在宅療養者を歯科へ繋げる

口腔に問題をもつ方々を歯科に繋ぎ，口腔の状態を適切に，より判断しやすく歯科医師に伝える．歯科がかかわりこんな方々を担当させていただいた．

認知症のEさん，会話はそこそこ成り立つ．歯磨きは自分でしている．しかし，ひどい口臭．歯周病で急性炎症を起こして排膿していた．口腔内の炎症が落ち着いたら，AさんのBPSD（周辺症状）も治まった．

がん末期のTさん，義歯を大事に使ってきた．食欲が低下し，義歯が合わなくなった．義歯を調整し適合したら，「食事が美味しい，ありがとう」と．3日間，美味しい食事がとれ，1週間目に亡くなられた．

がん末期のAさん，がんの痛みは薬で抑えられている．しかし，口の中は痛い，気持ちが悪いと訴える．口腔ケアが施された後，「気持ちがいいよ」と．穏やかに，亡くなられた．

脳梗塞後のIさん，胃瘻だから食べないし…大きく口を開けることがなかった．いつのまにか開口困難となり，歯ブラシも入らなくなっていた．少しずつ動かして，歯ブラシが入る．開口できる．口から食べられるようにもなった．

歯科衛生士が在宅療養の患者さんと歯科を繋ぐ調整役となる．

医科と歯科がより強固に繋がる

医科と歯科が1人の在宅療養者にかかわったとしても，それだけで連携ははかれない．

医科と歯科の双方からみた患者の状態を確認し，今後の方針を伝えあう必要がある．身体のみ，口腔のみだけでなく，全身をみていくために．

患者さんを中心に医科・歯科の双方の思いと言葉を互いに理解するには，その橋渡しとして，歯科衛生士の役割がある．

歯科衛生士が医科と歯科を繋ぐ調整役となる．

多職種で行う口腔ケアをより計画的に行う

歯科が介入，制度上1週間に1回程度の訪問口腔健康管理．他の日はどうするか．

口腔ケアの方法を描き，具体的に多職種に提案・指導を行う．

家族，訪問看護師，ヘルパーの力量は？　余力は？　誰がいつどのくらいできるのだろう．何をやってもらえば良くなる，保てる，食べられる？　誰にどのように伝えればよいか．

これらを見極め，多職種に伝えることが必要である．

歯科衛生士が多職種との連携により口腔を守るための調整役となる．

在宅療養者に心地よい口腔ケアを施す

口腔ケアが必要な在宅療養者に心地よいケアを施す．

患者が求めるのは，歯科衛生士が最も得意とする心地よいケアである．

歯科衛生士が在宅療養者を口腔ケアで癒すのである．

快適な口，動く口，食べられる口へ．

ケアマネジャーとの連携

元日本介護支援専門員協会会長，歯科医師　**鷲見 よしみ**

連携の取り組み事例

ケアマネジメントは，生活に困難さをもっている人々にさまざまな種類の支援を組み合わせてひとそろいのパッケージとして提供することで，利用者の能力が高まり，自立的な生活ができることを目指す．また，1事例の支援を通してネットワークを形成し，その経験から別の事例に対応しやすくなり，地域の問題解決能力の向上に繋がる．これらは，利用者本人，および地域ケアシステムに対するエンパワメントであり，ケアの概念を超えている．

連携は①full integration ②coordination ③linkageと整理され，「共有化された目的をもつ複数の人および機関（非専門職も含む）が，単独で解決できない課題に対して，主体的に協力関係を構築して，目的達成に向けて取り組む相互の過程」と定義される．

日常的な介護支援専門員への相談は，「訪問歯科診療をしてくださる先生を紹介してください」「衛生士さんに口腔ケアを頼みたいのですが…」など，患者が目的をもって依頼するのではなく，困りごとからはじまることが多い．また，主治医は多数おり，1人の医師がすべてを把握していることは少ない．

また，認知症の方に対する相談の多くは，「なかなか，食べはじめない」「食事に集中できない」「食べ続けられない」「食具の使い方がわからない」「むせることが多くなった」などであり，具体的にはていねいな検討が必要となる．

たとえば，食事前の準備では，「食べるための準備」「食べることに集中できる環境」「食べやすい姿勢」，食事中では，「食べることができない」「食べ続けることが難しい」「食べるペースが速い」「口にいっぱい詰め込む」「一口量の調整が難しい」「手で食べるようになる」「食具がうまく使えない」「食べ残しが多くなる」などについてである．

「（相談者）最近痩せてきて，熱を出して受診したら，先生から『こんな状況だったら，胃瘻を検討したほうがいいよ．施設もこれだと受け入れてくれないよ』といわれたが，家では，何とか食べさせている．昔から食にうるさい人だから，口から食べたいが…本当にデイサービスやショートステイも使えなくなってしまうのか」

こういった相談についての連携を考える.

【事例紹介】

80歳男性　認知症，誤嚥性肺炎，糖尿病　介護度4

受診：内科，泌尿器科，眼科，精神科（認知症）

現在受けているサービス：訪問看護（週2回），通所介護（週3回），福祉用具貸与

相談を受けてケアマネジャーは，嚥下に関する評価の必要性を考え以前から本人と付き合いのある歯科医師と相談した．訪問歯科診療を行っている歯科医師を地域連携室から紹介され訪問し，主治医の了解と連絡をとり，訪問口腔ケア開始となる.

●医療からの対応

服薬と安静，嚥下機能を診断し，適切な食事の摂り方について指導，口腔ケアの方法の指導　必要な食事の摂取

・歯科医師による評価は，機能の改善をはかることで食事は可能である．観察しつつ口から食べることを目指して，ケアを開始.

・担当歯科衛生士は『食事を形ある物を安全に食べられること』を目標に口腔清掃，口腔リハに加え本人の健足，体幹強化のリハビリテーションを月2回自宅訪問して実施.

・デイサービスを週3回利用して看護師と介護スタッフで口腔ケアを実施.

本人，家族の協力もあり，背筋が伸び，声を出すようになったり，声掛けに笑顔がみられるようになったりとコミュニケーションがとれるようになる.

・担当歯科衛生士と同席した主治医より「本人の表情が明るくなってきた．○○さんの変化を実際に見て口腔ケアの効果が出てきている」との評価.

●生活面から

一方，生活を支援するための課題は，日常的なケアと家族の負担をどのようにしていくかという点にある.

①　家族の思い

・認知症が進み本人が意思表示することは難しいが，表情が穏やかになったり，笑顔がみられたりすることがうれしい.

・本人家族は，まだ食べることはでき，おいしいものを食べさせたいと考えている.

・食べたいだけ，少しずつ数回に分けて食べているので必要量ということは考えが及んでいないことと，本人の状態に合ったものを食べさせているかはわからない．しかし，今まで工夫して食べてきたので続けてあげたい.

・できるだけ入院や施設は考えたくないが，介護保険サービスの受け入れができなくなると困る.

・経済的にも負担が大きくなると介護が難しい.

② ケアマネジメントのポイント

食事の摂り方を検討（体制，食形態，食事量，時間などについて），食事の作り方について，介助の方法について，落ち着ける環境を作る，サービス事業者と対応を共有

・現状に合った食形態に調理をする（指導を受ける）．
・口腔ケアの方法と方法を看護師や歯科衛生士と一緒にケアを行うことで方法を学び自信をつける．
・家族の負担と専門職との役割の明確にして（患者や家族生活に与えている負担の検討）生活のルーチン化を目指す．
・入浴もきちんとできるようにする．
・現状の取り組みが本人や家族にとってどんな効果があったかを共有する

患者や家族は，病院や施設と同じように環境が整えられない．その家族や環境に療養にあった方針や方法を検討する必要がある．

・利用者の疾病に対する向き合い方を共有し，より良い方向へ検討する．

このように在宅生活における支援は多様な視点が必要となる．

連携の基本は「情報共有」

●「提供する情報」と「受け取る情報」

Dr.：多職種へ提供する情報

① 一般的：疾病に関する留意点，必要な体制，緊急時の連絡方法（介護支援専門員の連絡先など）

② 個別：注目する症状・状態（具体的な指標や状態を明示），連絡するタイミング，裁量に合わせた連絡

CM：医師へ提供する情報

① 病状の変化：病状が悪くなった（良くなった）等の情報，どのような場合に連絡するかを事前に相談・協議

② 日頃の生活状況：体調の良いとき悪いときの差，生活状況の変化（違いがみられる内容，利用者の反応）：利用者や家族の健康上の悩みや心配ごと

③ 治療に対するコンプライアンス：患者が医師の指示に従っているかどうか

服薬状況，食事制限，運動量など

連携上の留意点

① 医療職との連携

高齢者は，口腔内の問題，消化吸収の低下・精神的なストレス・調理能力・経

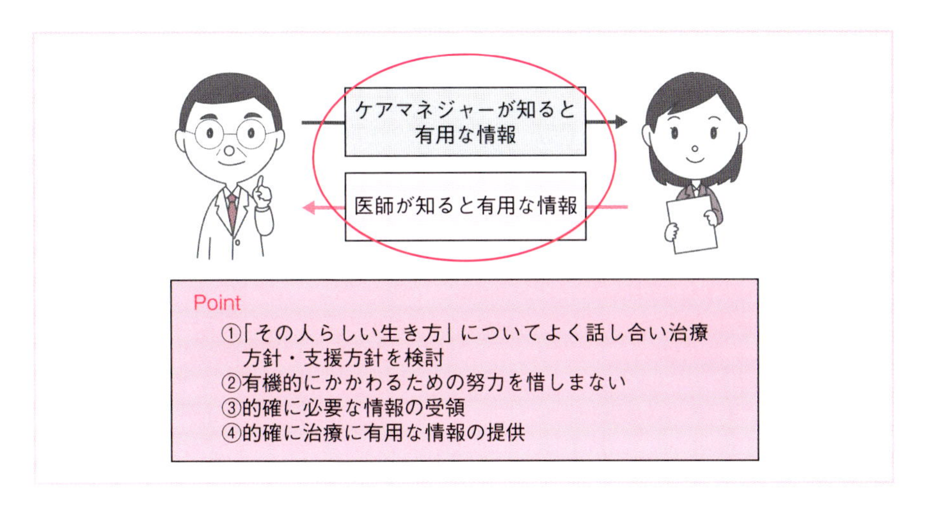

済力などの問題を抱えている.

「安心しておいしく食べるための課題」を明確にする.

② 連携のきっかけを見つける

「食べたいのに○○だから食べられない」「こういう理由で食べられないので○○になった」○○を確認する

「何をどう工夫して食べるか」について適した方法を見つける

③ 潜在化している障害に注意

摂食嚥下障害は外から見えない障害

脳血管障害，認知症，神経難病，加齢に伴う機能減退などが原因

「喜び」「生きがい」につながる食事には，「楽しく」「おいしく」「誤嚥しない」「栄養になる」食事への支援が必要

食事場面を観察する.

④ 口から食べることをいかに支えるか

食事摂取が困難になると低栄養，脱水などを引き起こす

高齢者ケアの意思決定プロセスに関するガイドライン

口から食べることを支援することは，尊厳を守ることにつながる.

⑤ 摂食嚥下にかかわる医療職との連携

医師，歯科医師，看護師，管理栄養士，歯科衛生士

摂食機能療法：歯科医師，歯科衛生士は検査，評価を実施

管理栄養士：栄養アセスメント，栄養管理，食環境，食形態，食事介助，調理

歯科大学病院：摂食嚥下障害に対応する口腔リハビリテーション科

ときとして，「連携」を重ね，それぞれの職種間での価値の違いに改めて「利用者本位の支援」の難しさを感じることは多い．しかし，その実現に向けて専門職が「何を目指しているのか」を常に検討することでそのチームは成熟していく.

COOPERATION

12章 ― 医療・介護との連携

平均寿命が男女とも80歳を超えている社会では，慢性疾患による受療が多く，
疾病構造の変化にともない医療の内容に変化をもたらしています．
また，医療ニーズと介護ニーズを併せもつ高齢者を地域で支えるために，
住まいや生活支援等の基本的サービスの確保とともに，
医療・介護の一体的な提供を目指した地域包括ケアシステムの構築が急がれています．
これらのことから，歯科医療の提供体制においても，従来の健常者を中心とした
歯科完結型から，医療・介護連携型に移行することが求められており，
多職種連携が不可欠となっています．また近年では，医科患者や要介護高齢者等に
対する口腔機能管理が医科疾患や合併症の予防，さらにはQOLの向上に
寄与することが明らかになり，急性期からの医科歯科連携が，その後の回復期や
在宅医療におけるシームレスな歯科医療の提供につながるものと期待されております．
これまで，歯科衛生士の90%が歯科診療所に勤務し，また，医科・歯科の
診療提供体制が異なることから，多職種連携のチーム医療に関わる機会は
きわめて少なく，医科への情報提供も限られていましたが，
これからは病院・施設との情報共有や連携推進システムを活用し，
多職種とのコミュニケーション力を高め，顔の見える関係を構築することが重要です．
また，歯科医師・歯科衛生士が地域包括ケアシステムのネットワークに積極的に参加
し，歯科医療・口腔健康管理・口腔ケア等のさまざまなニーズに対応していくことが
求められております．歯科口腔保健はすべての人に共通する健康課題ですが，要介護
高齢者等においては口腔内に苦痛やトラブルがあっても訴えることができず，
歯科医師，歯科衛生士が関与して，はじめて歯科的問題が顕在化し，
適切な歯科医療を施すことで，人生の最期まで“口から食べる”ための支援が
可能となります．そのため，歯科衛生士の新たな役割として，歯科医療と医療・介護を
つなぐ調整役（コーディネーター）としての活躍が期待されております．
本章では，超高齢社会における医療・介護の動向とともに，
多職種連携を推進する制度や仕組みを学び，地域包括ケアシステムや
医療・介護の連携における歯科衛生士の役割を理解しましょう．

12-1 地域包括ケアシステムと歯科衛生士の役割

札幌市保健福祉局保健所 秋野憲一

はじめに

日本は，諸外国に例をみないスピードで高齢化が進行している．65歳以上の人口は，現在3,000万人を超えており(国民の約4人に1人)，2042年の約3,900万人でピークを迎え，その後も，75歳以上の人口割合は増加し続けることが予想されている．このような状況の中，団塊の世代が75歳以上となる2025年以降は，国民の医療や介護の需要が，さらに増加することが見込まれている．

このため，厚生労働省においては，高齢者の尊厳の保持と自立生活の支援の目的のもと，可能な限り住み慣れた地域で，自分らしい暮らしを人生の最期まで続けることができるよう，地域の包括的な支援・サービス提供体制「地域包括ケアシステム」の構築を推進している．

1 地域包括ケアシステムの構築を目指して

厚生労働省は，団塊の世代が75歳以上となる2025年を目途に，重度な要介護状態となっても住み慣れた地域で自分らしい暮らしを人生の最後まで続けることができるよう，住まい・医療・介護・予防・生活支援が一体的に提供される地域包括ケアシステムの構築を実現していくこととしている．特に認知症高齢者の増加も見込まれることから，認知症高齢者の地域での生活を支えるためにも，地域包括ケアシステムの構築が重要である．

人口が横ばいで75歳以上人口が急増する大都市部，75歳以上人口の増加は緩やかだが人口は減少する町村部等，高齢化の進展状況には大きな地域差が生じているなど，地域の実情はさまざまであることから，地域包括ケアシステムは，市町村や

○団塊の世代が75歳以上となる2025年を目途に，重度な要介護状態となっても住み慣れた地域で自分らしい暮らしを人生の最後まで続けることができるよう，医療・介護・予防・住まい・生活支援が包括的に確保される体制(地域包括ケアシステム)の構築を実現．
○今後，認知症高齢者の増加が見込まれることから，認知症高齢者の地域での生活を支えるためにも，地域包括ケアシステムの構築が重要．
○人口が横ばいで75歳以上人口が急増する大都市部，75歳以上人口の増加は緩やかだが人口は減少する町村部等，高齢化の進展状況には大きな地域差．
○地域包括ケアシステムは，保険者である市町村や都道府県が，地域の自主性や主体性に基づき，地域の特性に応じて作り上げていくことが必要．

地域包括ケアシステムの背景 (厚生労働省 資料)

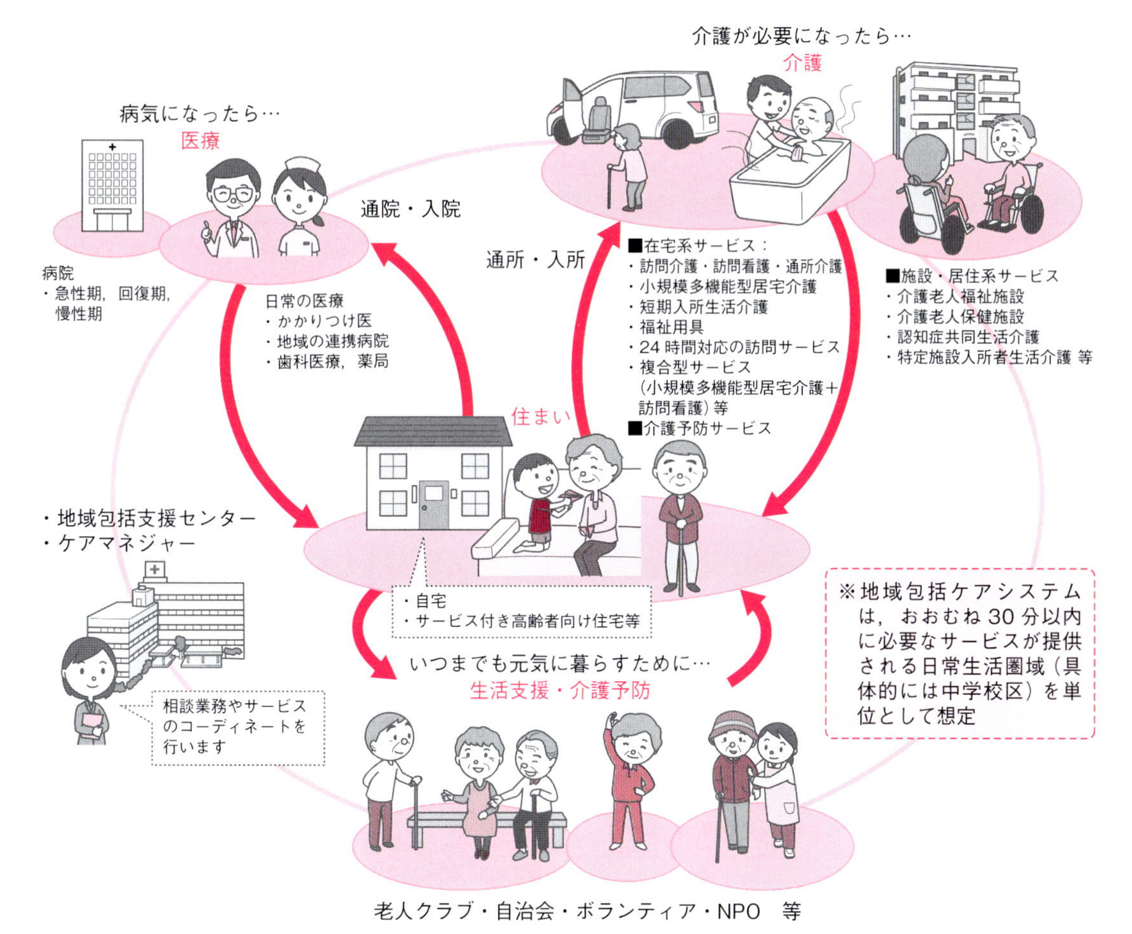

図1 地域包括ケアシステムの姿

（厚生労働省 資料）

都道府県が，地域の自主性や主体性に基づき，地域の特性に応じて作り上げていくことが必要である（**図1**）．

2 地域包括ケアシステムにおける歯科衛生士の役割

1．歯科医療における役割

医療ニーズと介護ニーズを併せもつ要介護高齢者を地域で支えていくためには，在宅医療の充実が不可欠であり，歯科医療においても訪問診療や訪問口腔ケア（介護報酬における「歯科衛生士による居宅療養管理指導」等）といった在宅歯科医療が重要となる．全身疾患，認知症，摂食嚥下障害等，特別な配慮を有する高齢者の増加の他，今後，在宅での看取りも増加が予想されることから，終末期の在宅療養における口腔ケアといったニーズへの対応も必要と考えられ，これらの要介護高齢者のさまざまなニーズに対応できる歯科衛生士が求められる．

2. 介護予防における役割

平成18年度の介護保険制度改正により介護予防を重視する見直しが行われ，「地域支援事業」と「予防給付」のメニューとして「口腔機能向上プログラム」(市町村事業として行われる地域支援事業に「口腔機能向上事業」，介護保険サービスに「口腔機能向上サービス：介護報酬における口腔機能向上加算」)が導入された．

口腔機能向上プログラムは，高齢者がおいしく，楽しく，安全な食生活を営むうえで重要なサービスであり，主にサービスを担っている歯科衛生士の役割は非常に大きい．

介護予防の取組は，市町村においては介護予防・日常生活支援総合事業の一環として実施されており，地域の実情に応じて口腔機能向上に関する介護予防教室や歯科衛生士等による3～6カ月程度の短期集中サービスを実施できることとなっている．

1　一般介護予防事業（全ての高齢者が対象）
【介護予防普及啓発事業】
介護予防の普及啓発に資する運動，栄養，口腔等に係る介護予防教室等の開催

2　介護予防・生活支援サービス事業（要支援又は基本チェックリスト該当者）
【通所型サービスC・訪問型サービスC】
保健・医療の専門職により3～6カ月の短期間で行われるサービス
運動器の機能向上・栄養改善・口腔機能向上等のプログラム，ADLやIADLの動作練習，集団的に取り組むことにより効果を増す介護予防教育等を必要に応じて組み合わせて実施
保健・医療専門職とは，保健師，看護職員，理学療法士，作業療法士，言語聴覚士，管理栄養士，歯科衛生士等

参考　介護予防・日常生活支援総合事業（市町村が実施主体で展開できる口腔関係のメニュー抜粋）

3. 地域ケア会議における役割

「地域ケア会議」は，介護保険法において地域包括支援センターまたは市町村が実施することが明記されており，市町村や地域包括支援センター職員をはじめ，地域の保健医療福祉関係者から構成される会議である．地域ケア会議では，困難事例や重症例を検討する場合も多いが，厚生労働省では，自立支援に向けた介護予防のための地域ケア会議を実施するよう市町村に求めている．歯科衛生士等の歯科専門職がかかわるべき事例としては，たとえば脳卒中術後の退院で誤嚥性肺炎のリスクが非常に高い要介護高齢者の在宅復帰ケースや，重度の認知症と低栄養を併せもつ要介護高齢者のケース等が考えられ，このような口腔管理が不可欠な困難事例を検討する場合は歯科専門職の地域ケア会議への参加が強く期待される（**図2**）．

なお，地域ケア会議における歯科衛生士の役割や実際に歯科衛生士が会議に参加した際の効果的な助言方法等については，「歯科衛生士のための地域ケア会議必携マニュアル」(監修　公益社団法人日本歯科衛生士会　医歯薬出版）を参考にしていただきたい．

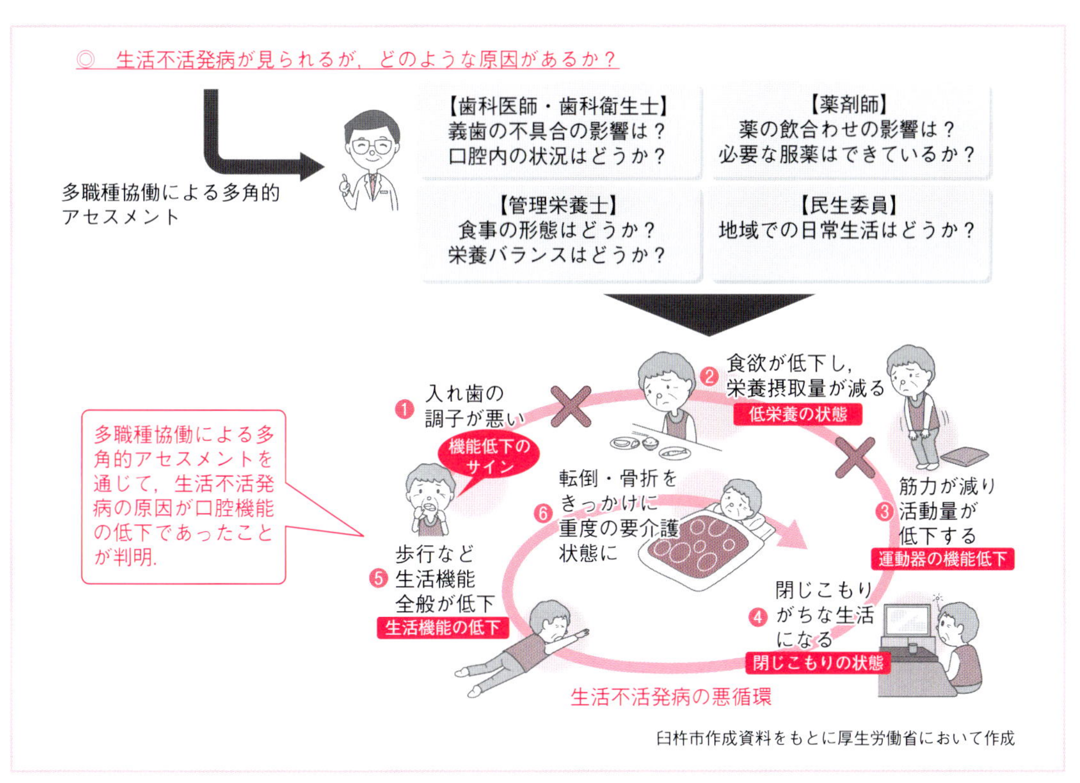

図2　地域ケア会議における多職種協働による多角的アセスメント視点

（臼杵市作成資料をもとにした厚生労働省資料より，一部改変）

4. 介護保険施設における役割

介護保険施設入所者に対する口腔関連サービスとして，歯科医師の指示を受けた歯科衛生士が，入所者に対して口腔ケアを実施した場合の評価として「口腔衛生管理加算」が設けられているほか，認知症高齢者グループホーム等の一部の居住型サービスにおいては，介護職員に対して口腔ケアに係る技術的助言及び指導を行った場合の介護報酬の評価として「口腔衛生管理体制加算」が設けられているなど，介護保険施設における口腔関連サービスを確保するうえで歯科衛生士の関与はきわめて重要である．

また，入所者の摂食嚥下障害への対応の充実を図るため，多職種による食事の観察（ミールラウンド）や会議の実施を評価する「経口維持加算」が設けられており，歯科衛生士は，参加が望ましい多職種の一員と明記されており，咀嚼機能や口腔ケアの観点から経口摂取の維持の取組への関与が期待されている．

5. 医療介護連携における役割

疾病を抱えても，自宅等の住み慣れた生活の場で療養し，自分らしい生活を続けられることを目的に，今般の介護保険制度の見直しにおいて，市町村が実施主体となる地域支援事業に「在宅医療・介護連携推進事業」が位置付けられ，すべての

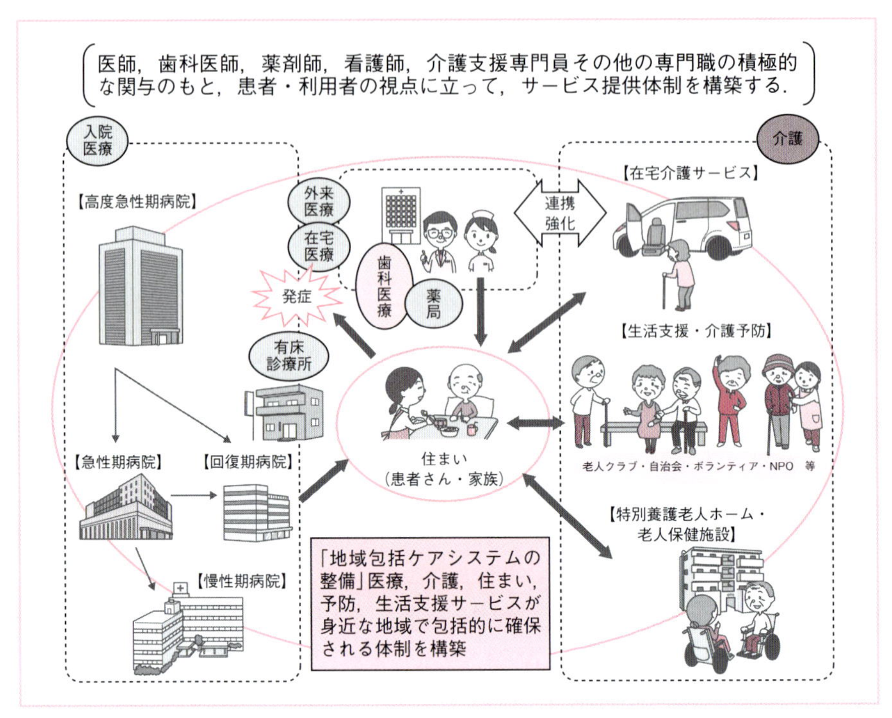

図3　医療介護総合確保法による改革後の姿

（厚生労働省 資料）

市町村が実施することとなっている．さまざまな関係職種，関係機関が連携する多職種協働により在宅医療・介護を一体的に提供できる体制の構築を目指しているが，医科・介護・歯科の関係者間の連携体制を構築するうえで，歯科衛生士の積極的な参加や連携調整の役割を担うことなども期待される（**図3**）．

12 -2 多職種連携における歯科衛生士の役割

兵庫医科大学医学部歯科口腔外科学講座　岸本裕充

他職種とのコミュニケーションが成功の鍵

超高齢社会を迎え，医療・介護の現場において義歯や食に関する問題が山積している．特に，歯科の介入が得られにくい環境では歯科の協力が待ち望まれている．歯科が参加する多職種連携は，病院と，在宅など地域におけるものとで関わる内容が異なる．医療・介護いずれの環境であっても，他職種とのコミュニケーションが成功の鍵であり，報告・連絡・相談（ホウレンソウ）が基本である．

1 オーラルマネジメントとして取り組む

これまで「口腔ケア」とされてきた行為を整理し，「オーラルマネジメント（oral-management；OM）」として，それぞれの現場での役割分担を意識して，的確な多職種連携に活かすことを提唱している．

口腔ケアには，狭義の口腔ケアで，口腔の清浄性を高める「器質的口腔ケア」と，咀嚼や嚥下のリハビリテーションなどの「機能的口腔ケア」があり，この2つを合わせて，「広義の口腔ケア」とよばれてきた．OMとは，広義の口腔ケアである口腔清掃（**C**leaning）と嚥下訓練などのリハビリテーション（**R**ehabilitation）的な介入に加え，患者や介護者，他職種への清掃法などの教育（**E**ducation），的確な口腔の評価（**A**ssessment），さらに齲蝕処置や抜歯，義歯調整などの歯科治療（**T**reatment）の5つを総合的に行い，口腔の問題を解決し，食べる（**E**at）ことを楽しむ（**E**njoy）生活に導くための概念である[1]．CleaningからEatまでの頭文字を並べるとCREATEとなり，「食べられる口をCREATE（創る）」がOMの目標である（**図1**）．

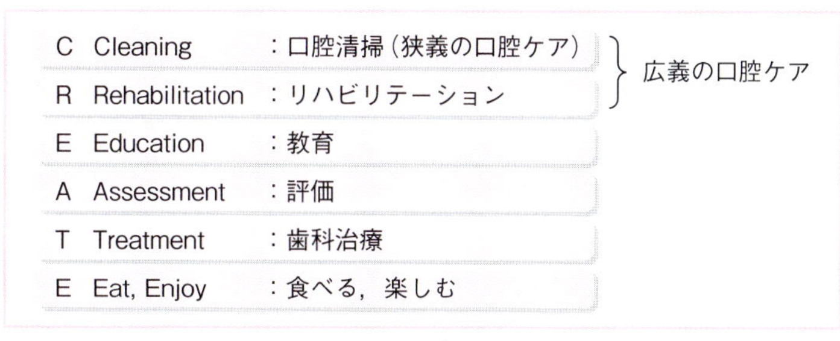

C	Cleaning	：口腔清掃（狭義の口腔ケア）	広義の口腔ケア
R	Rehabilitation	：リハビリテーション	
E	Education	：教育	
A	Assessment	：評価	
T	Treatment	：歯科治療	
E	Eat, Enjoy	：食べる，楽しむ	

図1　オーラルマネジメントの構成要素[1]

2 「歯科衛生士ならでは」を意識する

他職種では解決できない口腔衛生状態のときに，歯科衛生士が専門的な技術を活かした口腔清掃を行うことはたしかに効果的ではあるが，多職種のチーム医療における歯科衛生士の役割は，患者や要介護者の口腔をきれいに清掃することだけではない．CREATEの真ん中のEとA,つまり教育と評価こそが，「歯科衛生士ならでは」である．

例をあげると，嚥下訓練が必要と思われる場合でも，口腔清掃の延長線上の間接訓練程度で良いのか，トレーニングを受けた言語聴覚士や看護師と連携し，高レベルのリハビリを行うのかを見きわめる目（＝高い評価能力）をもてるようになることが望まれる．また，在宅において毎日の介入は難しく，間隔が空くと口腔衛生状態が悪化してしまうことが少なくないが，介入ができない日のセルフケアの充実や介護者，他職種へのケア方法の指導（＝教育）は歯科衛生士の重要な責務である．

的確な評価（アセスメント）によって，口腔清掃やリハビリ方法，家族や他職種への教育内容や，歯科治療の必要性を判断することができる．

3 アセスメントの具体例

どの職種でも共通して使用できるアセスメントツールとして，COACH（Clinical Oral Assessment Chart；臨床的口腔評価指針）を推奨している[2)]（**図2**）．問題あり（×）の場合には専門的介入が必要となり，医療職だけではなく，家族や介護職も共通して評価できることで，口腔の変化に早く気がつくことにつながる．評価においては，「清浄度」と「湿潤度」の2つ，簡単にいえば「きれいで，潤っているか」を，「口腔のバイタルサイン」として評価したい．COACHを活用して，清浄度は「歯・義歯」と「粘膜」の視診と，「口臭」で，湿潤度は「口腔乾燥度」のグローブをつけた手指での粘膜の触診で評価できる．

バイタルサインといえば，体温計や血圧計のような機器を使用して，客観的に評価できる．「清浄度」と「湿潤度」も，それぞれ「細菌カウンタ」や「口腔水分計ムーカス®」のような機器も使用可能であるが，現状では普及していないため，当面は主観的ではあるが，COACHのようなアセスメントシートの使用が現実的であろう．

主観的・客観的評価という面で追加すると，オーラルフレイル，口腔機能低下症においても，歯科衛生士を含めた専門職は，咬合力や咀嚼効率，オーラルディアドコキネシスなどの測定，専門職以外には主観的評価のポイントを教育すべきであろう．では，何を評価すべきかというと，「かむか」（噛むか）の3文字で記憶してもらいたい．日本老年歯科医学会ではオーラルフレイルとして，「滑舌低下，わずかのむせ・食べこぼし，噛めない食品の増加」の3つで（**図3**），フレイルの厚生労働省の基本チェックリストの口腔関連では「半年前に比べて堅いものが食べにくくなり

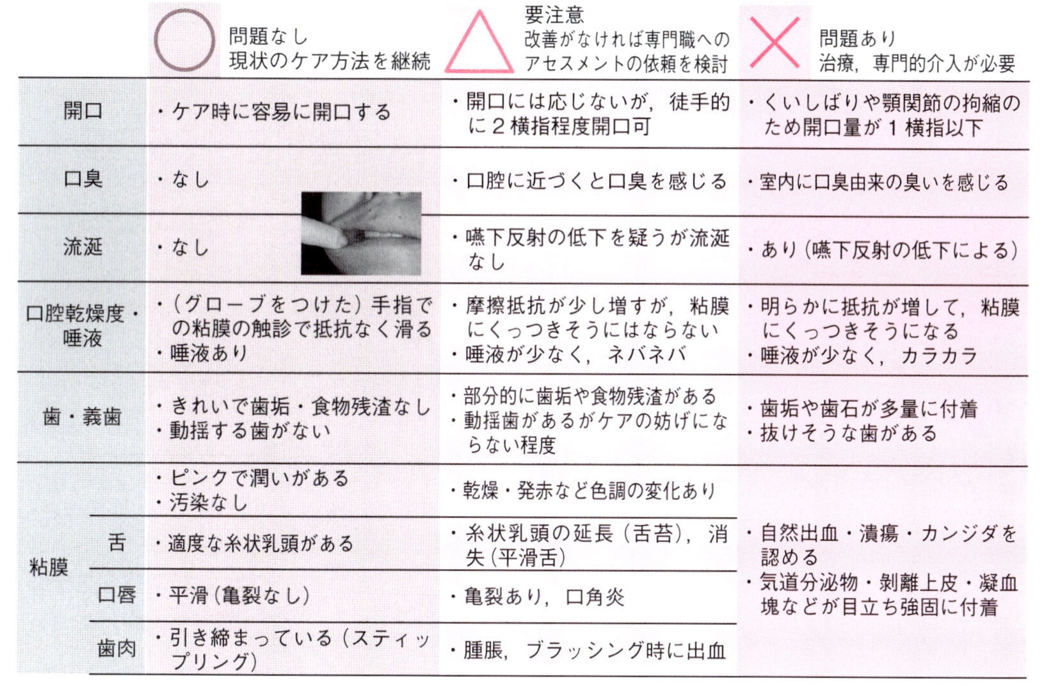

	○ 問題なし 現状のケア方法を継続	△ 要注意 改善がなければ専門職へのアセスメントの依頼を検討	× 問題あり 治療，専門的介入が必要
開口	・ケア時に容易に開口する	・開口には応じないが，徒手的に2横指程度開口可	・くいしばりや顎関節の拘縮のため開口量が1横指以下
口臭	・なし	・口腔に近づくと口臭を感じる	・室内に口臭由来の臭いを感じる
流涎	・なし	・嚥下反射の低下を疑うが流涎なし	・あり（嚥下反射の低下による）
口腔乾燥度・唾液	・（グローブをつけた）手指での粘膜の触診で抵抗なく滑る ・唾液あり	・摩擦抵抗が少し増すが，粘膜にくっつきそうにはならない ・唾液が少なく，ネバネバ	・明らかに抵抗が増して，粘膜にくっつきそうになる ・唾液が少なく，カラカラ
歯・義歯	・きれいで歯垢・食物残渣なし ・動揺する歯がない	・部分的に歯垢や食物残渣がある ・動揺歯があるがケアの妨げにならない程度	・歯垢や歯石が多量に付着 ・抜けそうな歯がある
粘膜	・ピンクで潤いがある ・汚染なし	・乾燥・発赤など色調の変化あり	・自然出血・潰瘍・カンジダを認める ・気道分泌物・剥離上皮・凝血塊などが目立ち強固に付着
粘膜　舌	・適度な糸状乳頭がある	・糸状乳頭の延長（舌苔），消失（平滑舌）	
粘膜　口唇	・平滑（亀裂なし）	・亀裂あり，口角炎	
粘膜　歯肉	・引き締まっている（スティップリング）	・腫脹，ブラッシング時に出血	

図2　COACH（Clinical Oral Assessment Chart：臨床的口腔評価指針）　（岸本，2013[2]より引用改変）
体温や血圧のようなバイタルサインと同様に，時間的経過に伴う各項目の「変化」を確認することが重要

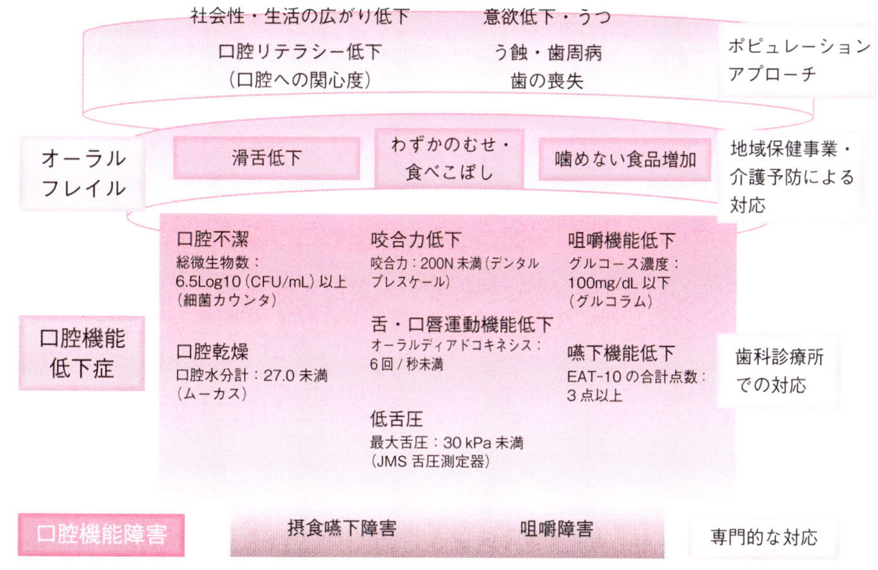

図3　オーラルフレイルと口腔機能低下症（日本老年歯科医学会 学会見解論文 2016年度版より一部改変）

ましたか」，「お茶や汁物等でむせることがありますか」，「口の渇きが気になりますか」の3つに「か」「む」「か」が隠れていることがわかる（**図4**）．

質問項目			回答	
社会参加	1	バスや電車で1人で外出していますか	0. はい	1. いいえ
	2	日用品の買い物をしていますか	0. はい	1. いいえ
	3	預貯金の出し入れをしていますか	0. はい	1. いいえ
	4	友人の家を訪ねていますか	0. はい	1. いいえ
	5	家族や友人の相談にのっていますか	0. はい	1. いいえ
運動器	6	階段を手すりや壁をつたわらずに昇っていますか	0. はい	1. いいえ
	7	椅子に座った状態から何もつかまらずに立ち上がってますか	0. はい	1. いいえ
	8	15分間位続けて歩いていますか	0. はい	1. いいえ
	9	この1年間に転んだことがありますか	1. はい	0. いいえ
	10	転倒に対する不安は大きいですか	1. はい	0. いいえ
栄養	11	6ヶ月間で2〜3kg以上の体重減少はありましたか	1. はい	0. いいえ
	12	身長cm 体重kg BMIは18.5未満か？ ＊BMI（＝体重(kg)÷身長(m)÷身長(m)）	1. はい	0. いいえ
口腔	13	半年前に比べて堅いものが食べにくくなりましたか	1. はい	0. いいえ
	14	お茶や汁物等でむせることがありますか	1. はい	0. いいえ
	15	口の渇きが気になりますか	1. はい	0. いいえ
閉じこもり	16	週に1回以上は外出していますか	0. はい	1. いいえ
	17	昨年と比べて外出の回数が減っていますか	1. はい	0. いいえ
物忘れ	18	周りの人から「いつも同じ事を聞く」などの物忘れがあると言われますか	1. はい	0. いいえ
	19	自分で電話番号を調べて，電話をかけることをしていますか	0. はい	1. いいえ
	20	今日が何月何日かわからない時がありますか	1. はい	0. いいえ
こころ	21	（ここ2週間）毎日の生活に充実感がない	1. はい	0. いいえ
	22	（ここ2週間）これまで楽しんでやれていたことが楽しめなくなった	1. はい	0. いいえ
	23	（ここ2週間）以前は楽にできていたことが今ではおっくうに感じられる	1. はい	0. いいえ
	24	（ここ2週間）自分が役に立つ人間だと思えない	1. はい	0. いいえ
	25	（ここ2週間）わけもなく疲れたような感じがする	1. はい	0. いいえ

図4　基本チェックリスト

（厚生労働省資料より）

4 病院における多職種連携

病院では栄養サポートチーム（NST：Nutritional Support Team）や呼吸サポートチーム（RST：Respiratory care Support Team），緩和ケアチーム（PCT：Palliative Care Team）など，多職種で構成されたさまざまな医療チームが存在する．病院における医療チームは，決められた日時に集まり，病棟を巡回するなど，活動形態が決まっており，顔がみえる関係である．病院に多くの専門職がいるため，人的資源が豊富で，比較的，チームの形成がしやすい．メンバー同士が直接意見交換を行うことができ，各職種の特色や活躍を身近で感じながら信頼関係を築いていける．また，それぞれの患者には担当看護師が存在し，患者を支えるうえでキーパーソンである．チームからの連絡を担当看護師に申し伝えるパイプを形成できれば，歯科衛生士の介入の成果を上げやすくなるだろう．

最近，歯科を併設しない病院で勤務する歯科衛生士も増加しつつあり，歯科医師がいない環境での歯科衛生士の役割が課題となっている．

5 在宅や介護現場における多職種連携

2025年に団塊の世代が後期高齢者となり，日本の超高齢社会の深刻さを増すと言われている．要支援者・要介護者は必然的に増え，それに伴い，歯科医療の提供の場も歯科医院への来院から訪問歯科診療へとシフトせざるを得ない．在宅・介護の現場では問題があるにもかかわらず，口腔の問題は解決されていなかったり，見つけることすらされていないことも多く，歯科の介入が求められている．

歯科の介入は，ケアマネジャーや訪問看護師，介護福祉士など他職種からの依頼ではじまることも多い．訪問時に患者を取り巻くすべての医療・介護職が一同に集まることは少なく，ほとんどは顔がみえない関係でチーム医療を行っていくのが，病院との大きな違いである．会話によって申し送りができないため，他職種への伝達の手段を整えることが多職種連携を円滑に行ううえで重要となる．

現在はインターネットが普及し，同じ場所にいなくても連絡をとることが容易となり，オンラインでの会議も当たり前の時代になった．多職種間で共通の記録様式を使用したり，各職種ごとのアセスメントをパソコンやタブレットを使用し，情報を共有していくことが充実したケアプランの作成に繋がると考える．便利にはなったが，その一方で個人情報の管理への配慮など，新たな課題も出てきた．

まとめにかえて

口腔清掃においては看護師や介護職など，嚥下訓練では言語聴覚士や認定看護師など，と歯科衛生士の職域と重なるところが多くある．歯科衛生士は口腔のスペシャリストの1人であり，特に歯科医師がいない環境では，この病態は治療が必要なのか，あるいはケアだけで改善できそうなのか，といったアセスメント能力が期待されている．口腔清掃の技術も大切であるが，多職種のチームに加わったときには，的確な口腔のアセスメントを行い，口腔に関する問題解決のマネジメント役を担ってもらいたい．

参考文献

1) 岸本裕充ほか：口腔ケアからオーラルマネジメントへ —医科歯科連携の重要性—．日本医事新報，4459：54-58，2009.
2) 岸本裕充：COACH（Clinical Oral Assessment Chart）．岸本裕充編．口腔アセスメントカード．学研メディカル秀潤社，東京，2013，2.

12-3　在宅歯科医療を支える地域連携

歯科小児矯正歯科つのまち医院　角町正勝

1 歯科衛生士と歯科の課題

高齢社会における歯科界の課題は，最後まで対象の患者さんの生活に寄り添い，「う蝕や歯周病」など口の器質的な問題に加えて，「食べる」という口の機能にかかわる対応を明確にし，要介護高齢者などの誤嚥性肺炎のリスク軽減や，「安心・安全」に「口から食べる」を支援することにある．

歯科への期待は，加齢からくる口の機能低下や，病気の後遺症として「食べる」ことに関する口の機能の障害へのかかわりが大きくなってきている．

口腔健康管理を担うこれからの歯科衛生士は，口腔機能の維持向上を支援する職種として，地域における連携推進の担い手として重要な役割を担うものと考える．

2 連携推進に係る背景

大内は，「歯科口腔保健法・条例の概要と今後の歯科保健対策」と題して，2011年8月に公布・施行された「歯科口腔保健法の推進に関する法律（歯科口腔保健法）の背景，内容などに言及し，「国民の口腔状況は，大きく改善してきているものの，う蝕発症の地域間格差，糖尿病などとの生活習慣病対策との連携，在宅要介護高齢者などへの対応など課題が多く残されている．歯科口腔保健法・条例の制定を契機として，健康で質の高い生活の実現という視点から，住民および幅広い保健医療関係者を交えて真摯な議論を行い，地域ニーズに基づいた歯科口腔保健施策が一体的に展開されるようになることを期待する」という提言がされている[1)]．

大内が指摘しているように，近年の歯科保健医療にかかわる流れは，厚生労働省資料にみる，「歯科治療の需要の将来予測イメージ」[2)]においても，歯の欠損に対応する治療から口の機能の維持回復に向かう流れが明確になってきている．さまざまに変化してきている超高齢社会において，歯科保健医療の在り方も，これまでとは大きく異なるかかわり方や対応が求められてきていることは事実である．

また，高齢社会の進行によって浮上している医療費問題は，国の政策として示された「骨太の方針2015」において，社会保障費の伸びを抑える切り札として医療保険制度の改革が進められている[3)]．歯科界の動きは，このような厚生行政の動きと無縁ではありません．国の制度が様変わりしている中で，歯科界がどのような立ち位置で社会参加していくかは重要な問題である．なかでも，歯科衛生士の機能の充実は，来るべき時代の口腔保健を含め口腔機能の維持向上など多様な領域での活動の幅を広げていくうえで，大変重要なことだと考えられる．

3 歯科衛生士に求められるこれからの機能

この項では，すでに動き出している「①在宅歯科医療連携室，②口腔保健支援センター，③地域包括支援センター・・」など，新たな「地域連携・医療連携」の仕組みの中で，あるべき歯科衛生士の姿を学習してほしいと考える．

1．在宅医療と地域連携

在宅医療や地域連携については，都道府県が計画する医療計画を知る必要がある．その医療計画に関しては，平成25年から，精神疾患と在宅医療に関する項目が加えられ，在宅医療の充実や職種の機能や連携などが記されている．しかし歯科衛生士に関しての書き込みはない．この医療計画における「がん，脳卒中，心臓病，糖尿病，精神疾患や在宅医療」の項において，どのように歯科衛生士が関わるか，在宅チームの一員として歯科衛生士のかかわりを示していくことが重要である．医療計画へ歯科衛生士の機能を書き込むためには，歯科医師との連携を通して歯科衛生士の機能を明らかにしていく必要がある．

現在，在宅医療における歯科衛生士の役割は，「訪問歯科衛生指導料」，「歯科訪問診療補助加算」，「歯科衛生士居宅療養管理指導」などの点で，医療保険や介護保険で評価されている．歯科衛生士は，「管理指導計画書」[4]（歯科医師が居宅療養管理指導を必要と判断した者に対して，歯科医師，歯科衛生士等が個別の利用者ごとに口腔衛生状態および摂食嚥下機能に配慮して作成した計画書）を，連携を見据えてどう記載できるかが大変重要である．

2．在宅歯科医療連携室

在宅歯科医療連携室は，歯科医師・歯科衛生士が在宅医療を進めて行く活動の拠点である．

2010年国の指導によって都道府県歯科医師会などに設置が広がっていきている．この在宅歯科医療連携室は，都道府県が設置する連携室と郡市区歯科医師会の設置する連携室で活動に異なる部分はあるが，直接間接に在宅歯科医療を支える窓口になっている．歯科衛生士は，そこの専任スタッフとして，他の関係団体や施設のスタッフと，地域の患者さんとの繋ぎ手の役割を担うことを目指しての活動をしている．その在宅歯科医療連携室は，医師会の在宅医療連携拠点や，地域包括支援センターなど医療や福祉の関係者との連携窓口の役目を担っている．そして，現場を担う多職種との会話が出来る口腔の専門スタッフとして，他の領域と積極的にかかわったり，地域での講演会の講師として直接情報発信をすることなどを行っている．

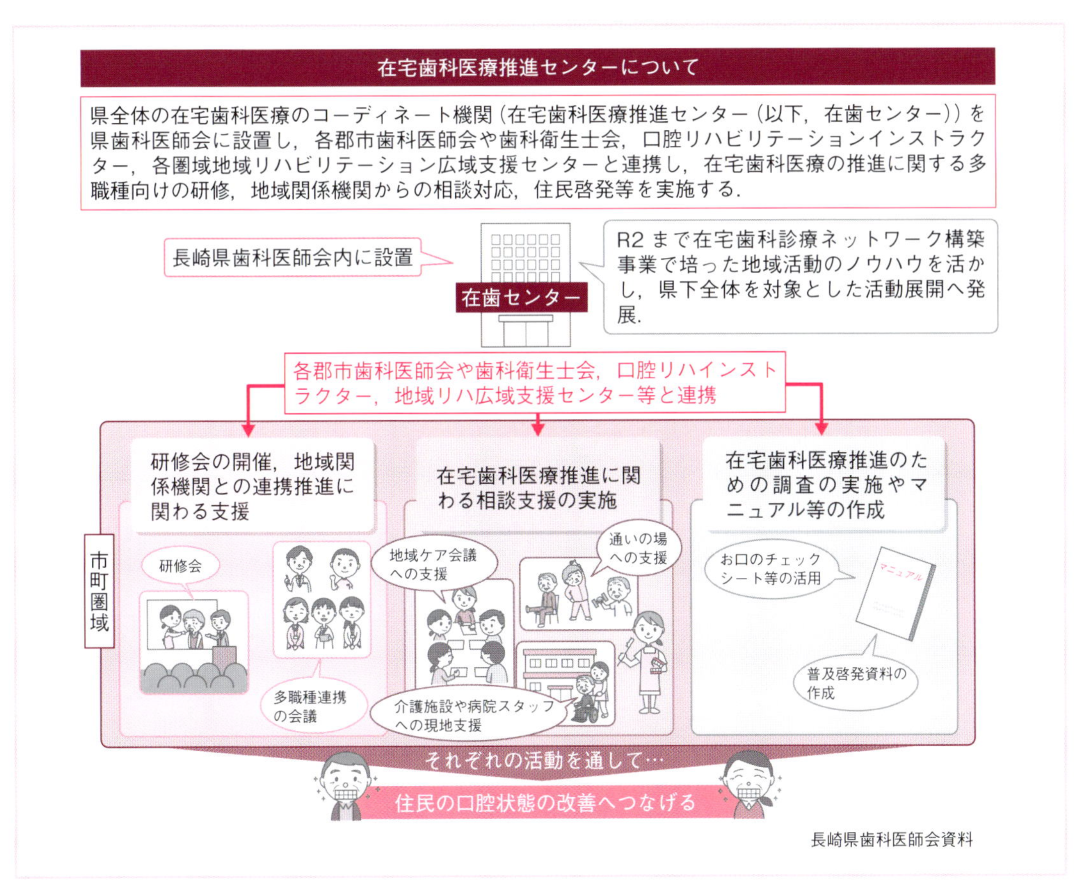

図1　在宅歯科医療推進センターについて（長崎県の例）

3. 口腔保健支援センター

口腔保健支援センターは，「①歯科口腔保健に関する知識の普及啓発，②定期的に歯科検診を受けることなどの推奨，③障害者が定期的に歯科健診を受けることなどのその他の施策④歯科疾患の予防のための措置，⑤口腔保健に関する調査及び研究」など，歯科口腔保健の推進に関する施策の実施に向けて情報提供や支援を行うために，都道府県，保健所設置市及び特別区が設置する機関（任意）である．2011年に公布された歯科口腔保健法の第15条に規定されている．都道府県の行政機関に，歯科保健行政の企画立案ができるスタッフとして歯科衛生士は歯科医師とともに，この領域での活動が期待されている．

4. 地域包括支援センター

地域包括支援センターは，保健師，社会福祉士，主任介護支援専門員の3職種のチームアプローチによって住民の保健及び生活の安定に必要な援助や，保健医療，および福祉の増進を包括的に支援することを目的とした市町村が設置主体となっている施設である．最近は，委託によって「社会福祉法人，社会福祉協議会，医療法

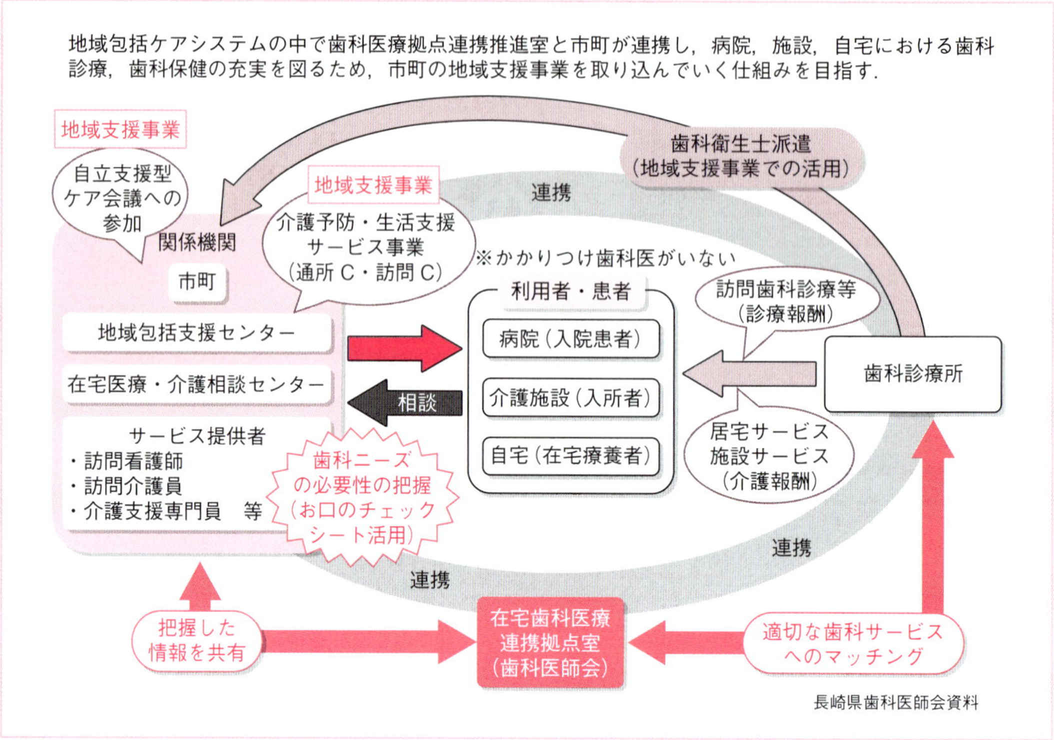

図2　目指すべき姿　歯科医療拠点連携推進室の将来イメージ図（長崎県の例）

（長崎県歯科医師会 資料）

人，・・」などへの設置が拡大している．主な業務は，介護予防支援及び包括的支援事業（①介護予防ケアマネジメント業務，②総合相談支援業務，③権利擁護業務，④包括的・継続的ケアマネジメント支援業務）であるが，現場でこれらの専門スタッフとの交流が増えてくることを考えると，歯科衛生士は，福祉領域においても関係職種と連携がとれる能力が期待されることになる．

5．長崎での事例

長崎県では，県歯科医師会が設置する在宅歯科医療連携室から派遣された歯科衛生士が，「市町，地域包括支援センター，在宅医療・介護相談センター，それにサービス提供事業者」等の地域包括ケアシステムにかかわる関係機関と情報を共有し，在宅歯科医療推進にかかわる相談支援を行い適切な歯科サービスへのマッチングを行う連携ネットワーク構築が進んでいる（**図1，2**）．しかし，このたびのコロナウイルス感染拡大により，その詳細な動きは遅滞している．「在宅を基軸として医療・介護・生活支援をそれぞれの職種が，垣根を越えてサービス提供をしていく地域包括ケアシステム」という建前は理解されながらも，在宅医療にかかわる歯科関係者の理解が十分でない実態が，長崎でもみられている．

このように，これからの歯科衛生士は，医療と介護が連携した形でのサービスが求められる地域包括ケアシステムにおいて，地域医療を支えるスタッフの一員として，また，口腔の保健医療福祉に係る専門家として大きく成長していくことが期待される．

参考文献

1) 大内章嗣：歯科口腔保健法・条例の概要と今後の歯科口腔保健対策．日健教誌，21(1)：62-69，2013
2) 三浦宏子ほか：歯科変革の時．ザ・クインテッセンス，34：34-44，2015.
3) 佐々木昌弘：10年後の地域医療を医療計画から考える．社会保険旬報，2611：15-23，2015.
4) 居宅療養管理指導　指定居宅サービスに要する費用の額の算定に関する基準　平成24. 3. 13厚生労働省告示87
5) 口腔保健支援センター　歯科口腔保健の推進に関する法律　平成23. 8. 10法律第95号

演習編

DRILL

DRILL

演習 1 アイヒナー分類

演習の目的

・口腔機能の中の「咬合」，「咀嚼」に最も影響が強いといわれている「アイヒナー分類」を理解することは，とても重要です．口腔領域の専門家として，残存歯の状況を即座に理解することは，責任を果たすうえで，避けられません．

（2章参照）

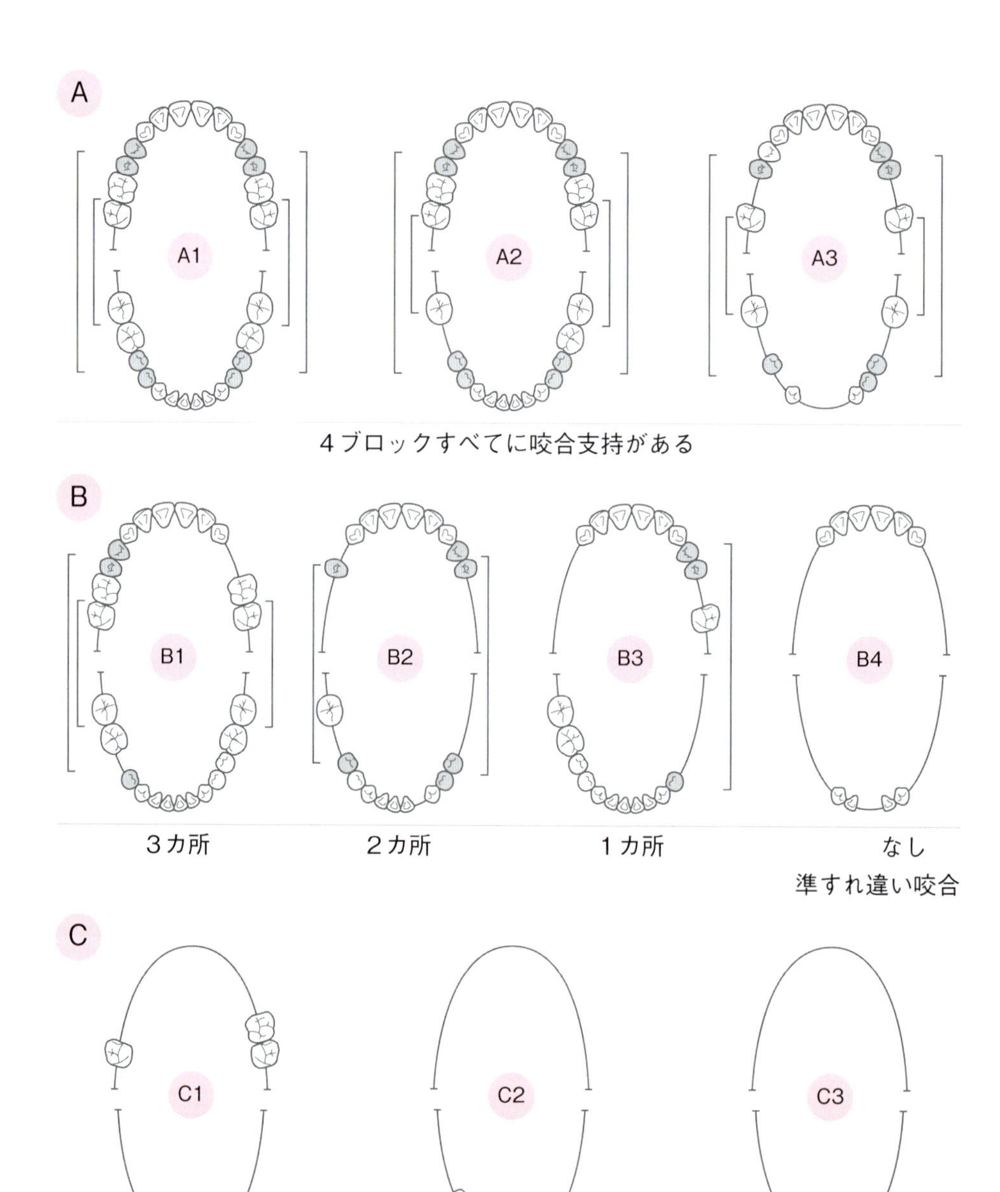

次の症例1～8のアイヒナー分類は，どれになりますか？

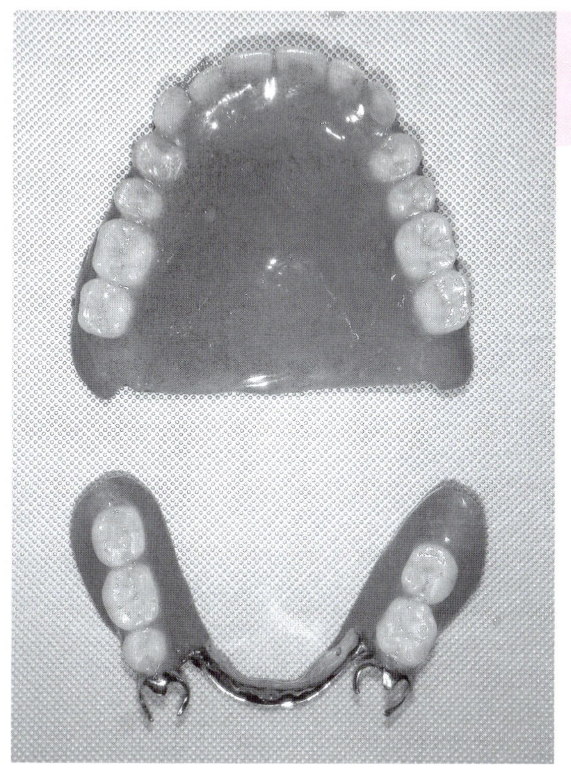

症例-1

アイヒナー分類＝

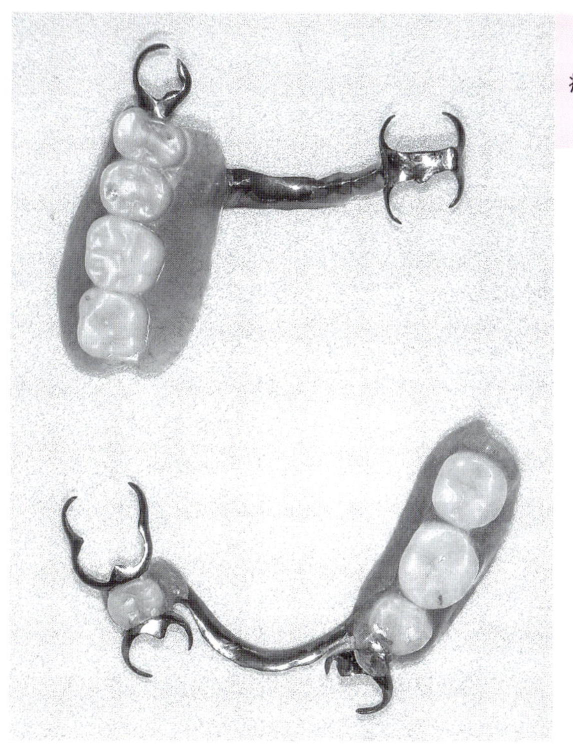

症例-2

アイヒナー分類＝

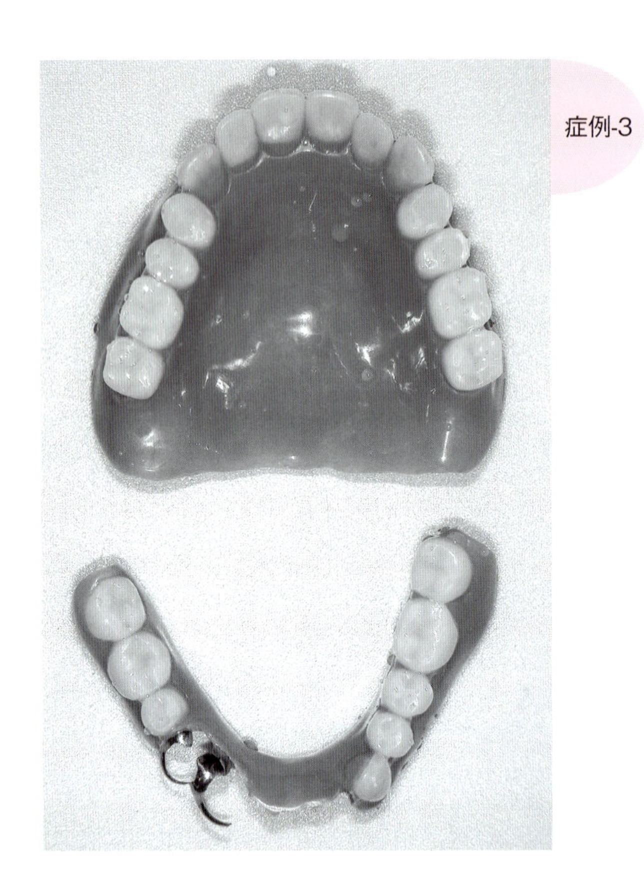

症例-3

アイヒナー分類＝

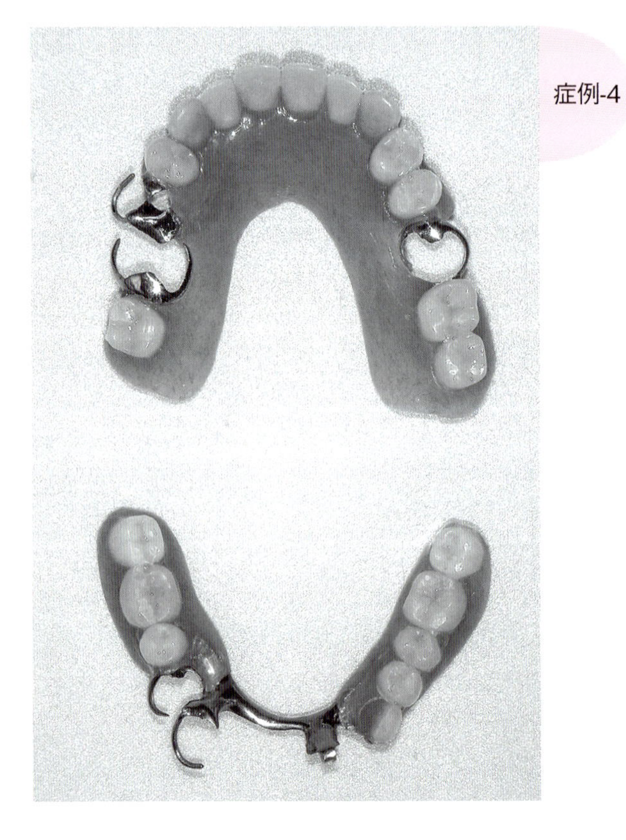

症例-4

アイヒナー分類＝

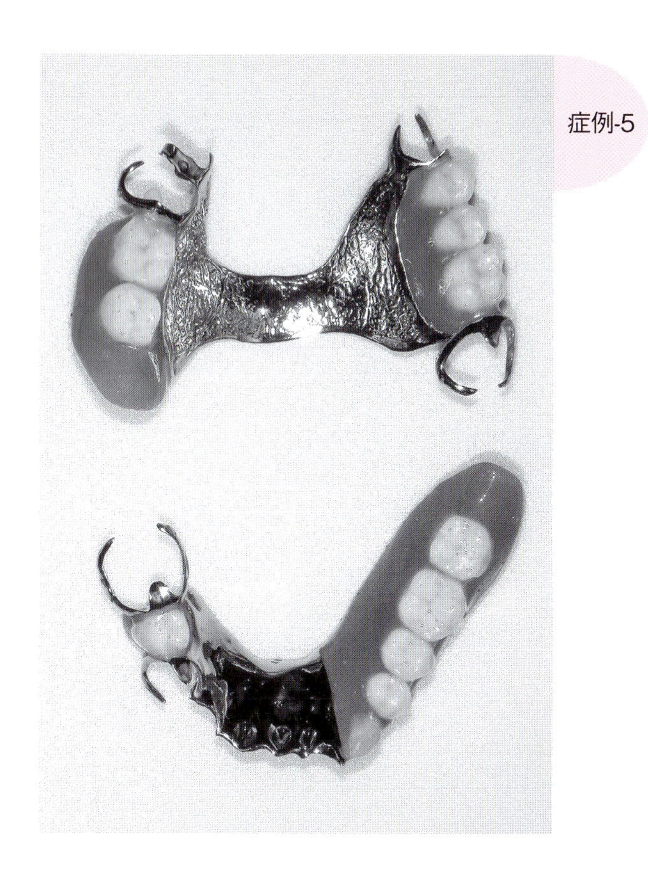

症例-5

アイヒナー分類＝

症例-6

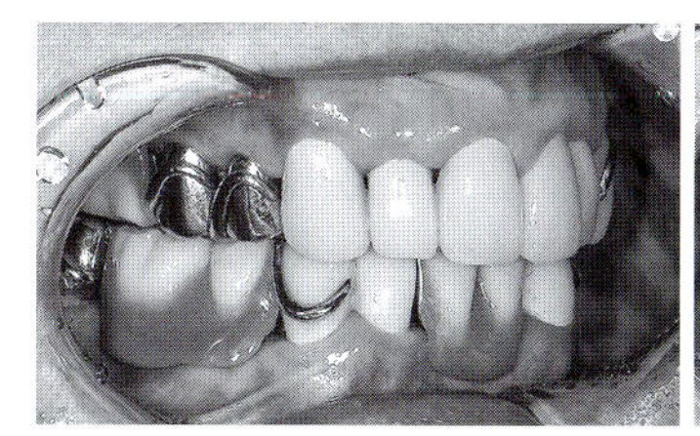
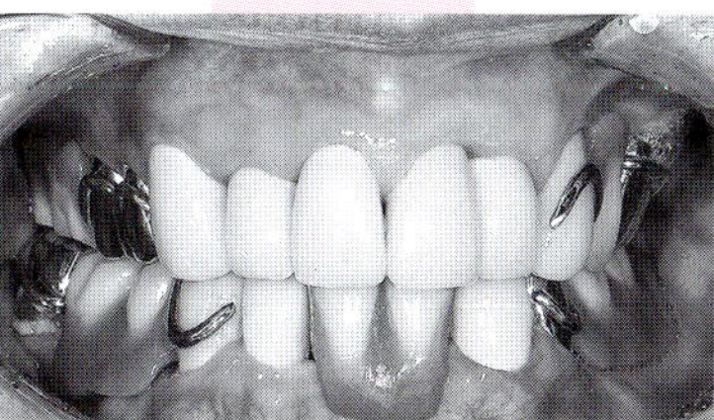
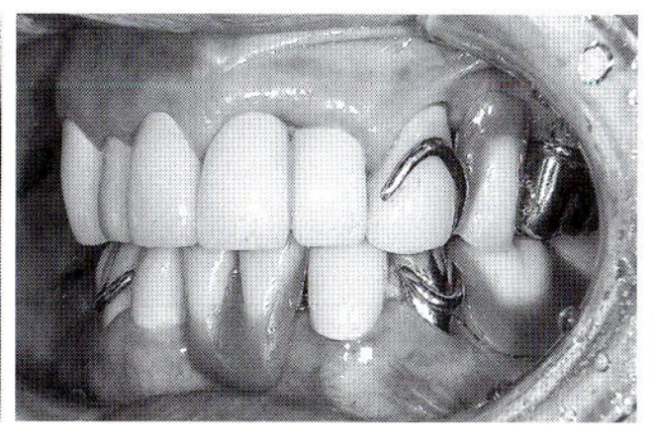

アイヒナー分類＝

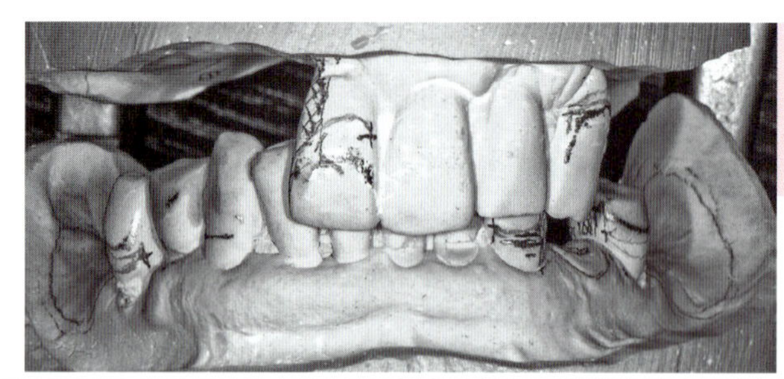

症例-7

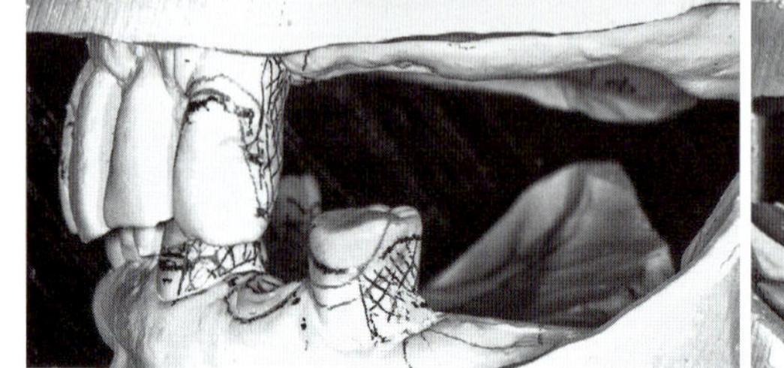

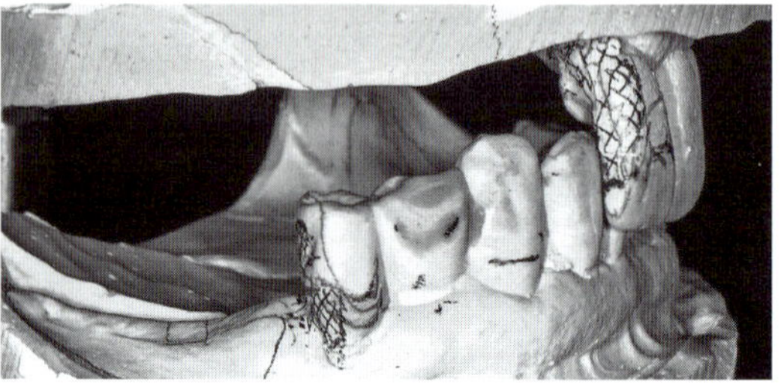

アイヒナー分類＝

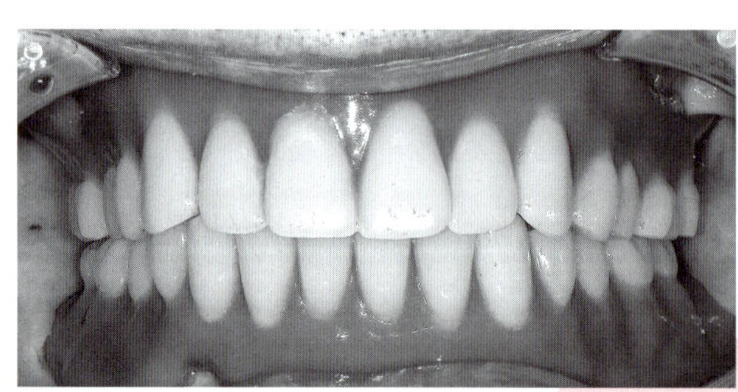

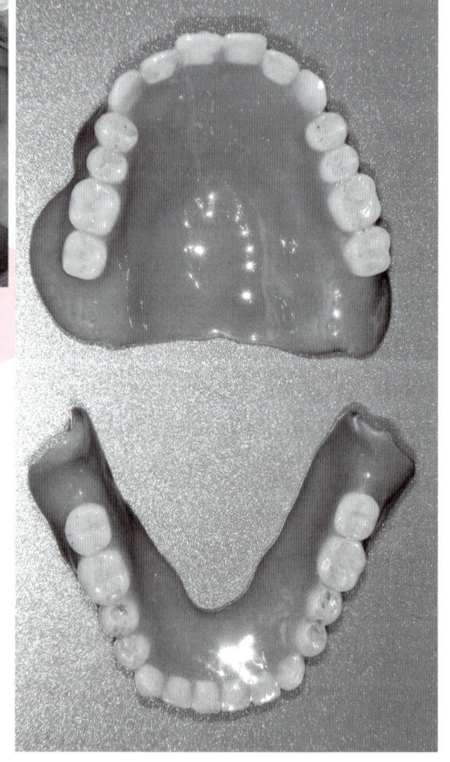

症例-8

アイヒナー分類＝

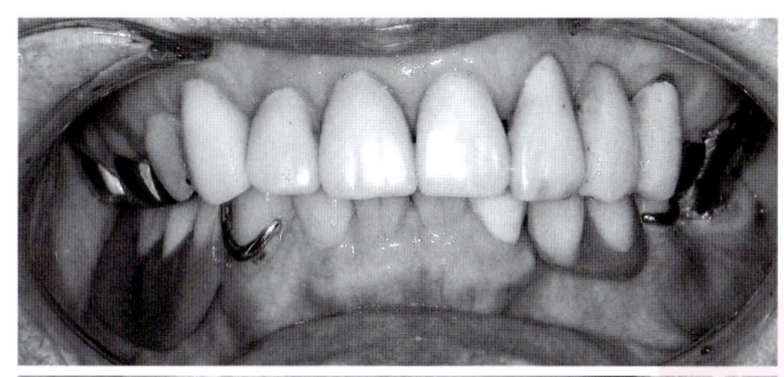

症例-9

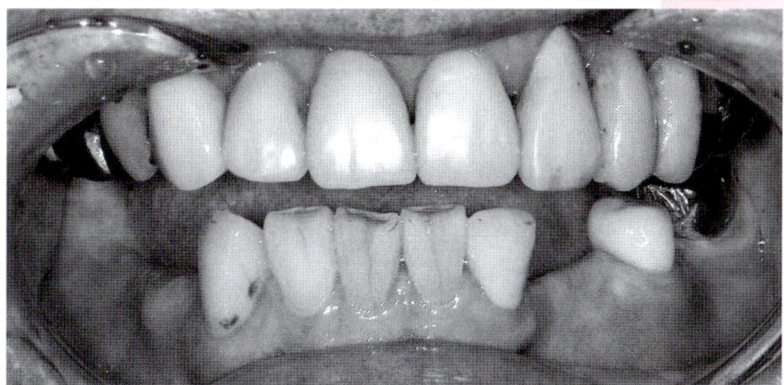

アイヒナー分類＝

DRILL

演習 2 咀嚼スコア

演習の目的

・対象者がどの程度咀嚼できているかを評価することは，栄養サポートを含め，歯科的介入を考えるうえで，欠かせない要素です．咀嚼の評価は，多くの検査法が報告されていますが，要介護高齢者を対象とした場合に，負担が少なく，かなり正確に把握できる方法として「25品目による咀嚼スコア」の算出を行います．

（3章参照）

1―咀嚼スコアの計算をしてみよう

作業1：各グループで「問診する人」，「問診される人（患者or利用者）」を1人ずつ決めてください．

作業2：「問診される人（患者or利用者）」は，問診内容（摂取可能の程度）をあらかじめ準備してください．

作業3：「問診する人」は「問診される人」に対して問診をしてください．「問診される人」は，あらかじめ用意した答えを答えてください．

＊これは「ロールプレイ実習」ですので，「問診する人」も「問診される人」もしっかり役になりきって演じてください．

＊その時，それ以外のメンバーは「見学者」という立場で，2人のやりとりを正しく記録してください．

＊記入用紙は，**資料1**を使ってください．**資料2**は記入例ですので，単なる参考資料です．

作業4：「ロールプレイ」が終了したら，**資料4**の計算のための用紙に問診結果を転写してください．

＊計算方法については，アシスタントが説明してまわります．

メモ

ロールプレイング（Role-Playing）は役割（role）を演じる（playing）の組み合わせから生まれた用語です．臨床現場を模した研修において，コミュニケーションスキル（Communication-Skills）習得のためのアイテムとして用いられています．与えられた「疑似場面」における「言葉の選択」，「表情」などの違いで，伝達内容に差が出ることを学ぶ方法です．この演習においても「問診する人」，「問診される人」，「それを聞いている見学者」が会話内容の解釈に違いがあるかないかを体験することも，目的の1つです．

2―咀嚼スコアに記入してみよう

資料1：記入用紙

次にあげた25個の食品について，下記の採点方法から現在の状況に最も近いものを選んで【　　】の中に記入してください

採点方法：点数［2，1，0］または，△，×を記入して下さい．
【 2 】容易に食べられる　【 1 】困難だが食べられる　【 0 】食べられない
【 × 】嫌いなので食べない　【 △ 】義歯になってから食べたことがない

【　　】あられ（せんべい）
【　　】イチゴ
【　　】ゆでキャベツ
【　　】スルメ
【　　】煮たまねぎ
【　　】鶏肉からあげ
【　　】生ニンジン
【　　】ハム
【　　】リンゴ
【　　】生あわび
【　　】カマボコ
【　　】こんにゃく
【　　】酢だこ
【　　】古漬けたくあん
【　　】鶏肉焼き物
【　　】煮ニンジン
【　　】ピーナッツ
【　　】イカ刺身
【　　】生キャベツ
【　　】さといも煮
【　　】大根浅漬け
【　　】佃煮こんぶ
【　　】ナス漬物
【　　】バナナ
【　　】豚肉焼き

資料2：記入用紙（記入例）

次にあげた25個の食品について，下記の採点方法から現在の状況に最も近いものを選んで【　　】の中に記入して下さい

採点方法：点数［2，1，0］または，△，×を記入してください．
【 2 】容易に食べられる　【 1 】困難だが食べられる　【 0 】食べられない
【 × 】嫌いなので食べない　【 △ 】義歯になってから食べたことがない

【 1 】あられ（せんべい）
【 2 】イチゴ
【 2 】ゆでキャベツ
【 × 】スルメ
【 × 】煮たまねぎ
【 1 】鶏肉からあげ
【 × 】生ニンジン
【 2 】ハム
【 1 】リンゴ
【 0 】生あわび
【 1 】カマボコ
【 0 】こんにゃく
【 0 】酢だこ
【 0 】古漬けたくあん
【 0 】鶏肉焼き物
【 1 】煮ニンジン
【 1 】ピーナッツ
【 0 】イカ刺身
【 0 】生キャベツ
【 2 】さといも煮
【 1 】大根浅漬け
【 1 】佃煮こんぶ
【 1 】ナス漬物
【 2 】バナナ
【 1 】豚肉焼き

資料 3：分類表

分類	食品群				
第Ⅰ群	バナナ	ゆでキャベツ	煮ニンジン	さといも煮	煮たまねぎ
第Ⅱ群	イチゴ	ハム	かまぼこ	佃煮こんぶ	こんにゃく
第Ⅲ群	鶏肉からあげ	鶏肉焼き物	リンゴ	ナス漬物	生キャベツ
第Ⅳ群	豚肉焼き	大根浅漬け	あられ（せんべい）	ピーナッツ	いか刺身
第Ⅴ群	生ニンジン	古漬けたくあん	酢だこ	スルメ	生あわび

資料 4：咀嚼スコアの計算方法

分類	食品群				
第Ⅰ群					
第Ⅱ群					
第Ⅲ群					
第Ⅳ群					
第Ⅴ群					

第Ⅰ群の平均値	×1.00=a
第Ⅱ群の平均値	×1.06=b
第Ⅲ群の平均値	×1.22=c
第Ⅳ群の平均値	×1.38=d
第Ⅴ群の平均値	×2.23=e

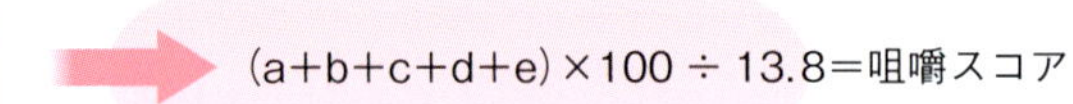

Memo

演習 3 舌圧計測

演習の目的
・口腔機能の低下を評価する際，舌圧の低下が必ず起こっているという文献が多く見られます．舌圧は専用の器械を使って図ることになります．
・文献として紹介されているのは，現在2つありますが，簡便で高齢者にも応用可能な「JMS舌圧測定器®(**図1**)」を用いて，現場で応用できるよう基本的な演習を行います．

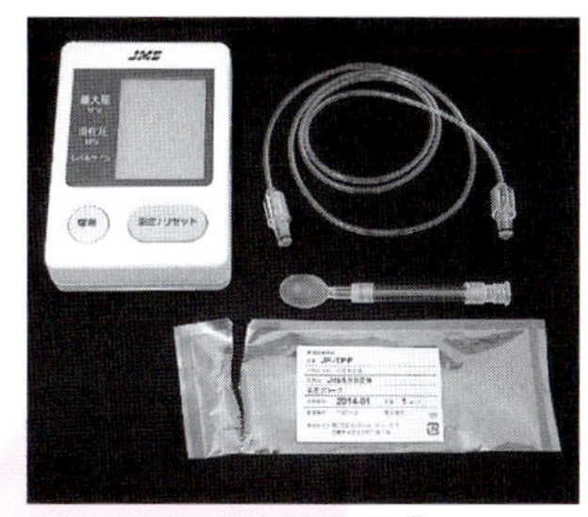
図1　JMS舌圧測定器®

操作手順

①「測定/リセット」ボタンを押してください．
②「液晶画面」に「測定」が表示されるのを確認してください(**図2**)．
③「バルーン」を口蓋皺壁前方部にあてて，「硬質リング部」を前歯部で**挟むように保持し**，口唇を閉じてください(**図3**)．
④「舌」で「バルーン」を潰すように強く押してください．時間は**5〜7秒**程度です．この時に「硬質リング部」を**咬まないように**注意してください．
⑤「液晶画面」には，最大舌圧が表示されます(**図4**)．
⑥測定は④のように短時間で行い，その後は「バルーン」に**触らないように**注意してください．
⑦繰り返し行う場合は，再度「測定/リセット」ボタンを押し，上記の手順を行ってください．
＊**注意**「バルーン部」は口腔内に入れるものです．個別の使用が必要です．

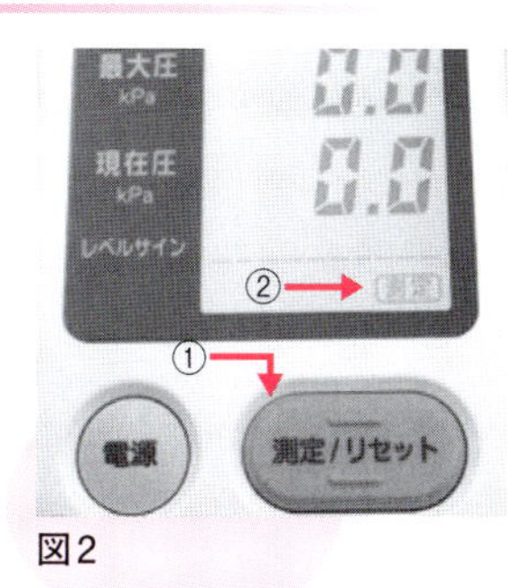

図2

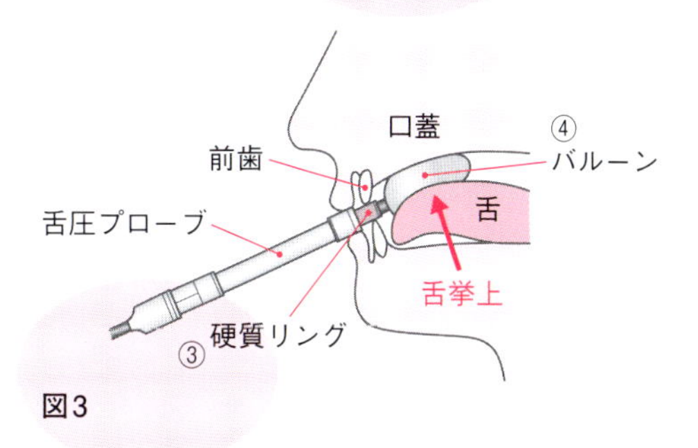

図3

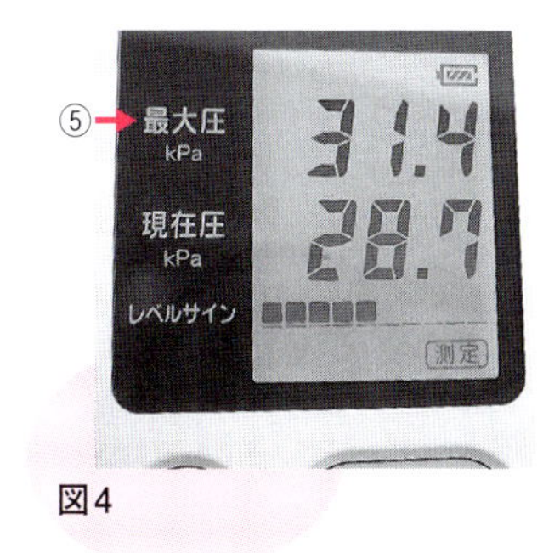

図4

基準値は**表1**に示す値とされています.

表1　基準値

年　齢	基準値	目　安
成人男性(20～59歳)	45±10kPa	35kPa以上
成人女性(20～59歳)	37±　9kPa	30kPa以上
60歳代男性(60～69歳)	38±　9kPa	30kPa以上
70歳以上	32±　9kPa	20kPa以上

【舌トレーニング用具・ペコぱんだ®(図5)】

舌圧回復訓練は，さまざまな方法(舌骨挙上訓練・呼気筋強化訓練・舌抵抗訓練)が紹介されています.

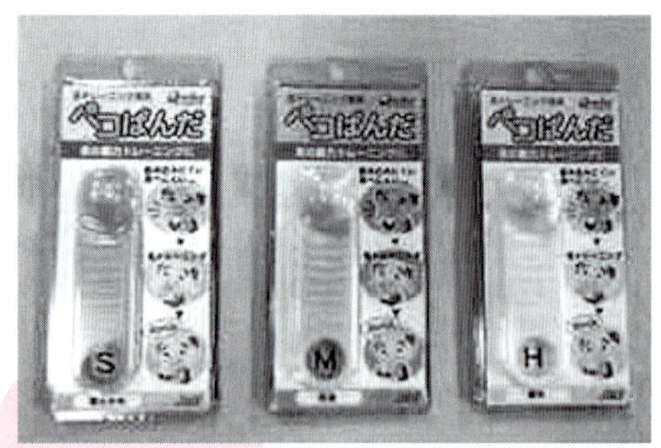

図5　舌トレーニング用具「ペコぱんだ®」

参考文献

1) Utanohara Y., et al：Standard values of maximum tongue pressure taken using newly developed disposable tongue pressure measurement devise. Dysphagia. 23：286-290. 2008.
2) Yoshida M., et al：Decreased tongue pressure reflects symptom of dysphagia. Dysphagia. 21：61-65. 2006.
3) Ono T., et al：Influence of bite force and tongue pressure on oro-pharyngeal residue in the elderly. Gerodontology. 24：143-150, 2007.
4) 梅本丈二ほか：神経筋疾患と脳梗塞患者の嚥下造影検査の所見と最大舌圧の関係．老年歯学. 23：354-359，2008.
5) Umemoto J., et al：Impaired food transportation in Parkinson's disease related to lingual bradykinesia. Dysphagia. 26：250-255. 2011.
6) 武内和宏ほか：嚥下障害または構音障害を有する患者における最大舌圧測定の有用性　新たに開発した舌圧測定器を用いて．日摂食嚥下リハ会誌，16：165-174，2012.
7) Mano T., et al：Tongue pressure as a novel biomarker of spinal and bulbar muscle atrophy. Neurology, 82：255-261, 2014.
8) Robbins J., et al：The effects of lingual exercise on swallowing in elder adults. J Am Geriatr Soc, 53：1483-1489, 2005.
9) 菊谷　武ほか：機能的口腔ケアが要介護高齢者の舌機能に与える効果．老年歯学，19：300-306，2005.
10) 田代宗嗣ほか：舌抵抗訓練を含む摂食機能療法による最大舌圧の変化．老年歯学，29：357-361，2005.

演習 4 サクソン法（便法）

演習の目的

・唾液を採取するには，標準化された方法を用いるのが望ましいですが，高齢者を対象とした場合，ふさわしいものは多くはありません．ここでは，ガーゼを口に含ませ，軽く咀嚼させることで，吸収された唾液重量を計測する「サクソン法（便法）」を採用しました．

（4章参照）

唾液分泌量を計測してみよう

作業1：ガーゼの秤量

作業2：2分間口腔内で咀嚼（唾液を嚥下しないように気をつけよう）

作業3：取り出して秤量

＊乾燥ガーゼとの差が唾液分泌量になります．

＊2g程度が基準とされています．

- 本物のサクソンガーゼは輸入されていないのと，薬事法を受けていないので，日常の臨床で使われている消毒された「小折ガーゼ」を使いましょう．
- 重さの計測には，小数点以下1位，あるいは2位まで表示できるものを使いましょう．

Memo

演習 5 口腔水分計（ムーカス®）

演習の目的

・口腔乾燥状態を臨床の場で客観的な数値として患者や多職種と共有することは，極めて重要なことです．そこで，検査者の違いによる影響が少なく，簡便で持ち運びが容易なアセスメント用具として，今回は口腔水分計（ムーカス®，**図1**）を活用して演習を行います．

口腔水分計（ムーカス®）を活用して口腔乾燥状態を調べてみよう

1 口腔水分計（ムーカス®）の特徴

口腔水分計ムーカス®（(株) ライフ）は，口腔粘膜の乾燥状態を数値化できます．2秒間で測定が可能であり，コンパクトなため持ち運びが容易です．センサーの圧接角度により生じるはずれ値を除外するため，連続3回測定し，その中央値を測定値とする必要があります[1]．

2 口腔水分計（ムーカス®）の測定方法

①感染予防のため，患者ごとにセンサーカバーを取り付けます（**図2**）．

②舌を突出した状態で，舌の下に指を添え，舌背（先端から10mmの舌背中央部）に垂直に圧接（200g程度，舌の下にそえた手に押し当てたセンサーの感触が伝わるくらいの強さ）します（**図3**）．「ピッ」という音で測定が開始され，約2秒で「ピピッ」という音が鳴れば測定終了です．

③センサーの圧雪角度により生じるはずれ値を除外するため，連続3回測定し，その中央値を測定値とします[1]．福島らは，口腔粘膜湿潤度の日内変動に規則性は見られなかったが，5分間程度の身体的・精神的安静状態を設定することにより，再現性のある測定値が得られることを報告しています[2]．さらに臨床で応用した結果，その有用性が確認されています[3-4]．

・注1：センサーカバーの先端を約10mm余らせ，センサー部分にしわが寄らないようにします．

・注2：センサーに水分が残った状態では，測定しない．測定値（99.8）は，センサーに水分が残っている状態です．

3 口腔水分計（ムーカス®）の判定の目安

判定の目安は，測定値27～30を境界域とし，27未満の場合は，口腔内が乾燥状態であることが疑われます（**表1**）．

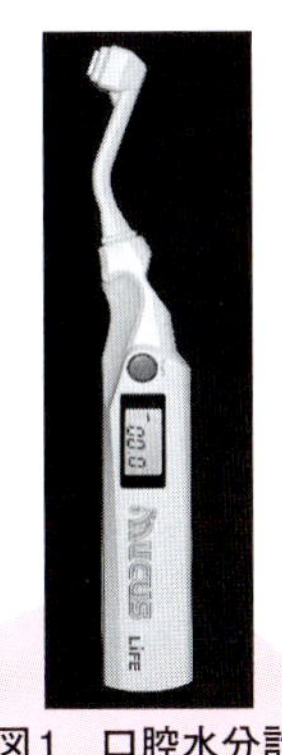

図1　口腔水分計（ムーカス®）

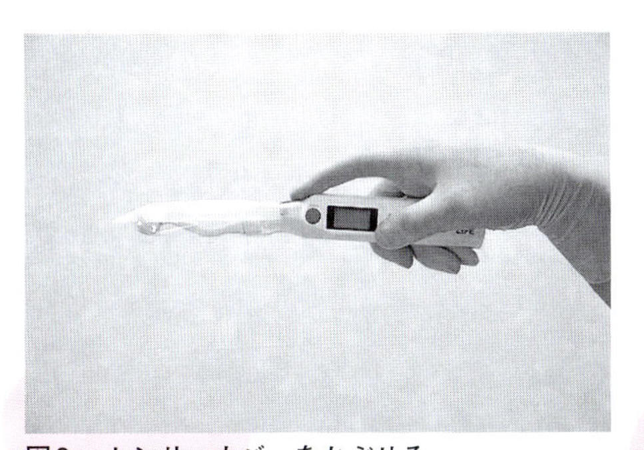

図2　センサーカバーをかぶせる
透明なフィルムがセンサーに軽く触れるところまでかぶせる

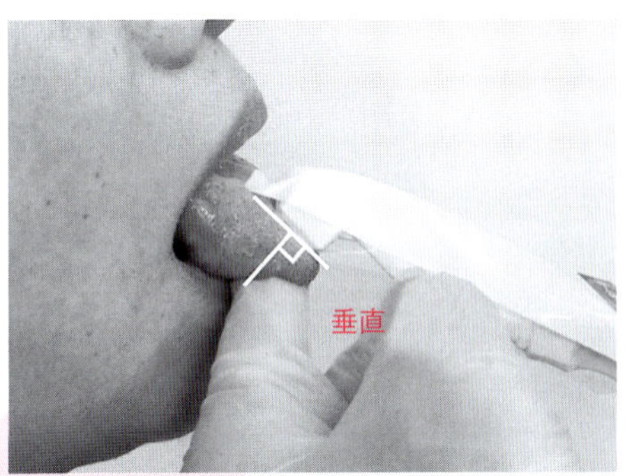

図3 舌背に垂直に圧接する
舌の下に指を添え，舌背（先端から10mmの舌背中央部）に垂直に圧接する．

表1　口腔水分計ムーカス®の判定の目安

	数　値	インジケータ
正　常	30.0以上	
境界域	29.0～29.9 27.0～28.9	
乾　燥	25.0～26.9 24.9以下	

※測定値27～30を境界域とし，27未満の場合は，口腔内が乾燥状態であることが疑われます．既存検査法，他覚所見，自覚症状，VASなどと併せた診断が必要です．

（埼玉医科大学を中心とした多施設共同研究による）

※表示される数値は，相対値のため単位はありません．

（資料：（株）ライフより）

文献

1）福島洋介ら：口腔水分計の至適測定方法に関する実験的検討．日本口腔粘膜学会誌，13（1）：16-25，2007.

2）福島洋介ら：健常人における口腔粘膜湿潤度の時間的変動に関する実験的検討．日本口腔粘膜学会誌，15（1）：15-21，2009.

3）Nishi M et al.,：Sequential Changes in Oral Dryness Evaluated by a Moisture-Checking Device in Patients with Oropharyngeal Cancer during Chemoradiotherapy：A Pilot Study, OHDM, 13（2）, June, 2014.

4）Fujimaki Y et al.,：Non-invasive objective evaluation of radiotherapy-induced dry mouth, J Oral Pathol Med, 43：97-102, 2014.

DRILL

演習 6 発音（構音）機能ではたらく口腔周囲筋

演習の目的

・口腔機能の1つとして，「会話（コミュニケーション）」があります．その言葉を組み立てるとき（構音）に使われている筋を漏れることなく（←すべて？）あげてみましょう．それらの筋は，咀嚼時や嚥下時にも働くとても重要な筋です．しかも，複数の筋がすばらしい連携で機能しているのをしっかり確かめてみましょう．

（参照：やさしくわかる口腔機能と筋．医歯薬出版，2018.）

発音（日本語）時に口腔内のどの組織・器官がかかわっているかをまとめてみましょう．

作業手順

作業1：グループ内で「リーダー」，「記録係（議事録）」，「模造紙記入係」，「発表係」を決めてください．

作業2：「組織や器官を念頭に発音に結びつけて表現する方法」と「発音を主軸に関連する組織・器官を羅列する方法」があります．どちらを選択するかをグループごとに決めてください．

作業3：どの発音のときにどの筋が働いているかを考えながら作業を進めてください．

作業4：まとめた「プロダクト」は模造紙に記入してください．

作業5：「プロダクト」の発表は「発表係」が行います．すべてのグループが同じテーマで作業したので，相違点や疑問点を積極的に質問・討論しましょう．

Memo

演習 7

栄養管理

演習の目的

- 介護高齢者の栄養管理に歯科がかかわることは，以前から提示されています．NSTへの参加や，介護保険施設等での「栄養サポートチーム等連携加算」として医療保険にも収載されています．これらのことを踏まえて，「栄養サポート」という観点からの歯科的介入についてシミュレーションをもとにグループワーク方式で習得します．

（6章参照）

シミュレーション

歯科衛生士による「栄養管理」は，施設や在宅でとても重要な仕事の1つです．介護保険の居宅療養管理指導の項目に含まれています．「介護予防」における個別指導にも役立てられています．本来，「栄養指導」は管理栄養士の仕事ですが，残念ながら口腔機能については十分な評価ができません．したがって，歯科衛生士による「栄養管理」は，口腔機能に軸足を置いた「専門家」としてのアドバイスを管理栄養士やその他の専門家に対して行うことになります．それらのチームワークからそれぞれの利用者に適した「献立」や「調理法」などの対応に活かされます．

88歳，女性

有料老人ホームに入所している．最近，好きだった散歩や音楽療法への参加が少なくなり，活動の意欲が低下していると判断される．

身長：153cm，体重：40kg．半年前の体重は44kgであった．

血清アルブミン値（Alb）は2.9g/dL，総リンパ数（TL）は1120，HDS-Rは20点であった．血圧は130/75mmHg，軽い脳梗塞の既往はあるが後遺症は認められない．心疾患の既往はない．感染症は認められない．

服用薬はアジルバ（ARB：アンギオテンシンⅡ拮抗薬）とバイアスピリン（アスピリン）である．

白内障による視力低下と，人工股関節設置による歩行困難があり，要介護度は2である．

この女性の栄養管理を管理栄養士とともに行うことになった．この施設には，常勤の看護師・管理栄養士・介護福祉士・作業療法士が勤務しており，言語聴覚士と歯科衛生士は非常勤である．

作業手順

- グループごとに模造紙にまとめて発表してもらいますので，前回と同様に各係を決めてください．
- すべてのメンバーが交代で担当するように組んでください．

作業1：栄養管理計画（栄養指導）を行うにあたり，上記以外に知りたい情報（歯科的に把握しておかなければならない事項）は何でしょうか．
ここでは，各グループで設定してみましょう．
＊アイヒナー分類は？　咀嚼スコアは？　疼痛を伴う残存歯はあるか？　など．

作業2：栄養管理計画に歯科として加わるにあたっての歯科としての目標を作りましょう．
＊管理栄養士や看護師としては，半年で元の体重に戻すこと，低下した検査値の改善を図ることを目標としたいと考えているようです．

作業3：栄養管理計画の具体例を作ってみましょう．
＊実際は，管理栄養士が作ることになりますが，口腔機能と食形態とのミスマッチを回避しなくてはなりません．食形態への提案を考えてみましょう．

低栄養の指標

指 標	目 安
体重減少率	1 カ月に 5%以上 6 カ月に 10%以上
BMI	18.5 未満
血清アルブミン値	3.5g/dL 未満
コレステロール値	160mg/dL 未満
総リンパ球数	
高度の低栄養	800 未満
中等度の低栄養	800～1,200 未満
軽度の低栄養	1,200～2,000 未満

（森戸光彦）

Memo

演習 8 グミゼリーを用いたスコア法による咀嚼能力測定

演習の目的

- グミゼリーを用いたスコア法による咀嚼能力測定を体験します.
- 測定結果をどのように患者さんに説明するか，どのような指導が必要かを考えましょう.

1－スコア法の意義

咀嚼の代表的な意義は，食物を粉砕し唾液と混ぜ合わせて嚥下しやすく消化されやすい「食塊」を作ること，その間に食物の味と香りを引き出して，最大限楽しむことにあります．すなわち，咀嚼によって食物の表面積が増えることは，食べることの「安全」と「楽しみ」の両方に大きく影響しているといえます.

そこで，咀嚼能力測定用に開発されたグミゼリーを一定回数の咀嚼したあと，その粉砕の程度を10段階のスコアシートを用いて目視で判定し，咀嚼能力の目安とします．口腔機能低下症の病態の1つである咀嚼機能低下の診断においては，アイヒナーC群の低下値の目安であるスコア2以下が診断基準となっています.

スコア法は，すでに50～70歳代の一般住民を対象とした大規模疫学調査に用いられ，評価の目安となる基準値と低下値やスコアに影響する因子が，咬合支持ごとに明らかになっています．それらを用いて測定結果を説明し，患者指導につなげることができます.

2－実習の準備

①グミゼリー（測定30分前には冷蔵庫から出して室温に置く）
②紙コップ
③ガーゼ（15 cm四方程度）
④割り箸またはそれに代わるもの（ガーゼ上に咬断片のグミゼリーを広げるため）

3－実習の手順

1. 標準の方法（**図1**）に沿ってグミゼリーを30回咀嚼した後に，スコアシート（**図2**）を用いてスコアを判定する.
2. 咀嚼能力低下をシミュレーションして10回咀嚼後のスコアを判定し，その差を確認する.

【測定方法】
1）患者への説明：口腔内にグミゼリーを置く前に，患者様へ噛み方について指示をする．
〈指示内容〉・普段噛んでいるようにして，自由に30回噛んでください．
・回数はご自身で数えてください．
・噛んでいるときに，グミゼリーを飲み込まないでください．
・30回噛み終えたら，紙コップ上に噛んだものをすべて吐き出してください．

2）グミを噛んで吐き出してもらう

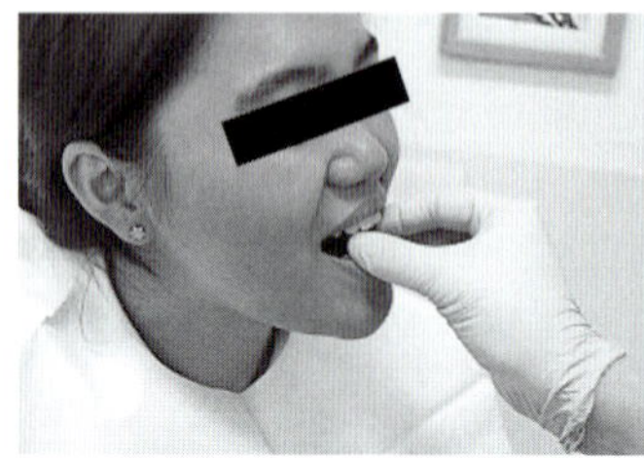

①舌の上にグミゼリーを置く

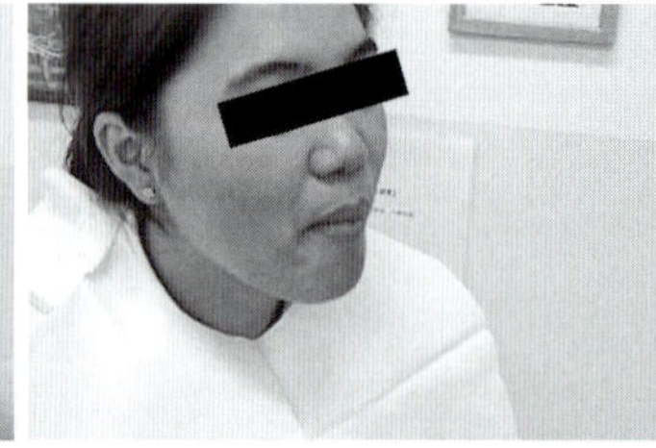

②30回自由に咀嚼してもらう

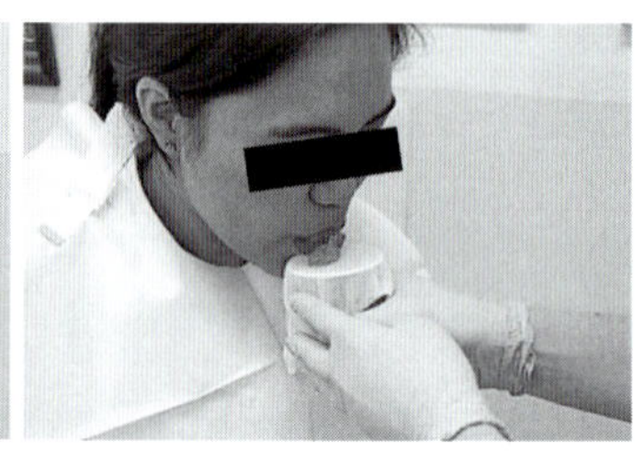

③紙コップにかぶせたガーゼの上にグミを全部吐き出してもらう．

3）残留を確認して問診する

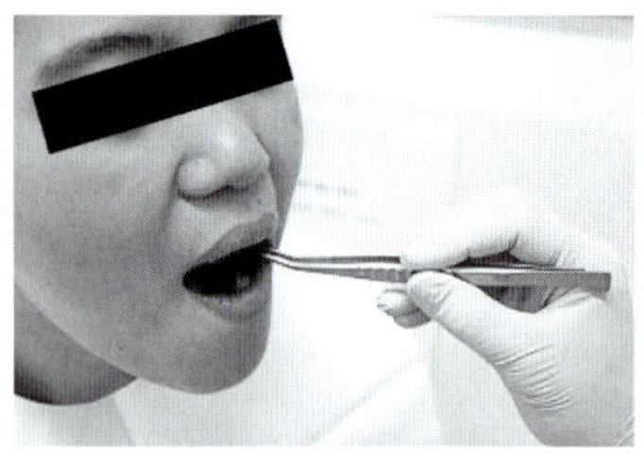

口腔内にグミのかけらが残っていないか確認し，残っていたら回収する．問診*を忘れずに！

【問診】
*グミを噛んだ後にする質問
Q. 噛みにくかったですか？
Q. 30回噛んで飲み込めると思いましたか？
Q. 歯や義歯は痛くなかったですか？

4）咬断片を水洗する

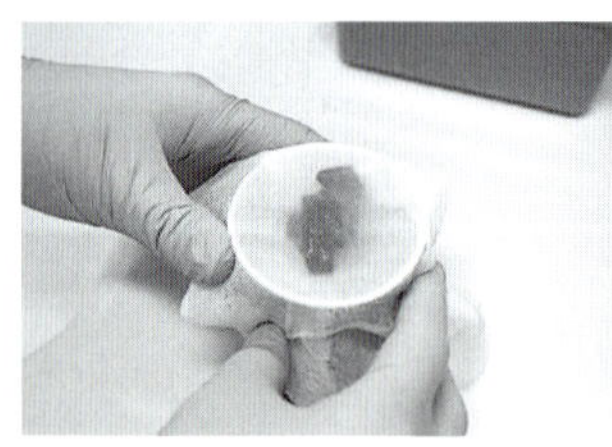

①ガーゼ上にすべてのグミのかけらがある状態．

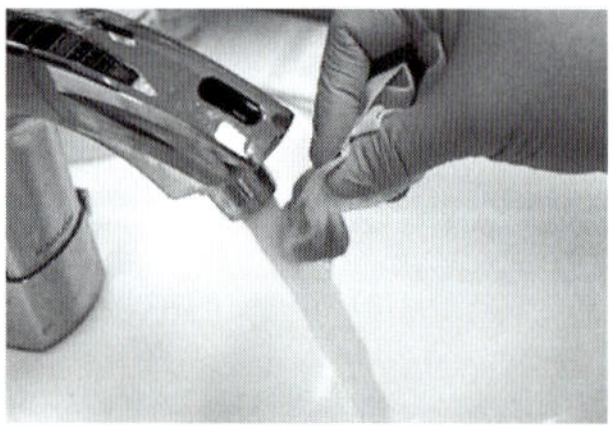

②ガーゼでグミを包み，流水で軽く唾液を除去．

5）スコアを評価する

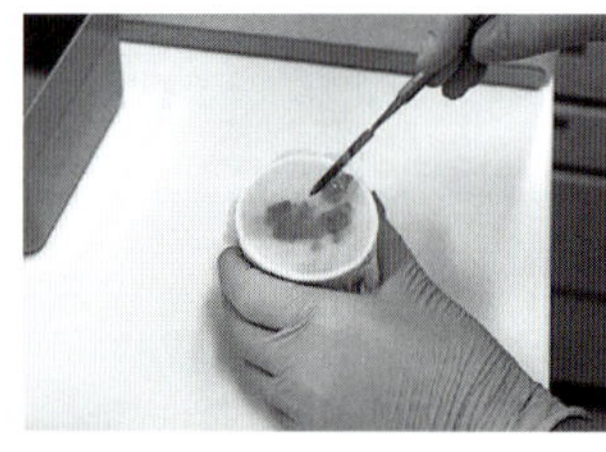

①紙コップ上にガーゼを張り，グミのかけらを均一に広げる．

②スコアシートを参照して，咀嚼能力スコアを判定する．

図1　グミゼリーを用いた咀嚼能力スコア法の手順

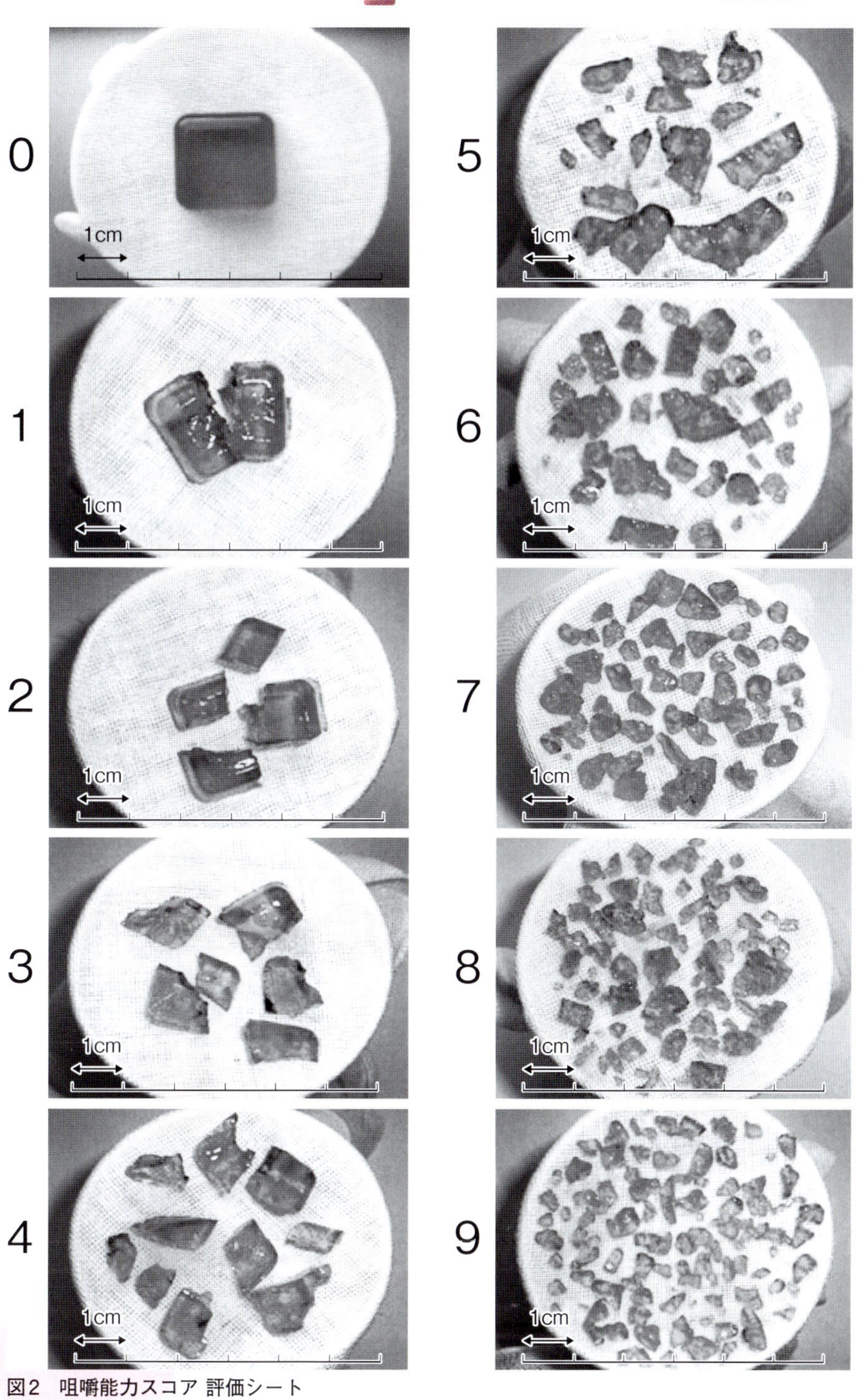

図2　咀嚼能力スコア 評価シート

3. 咬合支持ごとの咀嚼能力の基準値と低下値(**図3**)，咀嚼能力に影響する因子(**表1**)を参考に，10回咀嚼後の結果を「義歯を装着した患者さん(アイヒナーB群もしくはC群)の測定結果」と仮定して，どのような指導をすべきかを考える．アイヒナー分類は演習1(p194)を参照のこと．また，各咬合支持ごとの咀嚼能力への影響因子は表を参考にすること．

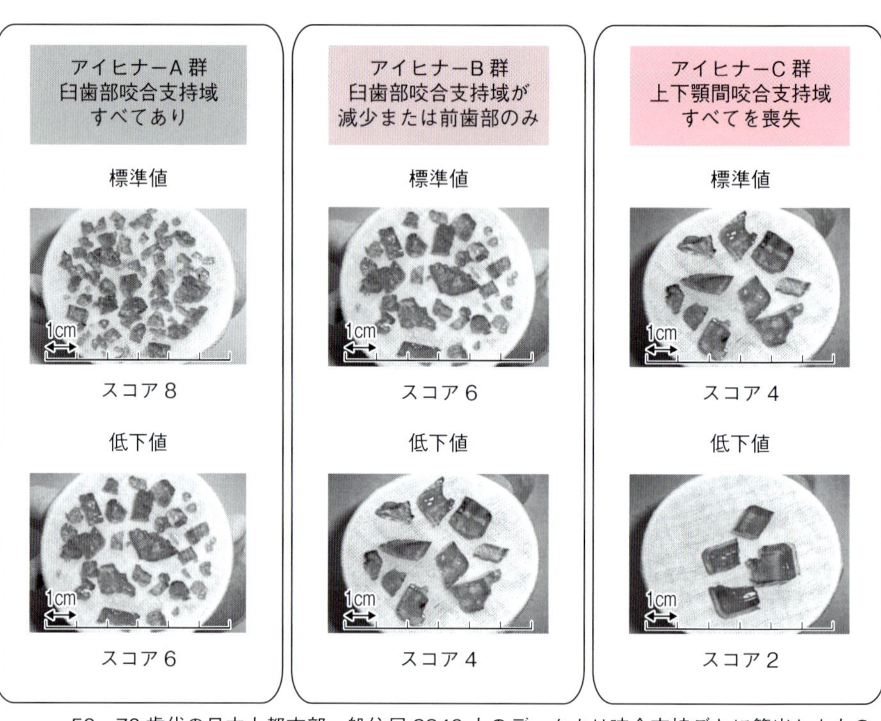

50−70歳代の日本人都市部一般住民2240人のデータより咬合支持ごとに算出したもの．

図3　咀嚼能力スコアの標準値と低下値

表1　咬合支持別の咀嚼能力に対する影響因子

上下顎間の咬合支持 (噛み合わせ)の状況	咀嚼能力に対する影響因子
アイヒナーA群 (臼歯部の咬合支持域がすべてあり)	性別(男>女) 機能歯数(多い方が有利) 最大咬合力(大きい方が有利) 歯周病の有無(なし>あり)
アイヒナーB群 (臼歯部の咬合支持域が減少，または前歯部の咬合支持のみあり)	機能歯数(多い方が有利) 最大咬合力(大きい方が有利) 歯周病の有無(なし>あり)
アイヒナーC群 (上下顎間のすべての咬合支持域を喪失)	最大咬合力(大きい方が有利)

Kosaka T, et al. A multi-factorial model of masticatory performance：the Suita study. Journal of Oral rehabilitation, 43(5)：340-347, 2016.

(小野高裕)

演習 9 咬合力測定

演習の目的

- 上下顎の歯で咬んだときに発現する力を咬合力とよびます．最大咬合力は歯種により異なり，前歯部よりも臼歯部で大きな力が発現し，また上下顎の顎間距離を変化させると最大咬合力は変化します．
- 咬合力の測定は咀嚼能力の間接的検査法の１つであり，口腔機能低下症の診断のための評価項目の１つとなっています．

1－咬合力測定システム

本演習ではデンタルプレスケールⅡを用いた咬合力測定システムにより咬合力を測定します（**表1**）．デンタルプレスケールⅡに力が加わると，発色剤を含んでいるマイクロカプセルが破壊され，無色染料が顕色剤と化学反応を起こし赤色に発色します．発色状況をスキャナで読み取り，解析を行います．咬合力が発現した部位，咬合力，最大圧，平均圧，重心の位置やバランスなどの確認ができます．

2－デンタルプレスケールⅡの咬ませ方

1 デンタルプレスケールⅡ取り扱い上の注意

測定前後のマイクロカプセルの破壊を避けるために，測定面に対する荷重の負荷，フイルムの折り曲げなどを行ってはなりません．

シート表面の着色を避けるため，口紅や咬合紙による歯の着色をあらかじめ落としておきます．

使用前の汚染を避けるため，使用直前にアルミシートから取り出します．

粘膜の損傷を避けるために，シートの出し入れはゆっくり行います．

2 デンタルプレスケールⅡのサイズ選択

歯列全体がシート内に納まるサイズを選択します（**図1**）．模型があれば，模型でサイズの確認を行います．

3 被検者による練習

口角幅に切った保護紙を口腔内に入れ，保護紙の角を左右最後臼歯部の頬粘膜に当て，この感覚を認識してもらいます．この練習はデンタルプレスケールⅡの位置の確認に役立ちます．

保護紙を軽く咬んでもらい，デンタルプレスケールⅡを口腔内で保持する感覚を身につけてもらいます．

表1　咬合力測定システム

咬合力測定システム用フイルム	デンタルプレスケールⅡ	ジーシー
咬合力分析ソフトウェア	バイトフォースアナライザ	ジーシー
スキャナ	A4スキャナGT-X830	エプソン
コンピュータ	OS：Windows 8/8.1/10	

S	M	L
小児	成人女性	成人女性 / 成人男性
約68mm / 約47mm	約76mm / 約53mm	約81mm / 約60mm

図1　デンタルプレスケールⅡのサイズ

4 デンタルプレスケールⅡの口腔内挿入

シートを口腔内に挿入するときは，わずかにユニットのバックレストを傾けておきます（**図2**）．前歯部，臼歯部の被蓋関係を確認し（**図3**），ペーパーホルダーの印刷面を上方にして口腔内に挿入し，シート内に上顎歯列全体が含まれる位置で，軽く咬んだ状態で保持してもらいます（**図4**）．「強く咬み込まない」「咬んだ状態から開口しない」という注意を被検者に事前に伝えておきます．被検者自身の両手の小指で，頬粘膜を内側から外側に広げてもらうと挿入しやすくなります．保護紙で練習したシートが左右最後臼歯部の頬粘膜に当っている感じがあることを被検者に確認します．

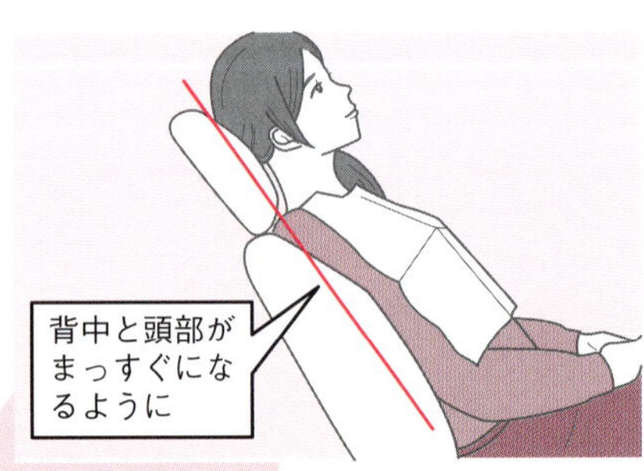

図2　被検者の姿勢
ユニットのバックレストをわずかに傾けておきます．ヘッドレストの角度はバックレストと一直線にし，被検者の背中と頭部がまっすぐになるようにします．

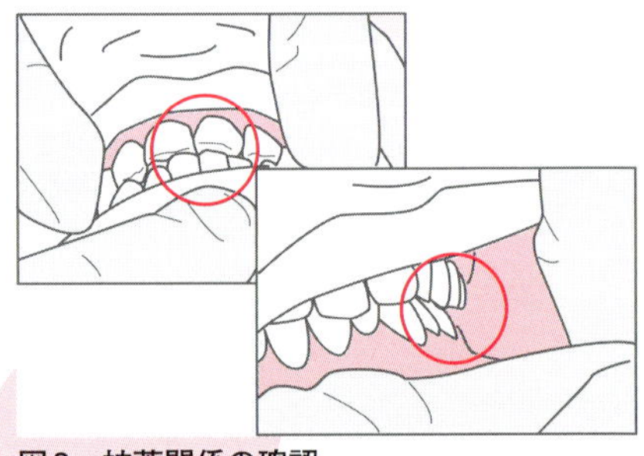

図3　被蓋関係の確認
デンタルプレスケールⅡを咬ませた際，巻き込みにより，シートから歯列がはみ出すことがありますので注意してください．

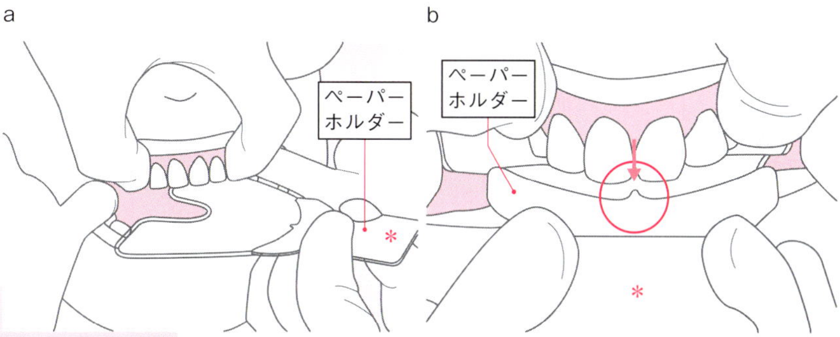

a

ペーパーホルダー

b

ペーパーホルダー

図4　口腔内への挿入方法
a. 右手の人差し指と親指でペーパーホルダー部のくびれた部分をつまむように持ち，挿入するときは印象用トレーのときのように横向きに入れ回転させながら入れていきます．
b. 上顎中切歯近心隅角部がペーパーホルダーの凸部から約5mm離れるようにします．
＊ペーパーホルダーの印刷面．この部に文字が印刷されている面を上方にして口腔内に挿入します．

5 最大咬合力の測定

上体を起こし，最大の力で約３秒間咬むよう指示します（**図5**）．

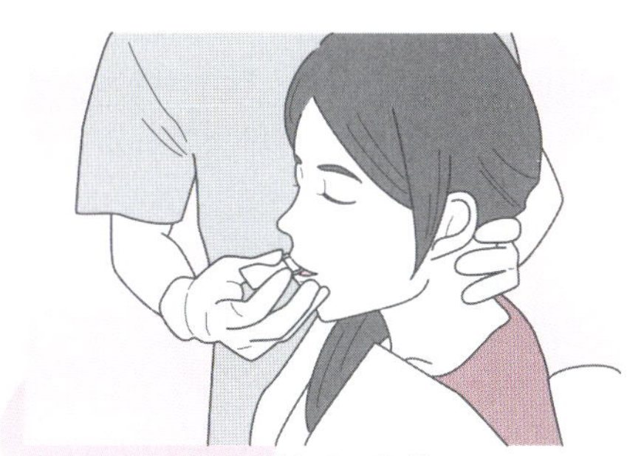

図5　最大咬合力測定時の姿勢
上体を起こし，被検者の頸部の辺りに術者の左手を添えて支えます．

6 デンタルプレスケールⅡの清拭消毒

口腔内からシートを取り出し，上下顎の歯の接触部位がすべてシート内にあることを確認します．シートに力が加わらないように唾液を拭き取り，消毒用エタノールなどで清拭消毒を行います．表面に汚れや水分が残っていない状態にします．

3－スキャナによる読み込み

①デスクトップ上の「Bite Force Analyzer」アイコンのダブルクリックにより専用ソフトウェアを起動します．
②メイン画面メニューの「患者選択」ボタンをクリックして，患者を選択または新規に登録します．新規登録時には「患者選択」画面で「新規」ボタンをクリックして「患者編集」画面で登録を行います．

③メイン画面メニューの「スキャン」ボタンをクリックしてスキャン画面を表示します．

④スキャナにキャリブレーションシートをセットします．キャリブレーションシート表側がスキャナの原稿台に，裏側のシリアルNoがスキャナ右上の矢印マーク側に付くように置き，スキャナの原稿カバーを閉じます．

⑤スキャン画面の「キャリブレーション」ボタンをクリックし，キャリブレーションを開始します．作業が完了すると「新規読込」ボタンが有効になります．

⑥キャリブレーションシートを取り出します．キャリブレーションシートは付属の保管袋に入れて保管してください．

⑦位置決め用テンプレートを用いてデンタルプレスケールⅡをスキャナにセットします．位置決め用テンプレートはキャリブレーションシートと同様，スキャナ右上の矢印マーク側に付くように置き，そのフタ部を開き，デンタルプレスケールⅡの形状に合わせてセットします．デンタルプレスケールⅡは表面を原稿台に向けてセットし，位置決め用テンプレートのフタ部を閉じ，次にスキャナの原稿カバーを閉じます．

⑧「新規読込」ボタンをクリックします．

⑨新規読込画面でデンタルプレスケールⅡのサイズを選択して「OK」ボタンをクリックし，デンタルプレスケールⅡのスキャンを開始します．スキャンが完了するとデータが画面に表示されます．

⑩必要なデータ位置を指定します．カットエリア移動の各ボタンを使用し，馬蹄形マークの位置を調整し，「カット実行」ボタンをクリックします．馬蹄形マークの範囲外にあるデータは，ノイズと認識され除外対象になります．

⑪ノイズの消去を行うため，圧力フィルタ機能をオンにします．さらにノイズの消去を行いたいときには，画面左側のツールボタン等を用いてノイズの消去を行います．

⑫「保存」ボタンをクリックしてデータを保存します．プロパティ画面が表示されるので検査日時，メモ，備考を入力し，「実行」ボタンをクリックします．「データを保存します．よろしいですか？」のメッセージが表示されたら「はい」をクリックします．デンタルプレスケールⅡのデータとともに，プロパティ情報が保存され，メイン画面に解析データが表示されます．

⑬位置決め用テンプレートとデンタルプレスケールⅡをスキャナから取り出し，ソフトウェアを終了します．メイン画面右上の×ボタンをクリックすることで終了することができます．

4－口腔機能低下症の診断のための基準値

基準値は，圧力フィルタ機能による自動クリーニングを行った場合には350N未満，行わなかった場合には500N未満です．

（下山和弘）

Index

和文索引

さ

し

す

せ

そ

た

ち

つ

て

欧文索引

【編集委員】

吉田　直美（よしだ　なおみ）

1982年　東京医科歯科大学歯学部附属歯科衛生士学校卒業（現 同大学歯学部口腔保健学科）
同　年　東京医科歯科大学歯学部附属病院勤務
1993年　東京医科歯科大学歯学部附属歯科衛生士学校講師
1998年　東京都立大学大学院修士課程修了
2003年　東京医科歯科大学医歯学総合大学院博士課程修了
2004年　東京医科歯科大学歯学部口腔保健学科講師
2009年　千葉県立保健医療大学教授
2015年　日本歯科衛生学会会長
2017年　公益社団法人日本歯科衛生士会副会長
同　年　東京医科歯科大学大学院医歯学総合研究科口腔健康教育学分野教授
2021年　公益社団法人日本歯科衛生士会会長

金澤　紀子（かなざわ　のりこ）

1964年　福島県立歯科衛生士養成所（現福島県立総合衛生学院歯科衛生学科）卒業
1984年　日本歯科衛生士会会長（～1993年）
1992年　財団法人日本口腔保健協会常務理事
2001年　財団法人（現一般財団法人）日本口腔保健協会専務理事
2003年　社団法人（現公益社団法人）日本歯科衛生士会会長
2015年　公益社団法人日本歯科衛生士会顧問

須山　弘子（すやま　ひろこ）

1981年　日本歯科大学附属歯科専門学校卒業（現日本歯科大学東京短期大学）
同　年　日本歯科大学附属病院入職
1990年　さとう歯科医院
1991年　東邦歯科医療専門学校歯科衛生士科
1998年　都立荏原病院非常勤
同　年　市川市リハビリテーション病院歯科
2019年　市川市保健センター健康支援課
2021年　ひろ歯科医院

【編集主幹】
もりと　みつひこ
森戸　光彦
1971年　東京医科歯科大学歯学部卒業
1976年　鶴見大学歯学部講師（歯科補綴学）
1985年　鶴見大学歯学部助教授（歯科補綴学）
1996年　鶴見大学歯学部教授（高齢者歯科学）
2013年　鶴見大学名誉教授

歯科衛生士のための
口腔機能管理マニュアル―高齢者編 第2版　ISBN 978-4-263-42299-1

2016年 5 月25日　第1版第 1 刷発行
2019年11月20日　第1版第 3 刷発行
2022年 7 月25日　第2版第 1 刷発行

監　修　公益社団法人日本歯科衛生士会
発行者　白　石　泰　夫
発行所　**医歯薬出版株式会社**

〒113-8612　東京都文京区本駒込 1-7-10
TEL.（03）5395-7638（編集）・7630（販売）
FAX.（03）5395-7639（編集）・7633（販売）
https://www.ishiyaku.co.jp/
郵便振替番号00190-5-13816

乱丁・落丁の際はお取り替えいたします　印刷・真興社／製本・愛千製本所